TASCABILI BOMPIANI   1493

I LIBRI DI J.R.R. TOLKIEN

La storia della Terra di Mezzo

J.R.R. TOLKIEN
SIR GAWAIN E IL CAVALIERE VERDE
con PERLA e SIR ORFEO

Traduzione e note di Luca Manini

I LIBRI DI
J.R.R. TOLKIEN

Originalmente pubblicato in lingua inglese da
George Allen & Unwin, 1975
Edizione rivista pubblicata da HarperCollinsPublishers 2020

Titolo originale
SIR GAWAIN AND THE GREEN KNIGHT
PEARL AND SIR ORFEO

ISBN 978-88-301-1839-3

www.giunti.it
www.bompiani.it

© 2023 Giunti Editore S.p.A./Bompiani
Via Bolognese 165 – 50139 Firenze – Italia
Via G.B. Pirelli 30 – 20124 Milano – Italia

Prima edizione Tascabili Bompiani: settembre 2023

PREFAZIONE

Quando mio padre, il professor J.R.R. Tolkien, morì nel 1973, lasciò inedite le sue traduzioni dei poemetti inglesi medievali *Sir Gawain e il cavaliere verde*, *Perla* e *Sir Orfeo*. Una sua primissima traduzione di *Perla* esisteva già più di trent'anni prima, sebbene sia stata molto rivista in seguito; e quella di *Sir Gawain* risale a subito dopo il 1950. Quest'ultima fu trasmessa dal Terzo Programma della BBC nel 1953. Anche la versione di *Sir Orfeo* fu realizzata molti anni fa e fu messa da parte (credo) per molto tempo; ma certamente mio padre desiderava vederla pubblicata.

Era suo desiderio accompagnare le traduzioni sia con un'introduzione generale sia con un commento; ed è stato in gran parte perché non riusciva a decidersi su che forma dare a tali apparati che le traduzioni sono rimaste inedite. Da un lato, egli, senza dubbio, cercava un pubblico che non possedesse la minima conoscenza di questi poemetti; nella traduzione di *Perla* scrisse: "La *Perla* merita certamente di essere ascoltata dagli amanti della poesia inglese che non hanno l'opportunità o il desiderio di padroneggiarne il difficile idioma. A tali lettori offro questa traduzione." Ma scrisse anche: "Una traduzione può essere un'utile forma di commento; e questa versione può forse essere accettabile anche a quanti già conoscono l'originale, e ne possiedono edizioni con un apparato completo."

5

Era quindi suo desiderio spiegare le basi della sua versione, specie riguardo ai passi di più difficile lettura; e, in effetti, vi è un grande lavoro editoriale (che non si vede) dietro le sue traduzioni, le quali riflettono non solo il suo lungo studio della lingua e del metro dei testi originali, ma anche come esse ne fossero, in una certa misura, l'ispirazione. Egli scrisse: "Queste traduzioni furono fatte per la prima volta molto tempo fa perché io potessi studiare meglio i testi, poiché un traduttore deve, per prima cosa, cercare di scoprire quanto più precisamente possibile il significato del testo originale, così che possa giungere a capirlo meglio grazie a un'attenzione sempre più precisa e puntuale. Da quando ho iniziato, ho studiato molto attentamente la lingua di questi testi e ne ho sicuramente imparato più di quanto non sapessi quando progettai di tradurli per la prima volta."

Il commento, però, non fu mai scritto e l'introduzione non è andata oltre qualche abbozzo. Nella preparazione di questo libro, la mia preoccupazione è stata che rimanesse un'opera di mio padre, e non ho quindi fornito alcun commento. I lettori che più desiderava raggiungere saranno contenti di sapere che, nei passi di più difficile lettura e comprensione, queste traduzioni sono il frutto di un lungo esame dei testi originali e di grandi fatiche tese a dar forma alle sue conclusioni in una resa che fosse precisa e fedele alla metrica; per spiegazioni e discussioni dei singoli dettagli si deve ricorrere alle edizioni degli originali. Ma i lettori che non hanno alcuna familiarità con questi poemetti vorranno saperne qualcosa; e mi è parso che, là dove fosse possibile, le traduzioni dovessero essere introdotte dalle parole del traduttore stesso, il quale ha dedicato tanto tempo e molta riflessione a queste opere. Ho quindi composto le parti introduttive ed esplicative del libro nel modo che mi accingo a spiegare.

La prima sezione dell'introduzione, dedicata all'autore di *Sir Gawain* e di *Perla*, è tratta dagli appunti di mio padre.

La seconda sezione, dedicata a *Sir Gawain*, è (in una forma leggermente ridotta) un discorso radiofonico che egli pronunciò dopo le trasmissioni dedicate alla sua traduzione. Per la terza sezione, il suo unico scritto su *Perla* che mi è parso adatto allo scopo è stato la bozza originale di un saggio che fu poi pubblicato in forma rivista. Dopo aver collaborato alla realizzazione di un'edizione di *Sir Gawain*, pubblicata nel 1925, mio padre e il professor E.V. Gordon iniziarono a lavorare a un'edizione di *Perla*. Alla fine, quel libro fu quasi interamente opera del solo professor Gordon, ma il contributo di mio padre includeva una piccola parte dell'introduzione; e il testo è qui riprodotto nella forma che assunse come risultato della loro collaborazione.[*] Se tale scritto appare qui è grazie alla generosità della signora I.L. Gordon. Desidero inoltre ringraziare i responsabili della Clarendon Press per aver concesso il permesso di utilizzarlo.

Non sono riuscito a reperire alcuno scritto di mio padre che tratti di *Sir Orfeo*. Pertanto, per mantener fede alle mie intenzioni generali sul libro, mi sono limitato a una brevissima nota, puramente informativa, sul testo.

Poiché uno degli obiettivi principali di queste traduzioni era l'accurata conservazione del metro dei testi originali, ho pensato che il libro dovesse contenere, per quanti lo desiderassero, un saggio sulla metrica usata in *Sir Gawain* e *Perla*. La sezione su *Sir Gawain* è composta di bozze stese, ma non utilizzate, per il discorso introduttivo alle trasmissioni della traduzione; e quella sulla metrica di *Perla* si basa su altre note inedite. Vi è ben poco in questi testi (e nulla che sia legato a un'opinione) che non sia espresso con le parole di mio padre.

È inevitabile che, utilizzando materiali scritti in tempi diversi e per scopi diversi, il risultato non sia del tutto omogeneo; ma mi sembrava meglio accettare questa conseguenza che non usarli affatto.

[*] "Form and Purpose", in *Pearl*, ed. by E.V. Gordon, Oxford 1953, pp. xi-xix.

Al momento della sua morte, mio padre non aveva ancora deciso la forma definitiva da dare a ogni verso delle traduzioni. Nella scelta tra versioni contrastanti, ho cercato di determinare quale fosse stata la sua volontà ultima e, nella maggior parte dei casi, è stato possibile deciderlo con discreta certezza.

In questa edizione è inclusa la conferenza in commemorazione di W.P. Ker, *Sir Gawain e il cavaliere verde*, tenuta da mio padre all'Università di Glasgow il 15 aprile 1953. Di questa sembra esistere ora un solo testo, un dattiloscritto battuto dopo aver pronunciato la conferenza (il che, forse, suggerisce l'intenzione di pubblicarla), come risulta dalla frase (p. 208) "A questo punto, le scene delle tentazioni furono lette ad alta voce in traduzione." All'epoca la traduzione di *Sir Gawain* fatta da mio padre in versi allitterativi in inglese moderno era stata ultimata molto di recente. Questa traduzione fu trasmessa in forma teatrale dalla BBC nel dicembre 1953 (e replicata l'anno successivo), e l'introduzione alla poesia che inserisco qui (p. 15) è tratta dal discorso radiofonico che seguì le trasmissioni; esso, sebbene sia molto breve, è strettamente correlato alla conferenza qui riportata.

Ci sono poi alcune questioni minori riguardanti la sua presentazione che devono essere ricordate. Nonostante mio padre avesse affermato (p. 193) che "laddove la citazione è essenziale, userò una traduzione che ho appena completato", in realtà non lo fece in modo sistematico e invece riportò ampie citazioni del testo originale. In questo, però, non sembra esserci alcuna significatività e, quindi, in questi casi ho fornito i passi in traduzione. Inoltre, la traduzione fatta all'epoca differiva in molte espressioni dalla forma rivista e pubblicata nel 1975; nel caso di divergenze, ho fornito la versione più recente. Non ho riportato le "scene delle tentazioni" nel punto in cui mio padre le recitò durante la conferenza, perché, se fossero date per intero, ammonterebbero a circa 350 versi, e non vi è alcuna indicazione nel testo di come egli li avesse ridotti. E infine, poiché alcuni lettori potrebbero voler fare riferimento alla traduzione piuttosto che al poema originale (a cura di J.R.R. Tolkien ed E.V. Gordon, seconda edizione riveduta da N. Davis, Oxford 1967) e poiché la prima fornisce solo i numeri delle stanze e il secondo solo i numeri dei versi, io li ho indicati entrambi: così, "40, v. 970" significa che il verso 970 si trova nella quarantesima stanza.

Alla fine del libro ho posto un breve glossario. Nell'ultima pagina si trovano alcuni versi che mio padre tradusse da un poemetto inglese medievale. Egli li intitolò *Il congedo di Gawain*, con un chiaro riferimento al passo del *Sir Gawain* in cui Gawain lascia il castello di Sir Bertilak per andare all'appuntamento alla Cappella Verde. La poesia originale non ha alcun collegamento con *Sir Gawain*; i versi tradotti sono, infatti, le prime tre stanze e l'ultima di un poemetto un po' più lungo che fa parte di un gruppo di liriche del XIV secolo, con ritornelli, che si trovano nel manoscritto Vernon conservato nella Bodleian Library a Oxford.

CHRISTOPHER TOLKIEN

Nota del curatore

Come osserva Christopher Tolkien nella sua prefazione, *Sir Gawain e il cavaliere verde, Perla e Sir Orfeo* è stato il primo libro di J.R.R. Tolkien da lui curato per la pubblicazione postuma. Il lavoro editoriale, infatti, iniziò poco dopo la morte del padre. Tra le carte di Christopher c'è una lettera che scrisse a Rayner Unwin, mentre lavorava all'edizione nel 1974, in cui dice di essersi imbattuto nel frammento di una poesia completamente diversa, tradotta da suo padre e da lui intitolata *Il congedo di Gawain*, che, suggerisce, potrebbe essere inclusa; Rayner si disse entusiasta dell'idea. È un segno dell'attenta gestione da parte di Christopher del lavoro di suo padre l'aver posto questa "scoperta" in modo discreto alla fine del libro, con pochi apparati esplicativi.

Durante la preparazione di questa nuova edizione, Christopher citò una caratteristica notevole presente nel manoscritto di suo padre del *Congedo di Gawain* (riprodotto in questa edizione). Immediatamente dopo la stanza finale, appare una bozza di parte del Canto di apertura del *Romanzo di Beren e Lúthien*. La bozza segue molto da vicino il testo A riprodotto nei *Lai del Beleriand* (p. 206) sebbene lo preceda, poiché contiene un distico alternativo dopo il verso 12:

> dall'Inghilterra sino a Eglamar
> tra lontane genti e campi e terre.

Christopher segnalò che la prova che entrambi i testi furono composti prima del 1929 si può desumere facendo riferimento alla critica rivolta a J.R.R. Tolkien da C.S. Lewis dopo che questi lesse la poesia la notte del 6 dicembre 1929; in questa critica, Lewis citava la frase "dolci erano i cibi" (*I lai del Beleriand*, p. 405). Queste parole non compaiono più nelle versioni successive che Tolkien scrisse del testo, molto probabilmente come diretta conseguenza della critica di Lewis. Christopher ne trasse la conclusione che si può affermare con ragionevole certezza che J.R.R. Tolkien aveva in mente *Sir Gawain* anche mentre lavorava al poema che sarebbe diventato il *Lai del Leithian*.

Quando Christopher e io iniziammo a lavorare a questa nuova edizione era previsto che lo stesso Christopher avrebbe rivisto la sua introduzione per condividere l'intuizione di cui sopra ma, alla fine, non poté farlo, avendo posato la penna per l'ultima volta: morì il 16 gennaio 2020. Ricordando i quarantacinque anni di devoto servizio all'eredità del padre, e grazie all'amore incessante di Christopher per i suoi scritti, mi pare opportuno apprezzare sempre più il lavoro di J.R.R. Tolkien e trarre da esso un piacere sempre nuovo. E trovare, nel *Congedo di Gawain* una degna conclusione al lavoro di padre e figlio.

ché ora io da voi prendo congedo.

CHRIS SMITH

INTRODUZIONE

I

Sir Gawain e il Cavaliere Verde e *Perla* sono contenuti entrambi nello stesso manoscritto, in copia unica, che ora si trova al British Museum. Nessuno dei due reca un titolo. Insieme a loro vi sono due altri poemetti, anche loro privi di titolo, che sono ora conosciuti come *Purezza* (o *Candore*) e *Pazienza*. Tutti e quattro sono scritti nella medesima grafia, e risalgono all'incirca al 1400; è un manoscritto piccolo, spigoloso, irregolare e spesso di difficile lettura, a parte l'inchiostro che è sbiadito nel corso del tempo. Ma questa è la mano del copista, non dell'autore. Non v'è alcuna prova che i quattro poemetti siano opere dello stesso poeta; ma, da un elaborato studio comparativo, si è giunti alla diffusa conclusione che lo siano.

Di quest'autore non si sa più nulla al giorno d'oggi ma è stato uno dei maggiori poeti del suo tempo; e che il suo nome sia ormai dimenticato è una cosa che dà da pensare, un promemoria delle grandi lacune e dell'ignoranza su cui, ora, tessiamo le sottili tele della storia letteraria. Qualcosa di quest'autore, però, si può apprendere dalle sue opere. Era un uomo dotato di una mente grave, pieno di devozione, anche se non privo di un certo qual senso dell'umorismo; era interessato alla teologia, e ne aveva una certa conoscenza, sebbene si trattasse, forse, di una conoscenza più amatoriale che professionale; sapeva il latino e il francese ed era un buon conoscitore dei libri francesi, sia di carattere romanzesco che istruttivo; ma la sua casa era nelle Midlands occidentali dell'Inghilterra, come mostrano la lingua e il metro che usa, e i paesaggi che dipinge.

Dev'essere stato attivo nella seconda metà del XIV secolo, ed era quindi un contemporaneo di Chaucer; mentre però Chaucer non è mai diventato un libro chiuso e ha continuato a essere letto con piacere sin dal XV secolo, *Sir Gawain e il Cavaliere Verde* e *Perla* sono praticamente incomprensibili per i lettori moderni. In effetti, al loro tempo, la maggior parte delle persone che apprezzavano le opere di Chaucer avrebbe usato gli aggettivi "oscuro" e "duro" per descrivere questi poemetti. E questo perché Chaucer era originario di Londra e del popoloso Sudest dell'Inghilterra, e la lingua che usava in modo naturale si è poi rivelata il fondamento dell'inglese standard e dell'inglese letterario dei tempi successivi; il tipo di versi che egli compose fu quello maggiormente usato dai poeti inglesi nei successivi cinquecento anni. Il linguaggio di questo sconosciuto autore delle molto meno popolose, e molto più conservatrici, Midlands occidentali, la sua grammatica, il suo stile, il suo vocabolario erano invece, per molti aspetti, lontani da quelli di Londra, fuori dal sentiero principale che avrebbe seguito l'inevitabile sviluppo della lingua e della letteratura; e in *Sir Gawain e il Cavaliere Verde* egli usò il metro inglese risalente ai tempi antichi, quel tipo di verso che ora è chiamato "allitterativo". Questo mirava a effetti del tutto diversi da quelli ottenuti dai metri rimati e basati sul numero delle sillabe di derivazione francese e italiana; a chi non vi era abituato esso suonava duro e rigido e irregolare. E, a parte il carattere dialettale (da un punto di vista londinese) della lingua, questo verso "allitterativo" includeva nella sua tradizione un certo numero di parole poetiche mai usate nei discorsi o nella prosa ordinari, e che erano "oscure" per quanti non conoscevano quella tradizione.

In breve, questo poeta aderì a quello che oggi è noto come il revival allitterativo del XIV secolo, ossia il tentativo di utilizzare per una scrittura alta e seria l'antico metro e l'antico stile, non più usati da lungo tempo: il tentativo fallì e il verso allitterativo non fu, all'atto pratico, rianimato. Lo scorrere del tempo, del gusto, della lingua, per non parlare del potere politico, del commercio e della ricchezza, vi erano contrari; e tutto ciò che resta del più importante artista del revival è un unico manoscritto, di cui nulla si sa prima che trovasse posto nella biblioteca di Henry Savile di Banke nello Yorkshire, il quale visse dal 1568 al 1617.

Sono queste, dunque, le ragioni della traduzione: essa è necessaria, se si vuole che questi poemetti non rimangano un piacere letterario riservato soltanto agli specialisti del Medioevo. E sono difficili da tradurre. L'obiettivo principale delle presenti traduzioni è preservarne i metri, che sono essenziali per le poesie nel loro insieme; e presentarne il linguaggio e lo stile, non come possono apparire a uno sguardo superficiale, arcaici, strani, contorti e rozzi, ma così com'erano per le persone cui erano indirizzati, certo inglesi e conservatrici, ma anche cortesi, sagge e colte – istruite, anzi dotte.

II
Sir Gawain e il Cavaliere Verde

Se la cosa più certa che si sa dell'autore è che scrisse anche *Pazienza*, *Purezza* e *Perla*, allora abbiamo in *Sir Gawain* l'opera di un uomo capace di tessere elementi tratti da fonti diverse in una trama che appartiene soltanto a lui; e un uomo che aveva uno scopo serio nel comporre queste opere. Mi sento di dire che è proprio questo scopo, con la sua solidità, che si è rivelato lo strumento adatto per plasmare e dar forma alla materia, conferendole la qualità di una bella favola, ma solo in superficie, perché il testo, se lo esaminiamo più da vicino, è ben più di questo.

La storia è, di per sé, una buona storia. È una storia d'amore, una fiaba per adulti, piena di vita e di colori; e ha qualità che andrebbero perse in un riassunto, sebbene esse si possano percepire leggendo il testo con calma e attenzione: una buona ambientazione, dialoghi cortesi o umoristici, e una narrazione abilmente organizzata. Di tutto ciò, l'esempio più notevole è la lunga terza parte, col suo intrecciare le scene di caccia e quelle delle tentazioni. Grazie a questo espediente, i tre personaggi principali sono tenuti vividamente sulla scena durante i tre giorni cruciali, mentre le scene che si svolgono a casa e quelle che si svolgono in campagna sono collegate dallo scambio del "bottino", e noi possiamo osservare i guadagni della caccia diminuire a mano a mano che i guadagni di Sir Gawain aumentano e la pericolosità della sua prova cresce sino a raggiungere il culmine.

Ma tutta questa cura nella costruzione formale serve anche a rendere il racconto un veicolo migliore della "morale" che l'autore ha imposto alla sua materia antica. Egli ridisegna secondo la propria fede l'ideale della cavalleria, trasformandola in una cavalleria cristiana e mostrando che la grazia e la bellezza della cortesia (che pure ammira) derivano dalla generosità e dalla grazia divina, da quella Cortesia Celeste di cui Maria è la creazione suprema: la Regina della Cortesia, come la chiama in *Perla*. Questo egli lo mostra, simbolicamente, nella perfezione matematica del pentacolo che pone sullo scudo di Gawain, sostituendolo al leone araldico o all'aquila che si trovano in altri *romances*. Ma mentre in *Perla* amplia la visione della figlia morta tra i beati facendone un'allegoria della generosità divina, in *Sir Gawain* dà vita al suo ideale mostrandolo incarnato in una persona viva e modificato dal carattere individuale di questa, così che possiamo vedere un uomo che cerca di elaborare l'ideale, e possiamo vedere le debolezze di quell'ideale (o le debolezze dell'uomo).

Egli, però, fa di più. Il suo punto principale è il rifiuto dell'impudicizia e dell'amore adulterino, mentre questo era una parte essenziale della tradizione originaria dell'*amour courtois* o "amor cortese"; ma quest'aspetto egli lo complica ancor di più, inserendovi elementi che toccano la morale della vita quotidiana e alcuni problemi, meno rilevanti, di comportamento, di condotta cortese verso le donne e di fedeltà verso gli uomini, di ciò che potremmo chiamare correttezza o "stare al gioco". Su questi problemi egli è stato meno esplicito e ha lasciato i suoi ascoltatori liberi di formarsi le proprie opinioni sulla base della loro scala di valori e della loro relazione con il valore dominante del peccato e della virtù.

Questo poemetto, quindi, è fatto per essere, per così dire, incentrato tutto su Gawain. Il resto è una rete di circostanze in cui è coinvolto perché siano rivelati il suo carattere e il suo codice. Il "mondo magico" (*Faerie*) può, con la sua stranezza e con il pericolo che contiene, ampliare l'avventura, rendendo la prova più tesa e più potente, ma Gawain è presentato come una persona viva e credibile; e tutto ciò che pensa o dice o fa è da ponderare seriamente, come se egli appartenesse davvero al mondo reale. Il suo carattere è tratteggiato in modo tale da renderlo particolarmente adatto a soffrire acutamente nel corso dell'avventura cui è destinato.

Vediamo la sua quasi esagerata cortesia nel parlare, i suoi atteggiamenti modesti, che tuttavia si accompagnano a una sottile forma di orgoglio: un profondo senso del proprio onore, per non parlare, potremmo dire, del piacere che prova per la sua reputazione come "il nobile modello dell'educazione" (stanza 38). Notiamo anche il suo carattere ardente, generoso, perfino impetuoso, che, per una lieve vena di eccesso, lo porta sempre a promettere più del necessario, al di là delle conseguenze che può prevedere. Ci viene mostrata la delizia che prova quand'è in compagnia delle donne, la sua sensibilità per la loro bellezza, il suo piacere nel "gioco raffinato del conversare" con loro e, allo stesso tempo, la sua fervente pietà, la sua devozione alla Beata Vergine. Nel corso dell'azione, lo vediamo costretto, nel momento di più alta crisi, a distinguere all'interno della scala dei valori gli elementi del proprio codice, preservando la castità e la lealtà al più alto grado verso il suo ospite, rifiutando infine con le azioni (se non con parole vuote) l'assoluta "cortesia" mondana, ossia la completa obbedienza alla volontà della dama quale sovrana, e rigettandola in favore della virtù.

Eppure, più tardi lo vediamo, nell'ultima scena con il Cavaliere Verde, a tal punto travolto dalla vergogna di essere stato scoperto in una violazione della parola data con leggerezza durante un passatempo natalizio, che l'onore guadagnato nella grande prova gli è di ben poco conforto. Con l'esagerazione che gli è caratteristica, giura d'indossare un segno di vergogna per il resto della vita. In un impeto di rimorso, così violento che sarebbe appropriato solo per un peccato grave, si accusa di cupidigia, codardia e tradimento. Dei primi due è innocente, se non per un senso capzioso della vergogna. Ma quant'è vera, aderente alla vita e all'immagine di un uomo d'onore forse poco riflessivo, questa vergogna di essere stato scoperto (soprattutto per essere stato scoperto) coinvolto in qualcosa di meschino, qualunque cosa in coscienza possiamo pensare della reale importanza di quel qualcosa! Quanto è vera, anche, quest'uguaglianza di emozioni che è suscitata da tutti gli elementi di un codice di condotta personale, per quanto diverso possa esserne ogni elemento quanto a importanza o punizione definitiva!

Dell'ultima accusa, ossia la slealtà, la rottura della promessa, il tradimento (tutti nomi ben duri che Gawain le attribuisce) egli era colpevole solo nella misura in cui aveva infranto le regole di un gioco assurdo impostogli dal suo ospite (dopo aver avventatamente promesso di fare qualsiasi cosa il suo ospite gli avesse chiesto). E anche quello era su richiesta di una dama, richiesta avanzata (si può notare) dopo che egli aveva accettato il dono, sì da ritrovarsi tra l'incudine e il martello. Certo, questa è un'imperfezione su un qualche piano; ma a quale altezza, e di quale importanza? Le risate della corte di Camelot – e a quale corte superiore in materia d'onore ci si potrebbe recare? – è probabilmente una risposta sufficiente.

In termini letterari, però, questa rottura nella perfezione matematica di una creatura ideale, disumana nella sua impeccabilità, è senza dubbio un grande miglioramento. La credibilità di Gawain ne viene enormemente accresciuta. Egli diventa un uomo vero, e così noi possiamo sul serio ammirare la sua vera virtù. Possiamo riflettere seriamente su come ragionava la mente inglese nel XIV secolo, che è ciò che egli rappresenta, e da cui derivano, in gran parte, il nostro sentimento e i nostri ideali di comportamento. Vediamo il tentativo di preservare la grazia della cavalleria e della cortesia, unendole alla morale cristiana, alla fedeltà coniugale, e anzi all'amore coniugale. Il più nobile cavaliere del più alto ordine cavalleresco rifiuta l'adulterio, pone l'odio per il peccato al disopra di tutti gli altri motivi, e sfugge, mediante la grazia ottenuta dalla preghiera, a una tentazione che lo assale sotto le mentite spoglie della cortesia. Questo è ciò a cui pensava principalmente l'autore di *Sir Gawain e il Cavaliere Verde*, e secondo quel pensiero plasmò il poemetto nella forma che ci è pervenuta.

Tutto ciò era una questione dibattuta a quei tempi, tra gli inglesi. *Sir Gawain* presenta a modo suo, che è un modo più esplicitamente morale e religioso, un aspetto di quel movimento di pensiero da cui è nato anche il più grande poema di Chaucer, *Troilo e Criseide*. È probabile che quanti leggono ora *Sir Gawain* leggeranno con rinnovato interesse le ultime strofe dell'opera di Chaucer.

Ma se il poema di Chaucer è molto diverso, nel tono e nel significato, dalla sua fonte immediata, ossia il *Filostrato* di Boccaccio, esso è del tutto lontano dai sentimenti o dalle idee espressi nei poemi omerici sulla caduta di Troia, e ancor più lontano (possiamo supporre) da quelli dell'antico mondo egeo. Le ricerche su tutto ciò hanno ben poco a che fare con Chaucer. Lo stesso vale certamente anche per *Sir Gawain e il Cavaliere Verde*, per il quale non è stata rintracciata alcuna fonte prossima. Per questo motivo, poiché parlo di questo poemetto e di quest'autore, e non di antichi riti o di divinità pagane del Sole, né della Fertilità, né dell'Oscurità e degli Inferi, celebrati e adorati nell'antichità quasi del tutto perduta del mondo nordico e di queste isole occidentali – tanto lontani da Sir Gawain di Camelot quanto gli dèi dell'Egeo sono lontani da Troilo e Pandaro in Chaucer – per questo motivo dunque non ho detto nulla della storia, o delle storie, che l'autore utilizzò. Le ricerche hanno scoperto molto su di loro, in particolare sui due temi principali: la sfida della decapitazione e la prova. Questi sono sapientemente combinati in *Sir Gawain e il Cavaliere Verde*, ma altrove si trovano separatamente in varie forme, in irlandese o in gallese o in francese. Ricerche di questo tipo interessano molto agli uomini di oggi, ma interessavano invero poco agli uomini colti del Trecento. Costoro erano inclini a leggere i testi poetici per quello che potevano ricavarne in quanto *sentenza*, come si diceva, o istruzione per se stessi e per i loro tempi; ed erano incredibilmente poco curiosi riguardo agli autori come persone; non fosse stato così, sapremmo molto di più su Geoffrey Chaucer, e almeno il nome dell'autore di *Sir Gawain*. Ma non c'è tempo per tutto. Ringraziamo per ciò che abbiamo, per ciò che ci è stato preservato per puro caso, ossia un'altra finestra, dai vetri multicolori, che si apre sui tempi remoti del Medioevo e ci offre un altro punto di vista. Chaucer è stato un grande poeta e, con il potere della sua poesia, tende a dominare la visione che del suo tempo hanno i lettori di letteratura. Il suo, però, non era l'unico stato d'animo o l'unica tempra mentale di quei giorni. Ce n'erano altri, come quello di quest'autore, il quale, sebbene potesse mancare della sottigliezza e della flessibilità di Chaucer, aveva – come possiamo dire? – una nobiltà alla quale Chaucer a malapena arrivò.

III
Edizioni

Sir Gawain and the Green Knight, a cura di J.R.R. Tolkien ed E.V. Gordon, Oxford 1925. Ampiamente rivisto in una seconda edizione da Norman Davis, Oxford 1967. *Pearl*, a cura di E.V. Gordon, Oxford 1953.

Sir Orfeo, a cura di A.J. Bliss, seconda edizione Oxford 1966. Questa edizione contiene tutti e tre i testi del poemetto e una discussione sulle origini di questo svolgimento della leggenda di Orfeo ed Euridice.

Il testo Auchinleck, con le stesse inserzioni fatte nella traduzione, è riportato in *Fourteenth Century Verse and Prose*, a cura di K. Sisam, con un glossario di J.R.R. Tolkien (Oxford University Press).

IV
Nota sul testo della traduzione

Il modo in cui il testo è presentato (specie per quanto riguarda l'assenza della numerazione dei versi in *Sir Gawain* e in *Perla*, e l'uso delle virgolette nelle parti dialogiche in *Perla*) rispetta i desideri di mio padre.

Il verso 4 della stanza 42 e il verso 18 della stanza 98 della traduzione di *Sir Gawain* non sono presenti nel testo originale. Sono stati inseriti nella traduzione seguendo l'idea che, in questi due punti, i versi originali fossero andati perduti, e si basano sulla congettura avanzata da Sir Israel Gollancz (edizione di *Sir Gawain and the Green Knight*, Early English Text Society, 1940).

SIR GAWAIN E IL CAVALIERE VERDE

SIR GAWAIN AND THE GREEN KNIGHT

I

When the siege and the assault had ceased at Troy,
and the fortress fell in flame to firebrands and ashes,
the traitor who the contrivance of treason there
fashioned was tried for his treachery, the most true upon
earth – it was Æneas the noble and his renowned kindred
who then laid under them lands, and lords became of
well-nigh all the wealth in the Western Isles. When royal
Romulus to Rome his road had taken, in great pomp and
pride he peopled it first, and named it with his own name
that yet now it bears; Tirius went to Tuscany and towns
founded, Langaberde in Lombardy uplifted halls, and far
over the French flood Felix Brutus on many a broad bank
and brae Britain

       established full fair,
  where strange things, strife and sadness,
  at whiles in the land did fare,
  and each other grief and gladness
  oft fast have followed there.

2   And when fair Britain was founded by this famous lord,
bold men were bred there who in battle rejoiced,
and many a time that betid they troubles aroused.

SIR GAWAIN E IL CAVALIERE VERDE

I

Quando a Troia furon cessati e l'assedio e l'assalto
e tra le fiamme la fortezza rovinò, sfacendosi in cenere e in tizzi,
e il traditore che la macchina del tradimento avea congegnato
fu processato per quel tradimento, il più vero
sulla terra – allora furono il nobile Enea e la sua celebre stirpe
che conquistaron terre e divennero i padroni di
quasi tutta la ricchezza delle Isole dell'Occidente. Quando il
regale
Romolo trovò la via per Roma, con grande pompa e
fierezza egli per primo la popolò e le diede il proprio nome,
nome che ancor'oggi essa porta; in Toscana andò Tirio e città
vi fondò; Longobardo in Lombardia palazzi eresse, e lontano,
oltre il mare francese, Felice Bruto su molte prode ampie
e su declivi la Britannia
splendida stabilì,
e strane cose, lotte e tristezza
accaddero sovente in quella terra
e, a vicenda, pena e letizia
spesso si son succedute.

2 E quando la bella Britannia fu fondata da quel famoso signore,
crebbero uomini arditi là, che gioivano in battaglia,

In this domain more marvels have by men been seen
than in any other that I know of since that olden time;
but of all that here abode in Britain as kings
ever was Arthur most honoured, as I have heard men tell.
Wherefore a marvel among men I mean to recall,
a sight strange to see some men have held it,
one of the wildest adventures of the wonders of Arthur.
If you will listen to this lay but a little while now,
I will tell it at once as in town I have heard
       it told,
  as it is fixed and fettered
  in story brave and bold,
  thus linked and truly lettered,
  as was loved in this land of old.

3   This king lay at Camelot at Christmas-tide
with many a lovely lord, lieges most noble,
indeed of the Table Round all those tried brethren,
amid merriment unmatched and mirth without care.
There tourneyed many a time the trusty knights,
and jousted full joyously these gentle lords;
then to the court they came at carols to play.
For there the feast was unfailing full fifteen days,
with all meats and all mirth that men could devise,
such gladness and gaiety as was glorious to hear,
din of voices by day, and dancing by night;
all happiness at the highest in halls and in bowers
had the lords and the ladies, such as they loved most dearly.
With all the bliss of this world they abode together,
the knights most renowned after the name of Christ,
and the ladies most lovely that ever life enjoyed,
and he, king most courteous, who that court possessed.
For all that folk so fair did in their first estate abide,
  Under heaven the first in fame,

e più volte accadeva ch'essi suscitassero disordini.
Han visto gli uomini più meraviglie in questo regno
che in qualunque altro ch'io conosca, sin da quei tempi antichi;
ma fra quanti dimorarono in Britannia quali re
mai vi fu alcuno che onorato fu al pari di Artù, così ho udito.
Ecco perché alla gente rinarrar io voglio un portento,
da alcuni considerato uno spettacolo ben strano,
una delle avventure più peregrine fra le meraviglie d'Artù.
Se or vorrete porger orecchio, per un poco, a questo lai,
io subito lo narrerò come in città lo udii
     narrare,
   così com'esso con ben fatti versi
   fu fissato in stupefacente storia,
   foggiato e scritto con verità,
   così com'esso amato fu qui in antico.

3   A Camelot era il re nel tempo del Natale,
con molti amabili signori, nobilissimi vassalli,
fratelli provati tutti, invero, della Tavola Rotonda,
tra svaghi senza pari e un'allegrezza senza pena.
V'erano molti tornei fra quei fidi cavalieri,
v'erano giostre piene di gioia fra quei nobili signori;
essi tornavano poi a corte a far carole.
Ché per quindici giorni là si facea ininterrotta festa,
con tutti i cibi e tutta l'allegrezza che immaginar si poteva,
con letizia e con gaiezza che all'orecchio dava gioia,
con chiasso di voci nel giorno, e danze nella notte;
il diletto era al culmine, nelle sale e nelle stanze,
per signori e per dame, proprio come loro era gradito.
Con tutto il gaudio del mondo essi stavano insieme,
i più famosi cavalieri nel nome di Cristo,
e le dame più amabili che mai vita godette,
ed egli, il più cortese re, colui che reggeva quella corte.
Ché quella sì nobile gente era nel fior di giovinezza,

their king most high in pride;
it would now be hard to name
a troop in war so tried.

4 While New Year was yet young that yestereve had arrived,
that day double dainties on the dais were served,
when the king was there come with his courtiers to the hall,
and the chanting of the choir in the chapel had ended.
With loud clamour and cries both clerks and laymen
Noel announced anew, and named it full often;
then nobles ran anon with New Year gifts,
Handsels, handsels they shouted, and handed them out,
Competed for those presents in playful debate;
ladies laughed loudly, though they lost the game,
and he that won was not woeful, as may well be believed.
All this merriment they made, till their meat was served;
then they washed, and mannerly went to their seats,
ever the highest for the worthiest, as was held to be best.
Queen Guinevere the gay was with grace in the midst
of the adorned dais set. Dearly was it arrayed:
finest sendal at her sides, a ceiling above her
of true tissue of Tolouse, and tapestries of Tharsia
that were embroidered and bound with the brightest gems
one might prove and appraise to purchase for coin
          any day.
   That loveliest lady there
   on them glanced with eyes of grey;
   that he found ever one more fair
   in sooth might no man say.

5 But Arthur would not eat until all were served;
his youth made him so merry with the moods of a boy,
he liked lighthearted life, so loved he the less
either long to be lying or long to be seated

prima per fama sotto il cielo,
per fierezza più alto il loro re;
difficile sarebbe ora nominare
una schiera guerresca più provetta.

4   Quando giovane ancora era il nuovo anno, giunto appena
il giorno prima,
quel dì prelibatezze in numero doppio furon servite alla
tavola alta,
quando alla sala fu giunto il re assieme ai cortigiani
e nella cappella terminato fu il canto salmodiato.
Con alto clamore, con grida, e chierici e laici
di nuovo annunciarono il Natale, e spesso lo nominarono;
poi rapidi corsero i nobili coi doni per il nuovo anno;
gridarono "Strenne, strenne" mentre le distribuivano
e per esse competevano con dibattiti giocosi;
alto ridevano le dame anche quando perdevano il gioco
e ben creder si può che chi vinceva mesto certo non era.
Con allegrezza s'intrattennero così sinché non fu servito il pasto;
allora si lavarono e, composti, sedete ognuno al proprio posto,
quello più in alto assegnato ai più degni, com'era appropriato.
Ginevra Regina, ben lieta, sedete con grazia nel mezzo
dell'adornata tavola alta. Riccamente era essa ornata:
finissime sete ai suoi lati, un sopracciedo, in alto,
d'autentico tessuto di Tolosa, e arazzi di Tarsia
ch'eran ricamati e tempestati delle più lucenti gemme
che vere trovar si potessero, e valutare, sul mercato
in ogni tempo.
La dama là più leggiadra,
ella li guardava con gli occhi suoi, grigi;
d'averne visto mai una più bella
invero nessun uomo dire potea.

so worked on him his young blood and wayward brain.
And another rule moreover was his reason besides
that in pride he had appointed: it pleased him not to eat
upon festival so fair, ere he first were apprised
of some strange story or stirring adventure,
or some moving marvel that he might believe in
of noble men, knighthood, or new adventures;
or a challenger should come a champion seeking
to join with him in jousting, in jeopardy to set
his life against life, each allowing the other
the favour of fortune, were she fairer to him.
This was the king's custom, wherever his court was holden,
at each famous feast among his fair company
      in hall.
  So his face doth proud appear,
  and he stands up stout and tall,
  all young in the New Year;
  much mirth he makes with all.

6   Thus there stands up straight the stern king himself,
talking before the high table of trifles courtly.
There good Gawain was set at Guinevere's side,
with Agravain a la Dure Main on the other side seated,
both their lord's sister-sons, loyal-hearted knights.
Bishop Baldwin had the honour of the board's service,
and Iwain Urien's son ate beside him.
These dined on the dais and daintily fared,
and many a loyal lord below at the long tables.
Then forth came the first course with fanfare of trumpets,
on which many bright banners bravely were hanging;
noise of drums then anew and the noble pipes,
warbling wild and keen, wakened their music,
so that many hearts rose high hearing their playing.
Then forth was brought a feast, fare of the noblest,

5   Non voleva però Artù mangiare sinché tutti non fossero serviti;
    la sua gioventù di ragazzo gli donava umore d'allegria;
    gradiva una vita spensierata e ciò che meno amava
    era restare a lungo o sdraiato o seduto,
    tanto in lui urgeva il giovane sangue e la mente accesa.
    E un'altra regola gli aveva dettato la mente, che lui avea stabilito
    quale punto d'onore: non gli piaceva mangiare
    in un giorno di festa sì bello se prima non gli si narrava
    una storia strana, oppure un'avventura avvincente,
    o una meraviglia commovente cui creder potesse,
    di nobili uomini, di cavalieri e di avventure nuove;
    ovvero che uno sfidante giungesse a cercare un campione
    che giostrasse con lui, a rischio mettendo
    vita contro vita, lasciando che ad ognuno cadesse
    il favor della fortuna, sperando ch'essa a lui fosse benigna.
    Era questo il costume del re, ovunque egli sua corte tenesse,
    a ogni banchetto tra la sua nobile compagnia
            in una sala.
        Fiero appare il suo volto
        mentr'egli sta in piedi, alto e forte,
        sì giovane in quel nuovo anno;
        com'è egli allegro tra loro!

6   Ed egli là in piedi si sta, proprio lui, il fiero re,
    con cortesia parlando, dinanzi alla tavola alta, di frivolezze.
    Sedeva il buon Gawain al fianco di Ginevra,
    e all'altro lato sedeva Agravaine dalla Dura Mano,
    nipoti entrambi del loro signore, cavalieri dal cuore leale.
    Il vescovo Baldwin aveva il posto d'onore alla tavola,
    e accanto a lui mangiava Iwain, figlio di Urien.
    Mangiavano essi sulla tavola alta, squisitamente serviti,
    e molti leali cavalieri alle altre lunghe tavole.
    Arrivò poi la prima portata, con squilli di trombe
    dalle quali pendevano, belli, molti lucidi stendardi;

multitude of fresh meats on so many dishes
that free places were few in front of the people
to set the silver things full of soups on cloth
      so white.
  Each lord of his liking there
  without lack took with delight:
  twelve plates to every pair,
  good beer and wine all bright.

7   Now of their service I will say nothing more,
for you are all well aware that no want would there be.
Another noise that was new drew near on a sudden,
so that their lord might have leave at last to take food.
For hardly had the music but a moment ended,
and the first course in the court as was custom been served,
when there passed through the portals a perilous horseman,
the mightiest on middle-earth in measure of height,
from his gorge to his girdle so great and so square,
and his loins and his limbs so long and so huge,
that half a troll upon earth I trow that he was,
but the largest man alive at least I declare him;
and yet the seemliest for his size that could sit on a horse,
for though in back and in breast his body was grim,
both his paunch and his waist were properly slight,
and all his features followed his fashion so gay
      in mode;
  for at the hue men gaped aghast
  in his face and form that showed;
  as a fay-man fell he passed,
  and green all over glowed.

il suono dei tamburi, poi, e dei nobili flauti,
coi loro trilli acuti e vivaci, destarono musica,
sì che, udendola, molti cuori in alto si levarono.
Fu poi portato un vero banchetto, cibo sopraffino,
una moltitudine di cibi freschi, in così tanti piatti
che ben poco spazio restava dinanzi ai convitati
per porre gli argenti colmi di zuppa sulla tovaglia
      ch'era sì bianca.
  Là ogni signore a proprio piacere
  si servì con delizia e abbondanza:
  dodici piatti a ogni due persone,
  buona birra e vino che splende.

7   Più nulla ora dirò di ciò che fu servito,
ché ormai edotti siete che là di nulla v'era penuria.
Un altro rumore, nuovo, improvviso, si fece vicino:
segno che il loro signore alfine poteva prender cibo.
Ma a stento da un momento era la musica cessata
e, com'era costume alla corte, la prima portata servita,
quando i portali attraversò un minaccioso uomo a cavallo,
nella terra dei mortali il più possente in altezza,
tanto grande e squadrato dalla gola alla vita,
tanto lunghi ed enormi i lombi e le membra,
che un mezzo gigante mi pare che fosse, sulla terra,
e dichiaro ch'egli era l'uomo più enorme che vivesse;
eppure, per la sua stazza, con eleganza in sella sedeva,
e benché, nel suo corpo, fosser truci la schiena ed il petto,
armoniosi e snelli erano il ventre e la vita,
e i suoi lineamenti eran pari al portamento, sì nobile
      di modi;
  al colore tutti trattennero il fiato stupiti
  che mostrava e la faccia ed il corpo;
  egli passò come un magico essere,
  perché di verde ei riluceva.

8   All of green were they made, both garments and man:
       a coat tight and close that clung to his sides;
       a rich robe above it all arrayed within
       with fur finely trimmed, shewing fair fringes
       of handsome ermine gay, as his hood was also,
       that was lifted from his locks and laid on his shoulders;
       and trim hose tight-drawn of tincture alike
       that clung to his calves; and clear spurs below
       of bright gold on silk broideries banded most richly,
       though unshod were his shanks, for shoeless he rode.
       And verily all this vesture was of verdure clear,
       both the bars on his belt, and bright stones besides
       that were richly arranged in his array so fair,
       set on himself and on his saddle upon silk fabrics:
       it would be too hard to rehearse one half of the trifles
       that were embroidered upon them, what with birds and
                                                        with flies
       in a gay glory of green, and ever gold in the midst.
       The pendants of his poitrel, his proud crupper,
       his molains, and all the metal to say more, were enamelled,
       even the stirrups that he stood in were stained of the same;
       and his saddlebows in suit, and their sumptuous skirts,
       which ever glimmered and glinted all with green jewels;
       even the horse that upheld him in hue was the same,
              I tell:
         a green horse great and thick,
         a stallion stiff to quell,
         in broidered bridle quick:
         he matched his master well.

9   Very gay was this great man guised all in green,
       and the hair of his head with his horse's accorded:
       fair flapping locks enfolding his shoulders,
       a big beard like a bush over his breast hanging

8 Tutti di verde eran fatti, e gli abiti e l'uomo:
  una tunica corta e stretta che ai fianchi gli aderiva;
  sopra, un ricco manto tutto foderato, all'interno,
  di pelliccia finemente rifilata, con belle frange
  di chiaro e bell'ermellino, così com'era il suo cappuccio,
  che, poggiando sulle spalle, liberi gli lasciava i capelli;
  e brache aderenti e linde, d'un eguale colore,
  gli fasciavano i polpacci; e, più sotto, chiari speroni
  d'oro lucente su ricami di seta fatti su ricche fasce,
  e scoperti aveva egli gli stinchi, ché scalzo cavalcava.
  Era il vestimento suo, invero, tutto di verde chiaro,
  sia le borchie della cintura sia le rilucenti pietre
  ch'erano riccamente disposte nel suo bell'equipaggiamento,
  sia su lui sia sulla sella, disposte su tessuti di seta;
  troppo arduo sarebbe ridire anche sol la metà degli emblemi
  che vi eran ricamati, ora farfalle e ora uccelli,
  in un vivace tripudio di verde con sempre, nel mezzo, dell'oro.
  I fregi del pettorale, la splendida groppiera,
  i bozzi del morso e, in aggiunta, tutto il metallo, eran smaltati,
  persino le staffe su cui si reggeva eran tinte dello stesso colore;
  e così era l'arcione e i drappi sontuosi
  che scintillanti rilucevano con gemme ben verdi;
  lo stesso colore pure aveva il cavallo che egli montava,
    io ve lo dico:
   un grande, robusto cavallo,
   uno stallone duro a domarsi,
   vivace sotto briglie ricamate:
   ben s'adattava al suo padrone.

9 Stupendo era invero quell'uomo massiccio tutto di verde vestito,
  e al crine del cavallo s'accordavano i capelli che aveva sul capo:
  begli anelli oscillanti che gli circondavano le spalle,
  e un gran barba che, pari a un cespuglio, sul petto gli scendea
  e, assieme ai capelli che dal capo cadevano,

that with the handsome hair from his head falling
was sharp shorn to an edge just short of his elbows,
so that half his arms under it were hid, as it were
in a king's capadoce that encloses his neck.
The mane of that mighty horse was of much the same sort,
well curled and all combed, with many curious knots
woven in with gold wire about the wondrous green,
ever a strand of the hair and a string of the gold;
the tail and the top-lock were twined all to match
and both bound with a band of a brilliant green:
with dear jewels bedight to the dock's ending,
and twisted then on top was a tight-knitted knot
on which many burnished bells of bright gold jingled.
Such a mount on middle-earth, or man to ride him,
was never beheld in that hall with eyes ere that time;
     for there
  his glance was as lightning bright,
  so did all that saw him swear;
  no man would have the might,
  they thought, his blows to bear.

10 And yet he had not a helm, nor a hauberk either,
not a pisane, not a plate that was proper to arms;
not a shield, not a shaft, for shock or for blow,
but in his one hand he held a holly-bundle,
that is greatest in greenery when groves are leafless,
and an axe in the other, ugly and monstrous,
a ruthless weapon aright for one in rhyme to describe:
the head was as large and as long as an ellwand,
a branch of green steel and of beaten gold;
the bit, burnished bright and broad at the edge,
as well shaped for shearing as sharp razors;
the stem was a stout staff, by which sternly he gripped it,
all bound with iron about to the base of the handle,

a forma d'angolo era tagliata appena sopra il gomito,
sì che per metà le sue braccia v'eran sotto celate, quasi fosse
la cappa d'un re che attorno al collo si pone.
Del tutto simile era la criniera del possente suo cavallo,
ben arricciata e pettinata, con molti strani nodi
dove, in quel verde stupefacente, erano intessuti fili d'oro:
una striscia di capelli e una stringa d'oro;
la coda e il ciuffo eran similmente attorcigliati
e legati entrambi con un nastro d'un verde brillante,
ornati di gemme preziose sino all'estremità
e poi, in cima, rinchiusi in un nodo ben stretto
sul quale tintinnavano politi campanelli di lucente oro.
Nella terra dei mortali, un tale destriero o un tale cavaliere
mai s'eran con gli occhi veduti in quella sala prima di
quel giorno;

poiché là
come lampo lucente era il suo sguardo,
questo ognuno era pronto a giurare;
nessun uomo, mai, avrebbe la possanza
retto, pensavan tutti, di un colpo che da lui venisse.

10   Non aveva egli però elmo, e neppure usbergo,
non pettorale, non piastra che alle armi appartenga,
non scudo, non lancia per urto o per cozzo,
ma in una mano reggeva un fascio d'agrifoglio,
il quale è d'un verde più vivo quando privi di foglie sono i
boschi,
e nell'altra un'ascia brutta, sì, e mostruosa,
un'arma inver spietata, atta a essere descritta in versi:
larga n'era la testa, e lunga oltre un metro,
un ramo di verde acciaio e d'oro battuto;
all'estremità n'era la punta brunita, lucida e ampia,
e la forma indicava che tagliare potea quale affilato rasoio;
l'impugnatura era un'asta robusta ch'egli fortemente stringeva,

and engraven in green in graceful patterns,
lapped round with a lanyard that was lashed to the head
and down the length of the haft was looped many times;
and tassels of price were tied there in plenty
to bosses of the bright green, braided most richly.
Such was he that now hastened in, the hall entering,
pressing forward to the dais – no peril he feared.
To none gave he greeting, gazing above them,
and the first word that he winged: 'Now where is', he said,
'the governor of this gathering? For gladly I would
on the same set my sight, and with himself now talk
     in town.'
   On the courtiers he cast his eye,
   and rolled it up and down;
   he stopped, and stared to espy
   who there had most renown.

11   Then they looked for a long while, on that lord gazing;
for every man marvelled what it could mean indeed
that horseman and horse such a hue should come by
as to grow green as the grass, and greener it seemed,
than green enamel on gold glowing far brighter.
All stared that stood there and stole up nearer,
watching him and wondering what in the world he
                          would do.
For many marvels they had seen, but to match this nothing;
wherefore a phantom and fay-magic folk there thought it,
and so to answer little eager was any of those knights,
and astounded at his stern voice stone-still they sat there
in a swooning silence through that solemn chamber,
as if all had dropped into a dream, so died their voices
     away.
   Not only, I deem, for dread;
   but of some 'twas their courtly way

con ferro legata sino alla base del manico,
e con emblemi incisa, verdi e armoniosi,
alla quale era avvolta una cordicella fissata alla punta
e che più e più volte si ravvolgea per la lunghezza dell'asta;
e nappe preziose eran legate, in gran dovizia,
a borchie d'un verde brillante, riccamente guarnite.
Così appariva colui che, in fretta, entrando nella sala,
s'appressava veloce alla tavola alta – non temeva perigli.
A nessun rivolse un saluto, sopra le loro teste oltre fissando,
e queste le prime parole che risonar fece: "Chi è," disse,
"che governa quest'adunanza? Ché lietamente vorrei
su lui posare lo sguardo, e con lui ora parlar
   cortesemente."
  Sui cortigiani gli occhi fissò
  e li girò poi di qua, di là;
  s'arrestò e con lo sguardo cercò
  chi là il più famoso fosse.

11 Ed essi per un pezzo guardarono, fissando quel messere;
e ognuno si chiedeva, con meraviglia, come fosse possibile
che il cavaliere e il suo cavallo si fosser fatti di quel colore,
verdi come l'erba, invero, e persino più verdi
e più splendenti che un verde smeraldo montato in oro.
Chiunque era là lo fissò e piano gli si accostò,
osservandolo e chiedendosi che mai avrebbe fatto dipoi.
Ché molte meraviglie avevan visto ma una simile mai;
uno spettro lo pensarono, o un essere del mondo incantato,
e tra quei cavalieri nessuno era ansioso di dare una risposta,
e, strabiliati dalla sua voce severa, impietriti sedevano
nel silenzio sospeso che quella stanza solenne teneva;
come se fossero tutti sprofondati in un sogno, così le voci
   si tacquero.
  Non solo, credo, per paura;
  era per alcuni un modo cortese

to allow their lord and head
to the guest his word to say.

12   Then Arthur before the high dais beheld this wonder,
and freely with fair words, for fearless was he ever,
saluted him, saying: 'Lord, to this lodging thou'rt welcome!
The head of this household Arthur my name is.
Alight, as thou lovest me, and linger, I pray thee;
and what may thy wish be in a while we shall learn.'
'Nay, so help me,' quoth the horseman, 'He that on high
                              is throned,
to pass any time in this place was no part of my errand.
But since thy praises, prince, so proud are uplifted,
and thy castle and courtiers are accounted the best,
the stoutest in steel-gear that on steeds may ride,
most eager and honourable of the earth's people,
valiant to vie with in other virtuous sports,
and here is knighthood renowned, as is noised in my ears:
'tis that has fetched me hither, by my faith, at this time.
You may believe by this branch that I am bearing here
that I pass as one in peace, no peril seeking.
For had I set forth to fight in fashion of war,
I have a hauberk at home, and a helm also,
a shield, and a sharp spear shining brightly,
and other weapons to wield too, as well I believe;
but since I crave for no combat, my clothes are softer.
Yet if thou be so bold, as abroad is published,
thou wilt grant of thy goodness the game that I ask for
        by right.'
    Then Arthur answered there,
    and said: 'Sir, noble knight,
    if battle thou seek thus bare,
    thou'lt fail not here to fight.'

per far sì che il loro re e signore
dicesse all'ospite una parola.

12   Allora Artù, dinanzi alla tavola alta, quella meraviglia mirò
e, liberamente, con cortesi parole, ché sempre egli impavido era,
lo salutò dicendo: "Signore, sii tu il benvenuto in questa dimora!
Mi chiamo Artù e di questa magione io sono il capo.
Scendi di sella, se mi ami, e resta, ti prego;
e qual sia il tuo desiderio, ben presto sapremo."
"No, e mi aiuti," disse l'uomo a cavallo, "Colui che in alto
                                                    ha il trono,
della mia missione non è parte trascorrere qui il tempo.
Ma ché le tue lodi, principe, tanto in alto son levate,
e i migliori son considerati il tuo castello e i tuoi cortigiani,
i più forti, in armi d'acciaio, che possano cavalcar destrieri,
i più prodi e degni d'onore fra la gente tutta del mondo,
valorosi nel contendere con gli altri in gare virtuose,
e qui famosa è la cavalleria, come m'è giunto all'orecchio…
è questo che mi ha portato, in fede mia, qui in questo tempo.
Ben creder potete, per il ramo che qui io porto,
che giungo quale uomo di pace, che non ricerca perigli.
Perché, se mosso mi fossi per muover guerra,
un usbergo ho io a casa, e anche un elmo,
uno scudo e un'acuta lancia che brillante riluce,
e anche altre armi che so, credo, impugnare;
ma poiché non bramo lotta, più leggeri sono i miei abiti.
E se invero tu sei, come ovunque si dice, audace tanto,
per bontà concedermi vorrai il gioco che chiedo
           per diritto."
      Rispose Artù allora
e disse: "Nobile cavaliere e signore,
se così chiedi un duello senz'armi,
qui non ti mancherà la lotta."

13 'Nay, I wish for no warfare, on my word I tell thee!
    Here about on these benches are but beardless children.
    Were I hasped in armour on a high charger,
    there is no man here to match me – their might is so feeble.
    And so I crave in this court only a Christmas pastime,
    since it is Yule and New Year, and you are young here and

                                                        merry.

    If any so hardy in this house here holds that he is,
    if so bold be his blood or his brain be so wild,
    that he stoutly dare strike one stroke for another,
    then I will give him as my gift this guisarm costly,
    this axe – 'tis heavy enough – to handle as he pleases;
    and I will abide the first brunt, here bare as I sit.
    If any fellow be so fierce as my faith to test,
    hither let him haste to me and lay hold of this weapon –
    I hand it over for ever, he can have it as his own –
    and I will stand a stroke from him, stock-still on this floor,
    provided thou'lt lay down this law: that I may deliver
    him another.
            Claim I!
        And yet a respite I'll allow,
        till a year and a day go by.
        Come quick, and let's see now
        if any here dare reply!'

14 If he astounded them at first, yet stiller were then
    all the household in the hall, both high men and low.
    The man on his mount moved in his saddle,
    and rudely his red eyes he rolled then about,
    bent his bristling brows all brilliantly green,
    and swept round his beard to see who would rise.
    When none in converse would accost him, he coughed

                                                    then loudly,
    stretched himself haughtily and straightway exclaimed:

13   "No, io guerra non voglio, te ne do la parola!
     Qui, su queste panche, siedono imberbi bambini soltanto.
     Fossi io, su un alto destriero, racchiuso in un'armatura,
     non uomo ch'è qui potrebbe starmi alla pari – debole la lor
                                                               forza.
     E così, in questa corte, non desidero se non un festivo
                                                        passatempo,
     nel tempo del Natale e dell'Anno Nuovo, essendo voi
                                                giovani e allegri.
     Se v'è, in questa casa, qualcuno che si ritiene valente,
     e ardito nel sangue, e acceso nella mente,
     e che osi, saldo, menare un colpo in cambio di un altro,
     io gli darò, quale dono, quest'ascia preziosa, da guerra,
     quest'ascia, sì – è pesante, vedete – da usare come meglio voglia;
     il primo urto io sosterrò, sedendo qui, disarmato.
     Se qualcuno vi è focoso tanto da mettere alla prova la mia
                                                             parola,
     che venga qui veloce e quest'arma stringa tra le dita –
     io per sempre gliela cedo, e come sua potrà egli tenerla –
     e un colpo sopporterò da lui, immobile sul terreno,
     a condizione che tu dia questa legge: che io possa sferrarne
     a lui un altro.
               Questo io chiedo!
          E una tregua concederò,
          di un anno e di un giorno.
          Su, senza esitare, vediamo
          se qualcuno rispondere osa!"

14   S'egli dapprima li aveva storditi, più immoti ancora
     stettero tutti nella sala, i nobili e i plebei.
     Sulla sella si mosse quell'uomo ch'era a cavallo
     e intorno girò gli occhi con atto non cortese,
     inarcò le sopracciglia irsute, rilucenti di verde,
     e attorno smosse la barba, in attesa di veder chi si sarebbe alzato.

'What! Is this Arthur's house,' said he thereupon,
'the rumour of which runs through realms unnumbered?
Where now is your haughtiness, and your high conquests,
your fierceness and fell mood, and your fine boasting?
Now are the revels and the royalty of the Round Table
overwhelmed by a word by one man spoken,
for all blench now abashed ere a blow is offered!'
With that he laughed so loud that their lord was angered,
the blood shot for shame into his shining cheeks
     and face;
  as wroth as wind he grew,
  so all did in that place.
  Then near to the stout man drew
  the king of fearless race,

15 And said: 'Marry! Good man, 'tis madness thou askest,
and since folly thou hast sought, thou deservest to find it.
I know no lord that is alarmed by thy loud words here.
Give me now thy guisarm, in God's name, sir,
and I will bring thee the blessing thou hast begged to
                        receive.'
Quick then he came to him and caught it from his hand.
Then the lordly man loftily alighted on foot.
Now Arthur holds his axe, and the haft grasping
sternly he stirs it about, his stroke considering.
The stout man before him there stood his full height,
higher than any in that house by a head and yet more.
With stern face as he stood he stroked at his beard,
and with expression impassive he pulled down his coat,
no more disturbed or distressed at the strength of his blows
than if someone as he sat had served him a drink
     of wine.
  From beside the queen Gawain
  to the king did then incline:

Quando nessuno, però, a lui s'accostò, forte tossì,
con mossa altera si drizzò e subito esclamò:
"Come! È questa la casa di Artù," disse'egli allora,
"la cui fama corre per regni innumerevoli?
Dov'è la vostra alterigia, adesso, dove sono le grandi conquiste,
la vostra ferocia e l'animo duro, e il vostro alto vanto?
Sono ora le feste e la regalità della Tavola Rotonda
sopraffatte dalle parole di un uomo solo,
ché tutti s'acquattano abbattuti prima che un sol colpo sia
                                                    menato?"
Dicendo ciò, tanto forte ei rise che irato ne fu il sire,
e il sangue corse ratto, per l'onta, alle sue guance accese
        e alla sua faccia;
    furioso si fece come il vento
    e con lui tutti in quel luogo.
    Poi, accanto a quell'uomo massiccio
    si fece il re d'un'impavida schiatta,

15   E disse: "Per il cielo! Buon uomo, è una follia ciò che richiedi,
    e poiché una follia hai cercato, di trovarla tu meriti.
    Non conosco un solo signore, qui, che provi apprensione
                                        alle tue alte parole.
    Dammi ora, messere, in nome di Dio, la tua ascia da guerra,
    ed essa ti darà la benedizione che ci hai pregato di ricevere."
    Rapido a lui n'andò e gliela tolse di mano.
    Allora quell'uomo superbo discese con fare sprezzante di sella.
    Regge Artù ora l'ascia e, stringendone l'elsa,
    feroce la muove all'intorno, preparandosi a colpire.
    Quell'uomo massiccio rimaneva dinanzi a lui, in tutta la sua
                                                    altezza,
    più alto di tutta la testa, e anche più, di chiunque fosse in quella
                                                    casa.
    Mentre, con scuro cipiglio, là rimaneva, si carezzava la barba
    e imperturbato si sistemava la tunica,

'I implore with prayer plain
that this match should now be mine.'

16   'Would you, my worthy lord,' said Wawain to the king,
    'bid me abandon this bench and stand by you there,
    so that I without discourtesy might be excused from the
                                      table,

and my liege lady were not loth to permit me,
I would come to your counsel before your courtiers fair.
For I find it unfitting, as in fact it is held,
when a challenge in your chamber makes choice so exalted,
though you yourself be desirous to accept it in person,
while many bold men about you on bench are seated:
on earth there are, I hold, none more honest of purpose,
no figures fairer on field where fighting is waged.
I am the weakest, I am aware, and in wit feeblest,
and the least loss, if I live not, if one would learn the truth.
Only because you are my uncle is honour given me:
save your blood in my body I boast of no virtue;
and since this affair is so foolish that it nowise befits you,
and I have requested it first, accord it then to me!
If my claim is uncalled-for without cavil shall judge
        this court.'
    To consult the knights draw near,
    and this plan they all support;
    the king with crown to clear,
    and give Gawain the sport.

non più scosso o angosciato dalla forza del colpo dell'altro
che se qualcuno, mentre sedesse, gli servisse una coppa
     di vino.
    Accanto alla regina, Gawain
    si chinò verso il re:
    "Con chiara preghiera io imploro
    che sia mio questo duello."

16   "Vorreste, mio degno signore," disse Gawain al re,
"invitarmi a lasciar questa panca e pormi a voi d'accanto,
sì che, senza commetter scortesia, possa lasciare la tavola;
e se la mia signora restia non fosse a concederlo,
v'offrirei il mio consiglio dinanzi a questi nobili cortigiani.
Ché improprio io trovo, come tutti di fatto considerano,
che quando nella vostra sala una sfida sì tracotante sia lanciata,
sebbene voi siate ansioso d'accettarla di persona,
restino sulle panche seduti tanti uomini arditi,
i quali, credo, sulla terra non han pari quanto a integrità
e quanto a nobiltà laddove s'ingaggi una lotta.
Io, conscio ne sono, sono il più debole, e di non vivace mente,
e ben poca perdita, a dir tutto il vero, sarebbe s'io morire
                         dovessi.
Sol perché voi mi siete zio, a me è tributato onore;
di nessuna virtù io mi vanto, se non del sangue vostro che è
                         in me;
e ché questa faccenda è stolta al punto che a voi, no, non
                         s'adatta,
e io per primo ne ho fatto richiesta, accordatela a me!
Se gratuita è questa mia richiesta, senza cavillar lo decida
     questa corte."
    I cavalieri s'unirono in consulto
    e assentirono a questa proposta:
    liberare il re incoronato
    e la lotta affidare a Gawain.

17 The king then commanded that he quickly should rise,
and he readily uprose and directly approached,
kneeling humbly before his highness, and laying hand on
             the weapon;
and he lovingly relinquished it, and lifting his hand
gave him God's blessing, and graciously enjoined him
that his hand and his heart should be hardy alike.
'Take care, cousin,' quoth the king, 'one cut to address,
and if thou learnest him his lesson, I believe very well
that thou wilt bear any blow that he gives back later.'
Gawain goes to the great man with guisarm in hand,
and he boldly abides there – he blenched not at all.
Then next said to Gawain the knight all in green:
'Let's tell again our agreement, ere we go any further.
I'd know first, sir knight, thy name; I entreat thee
to tell it me truly, that I may trust in thy word.'
'In good faith,' quoth the good knight, 'I Gawain am called
who bring thee this buffet, let be what may follow;
and at this time a twelvemonth in thy turn have another
with whatever weapon thou wilt, and in the world with
    none else but me.'
 The other man answered again:
 'I am passing pleased,' said he,
 'upon my life, Sir Gawain,
 that this stroke should be struck by thee.'

18 'Begad,' said the green knight, 'Sir Gawain, I am pleased
to find from thy fist the favour I asked for!
And thou hast promptly repeated and plainly hast stated
without abatement the bargain I begged of the king here;
save that thou must assure me, sir, on thy honour
that thou'lt seek me thyself, search where thou thinkest
I may be found near or far, and fetch thee such payment
as thou deliverest me today before these lordly people.'

17 Il re comandò allora che ratto si levasse
    ed egli prontamente s'alzò e subito s'accostò, in ginocchio,
    mettendosi umile innanzi al suo re, e sull'arma ponendo la mano;
    e l'altro, con grazia, la cedette e, levando la mano,
    lo benedisse nel nome di Dio, e con cortesia gli ingiunse
    che saldi fossero in lui e la mano ed il cuore.
    "Abbi cura, nipote," disse il re, "di sferrare un sol colpo,
                                                        di netto;
    e se una chiara lezione gl'impartisci, è mia certa credenza
    che tu sopporterai qualsiasi colpo egli ti renda più tardi."
    Gawain s'avvicina al gigante con l'ascia tra le mani
    e ardito là rimane – non cercò di ritrarsi atterrito.
    Disse allora il Cavaliere Verde a Gawain:
    "Prima d'andare innanzi, ripetiamo il nostro accordo.
    Per prima cosa, cavaliere, vorrei sapere il tuo nome; ti prego
    di dirmelo con sincerità, sì ch'io mi possa fidare della tua
                                                        parola."
    "In fede mia," disse il buon cavaliere, "il mio nome è Gawain
    e contro di te menerò questo colpo, accada dipoi ciò che accada;
    e in questo periodo, fra un anno, sarà il tuo turno un altro
    di sferrarne, con l'arma che vorrai, e, in tutto il mondo,
              a nessun altro se non a me."
        Rispose l'altro allora:
        "Sono lieto oltremodo," disse,
        "sulla mia vita, Sir Gawain,
        che sia tu a dover menare questo colpo."

18 "In nome di Dio," disse il Cavaliere Verde, "son lieto, Sir
                                                        Gawain,
    di ricever dalla tua mano il favore che ho chiesto!
    E prontamente hai ripetuto, e chiaramente esposto,
    senza timore, il patto di cui pregai qui il re;
    ma sul tuo onore, messere, assicurare mi devi
    che tu stesso a cercarmi verrai, andando là dove pensi

'Where should I light on thee,' quoth Gawain, 'where look
for thy place?
I have never learned where thou livest, by the Lord that
made me,
and I know thee not, knight, thy name nor thy court.
But teach me the true way, and tell what men call thee,
and I will apply all my purpose the path to discover:
and that I swear thee for certain and solemnly promise.'
'That is enough in New Year, there is need of no more!'
said the great man in green to Gawain the courtly.
'If I tell thee the truth of it, when I have taken the knock,
and thou handily hast hit me, if in haste I announce then
my house and my home and mine own title,
then thou canst call and enquire and keep the agreement;
and if I waste not a word, thou'lt win better fortune,
for thou mayst linger in thy land and look no further –
but stay!
To thy grim tool now take heed, sir!
Let us try thy knocks today!'
'Gladly', said he, 'indeed, sir!'
and his axe he stroked in play.

19 The Green Knight on the ground now gets himself ready,
leaning a little with the head he lays bare the flesh,
and his locks long and lovely he lifts over his crown,
letting the naked neck as was needed appear.
His left foot on the floor before him placing,
Gawain gripped on his axe, gathered and raised it,
from aloft let it swiftly land where 'twas naked,
so that the sharp of his blade shivered the bones,
and sank clean through the clear fat and clove it asunder,
and the blade of the bright steel then bit into the ground.
The fair head to the floor fell from the shoulders,
and folk fended it with their feet as forth it went rolling;

ch'io possa esser trovato, vicino o lontano, per ricevere ciò
che oggi tu mi darai qui, dinanzi a queste nobili persone."
"Dove ti troverò," disse Gawain, "dove il tuo luogo cercherò?
Ancora, per il Signore che mi creò, non ho appreso dove tu vivi,
e te non conosco, cavaliere, non il tuo nome o la tua corte.
Insegnami dunque la giusta via e dimmi come ti chiamano
                                              gli uomini,
e io ogni sforzo e ogni pensiero dedicherò al discoprir quel
                                              sentiero:
io questo ti giuro e solennemente prometto."
"Questo è bastante per l'Anno Nuovo, nulla di più serve!"
disse quell'uomo verde e massiccio a Gawain il cortese.
"Se quando, ricevuto che avrò il colpo che m'avrai
                                   destramente inferto,
ancora il vero dire potrò, allor dichiarerò dove
dimoro, e la mia casata, e il titolo che m'appartiene,
e allora potrai venire a cercarmi e mantenere il patto;
ma se nessuna parola dirò, migliore sarà la tua sorte,
ché nella tua terra restare potrai, senza nulla cercare –
      ma basta!
   Prendi la truce arma, messere!
   Oggi il tuo urto sentirò!"
"Con gioia," disse l'altro, "invero, messere!"
E l'ascia, quasi giocando, toccò.

19   Ed ecco che il Cavaliere Verde già si prepara, là sul terreno,
un poco piegando il capo egli la carne discopre
e sopra la testa solleva le lunghe e belle ciocche,
facendo sì che nudo, com'era d'uopo, si mostrasse il collo.
Ponendo innanzi a sé, sul suolo, il piede sinistro,
Gawain l'ascia afferrò, strinse e sollevò
e, dall'alto, ratto cader la fece nel punto ch'era nudo,
sì che il filo della lama infranse le ossa,
penetrò il chiaro grasso e in due lo divise,

the blood burst from the body, bright on the greenness,
and yet neither faltered nor fell the fierce man at all,
but stoutly he strode forth, still strong on his shanks,
and roughly he reached out among the rows that stood

                                                there,

caught up his comely head and quickly upraised it,
and then hastened to his horse, laid hold of the bridle,
stepped into stirrup-iron, and strode up aloft,
his head by the hair in his hand holding;
and he settled himself then in the saddle as firmly
as if unharmed by mishap, though in the hall he might

        wear no head.

  His trunk he twisted round,
  that gruesome body that bled,
  and many fear then found,
  as soon as his speech was sped.

20 For the head in his hand he held it up straight,
    towards the fairest at the table he twisted the face,
    and it lifted up its eyelids and looked at them broadly,
    and made such words with its mouth as may be recounted.
    'See thou get ready, Gawain, to go as thou vowedst,
    and as faithfully seek till thou find me, good sir,
    as thou hast promised in this place in the presence of

                                                these knights.

    To the Green Chapel go thou, and get thee, I charge thee,
    such a dint as thou hast dealt – indeed thou hast earned
    a nimble knock in return on New Year's morning!
    The Knight of the Green Chapel I am known to many,
    so if to find me thou endeavour, thou'lt fail not to do so.
    Therefore come! Or to be called a craven thou deservest.'
    With a rude roar and rush his reins he turned then,
    and hastened out through the hall-door with his head in

                                                his hand,

poi morse il terreno quella lama di lucido acciaio.
La bella testa dalle spalle al suolo ricadde,
e ognuno, mentre rotolava lontano, da sé la respinse;
dal corpo sprizzò il sangue, lucente contro quel verde,
eppure né vacillò né cadde l'uomo feroce,
ma risoluto avanzò a gran passi, saldo ancora sulle gambe,
e rudemente tese le braccia tra le file dei presenti,
raccolse la bella sua testa e rapido la sollevò
e poi veloce s'avvicinò al cavallo, strinse le briglie,
pose il piede nel ferro delle staffe e montò cavalcioni,
nella mano la testa reggendo per i capelli;
e poi in sella si sistemò, con fermezza.
quasi nessuna ferita avesse patito, anche se nella sala
            non avea la testa.
    In giro il tronco rivolse,
    quel corpo sanguinante ed orrendo,
    e molti provarono paura
    appena il suo discorso pronunciò.

20 Poiché in mano, in alto, egli reggeva quella testa,
    verso i più nobili ch'erano a tavola rivolse la faccia,
    e sollevò le palpebre e a occhi ben aperti li fissò
    e con la bocca, così si narra, disse queste parole:
    "Bada a esser pronto, Gawain, ad andar là dove giurasti
    e, secondo tua fede, cercarmi e trovarmi, buon messere,
    sì come hai promesso in questo luogo, innanzi a questi cavalieri.
    Va' alla Cappella Verde e, io sì t'impongo, ricevi
    un colpo quale tu hai sferrato – ti sei invero guadagnato,
    in contraccambio, un rapido urto la mattina dell'Anno Nuovo!
    A molti son noto come il Cavaliere della Cappella Verde
    e così, se impegno ci metti, non faticherai a trovarmi.
    Vieni, dunque! Oppur meriterai d'essere detto codardo."
    Con aspro clamore, diede poi uno strappo alle redini e si volse
    e rapido n'andò per la porta della sala con, in mano, la testa,

and fire of the flint flew from the feet of his charger.
To what country he came in that court no man knew,
no more than they had learned from what land he had
journeyed.

Meanwhile,
the king and Sir Gawain
at the Green Man laugh and smile;
yet to men had appeared, 'twas plain,
a marvel beyond denial.

21 Though Arthur the high king in his heart marvelled,
he let no sign of it be seen, but said then aloud
to the queen so comely with courteous words:
'Dear Lady, today be not downcast at all!
Such cunning play well becomes the Christmas tide,
interludes, and the like, and laughter and singing,
amid these noble dances of knights and of dames.
Nonetheless to my food I may fairly betake me,
for a marvel I have met, and I may not deny it.'
He glanced at Sir Gawain and with good point he said:
'Come, hang up thine axe, sir! It has hewn now enough.'
And over the table they hung it on the tapestry behind,
where all men might remark it, a marvel to see,
and by its true token might tell of that adventure.
Then to a table they turned, those two lords together,
the king and his good kinsman, and courtly men served them
with all dainties double, the dearest there might be,
with all manner of meats and with minstrelsy too.
With delight that day they led, till to the land came the
night again.
Sir Gawain, now take heed
lest fear make thee refrain
from daring the dangerous deed
that thou in hand hast ta'en!

e dai piedi del destriero fuoco sprizzò fuor della selce.
Verso qual mai regione egli andasse nessuno alla corte sapea,
non più di quanto avessero appreso da quale terra egli venisse.

    Intanto
  il re e Sir Gawain
  ridono e sorridono di quell'Uomo Verde;
  a tutti era apparso ben chiaramente,
  e senz'ombra di dubbio, un vero prodigio.

21   Sebbene in cuore molto si meravigliasse Artù, quell'alto re,
nessun segno ne mostrò ma disse poi, con voce forte
e con cortesi parole, alla graziosa regina:
"Mia cara dama, non siate oggi abbattuta!
Ben s'adatta al Natale un gioco sì strano,
assieme a interludi e simili cose, e risa e poi canti,
nel mezzo di nobili danze di cavalieri e di dame.
E ora al mio pasto posso io dedicarmi,
ché a un prodigio ho assistito, non lo neghi nessuno!"
Guardò poi Sir Gawain e cortesemente gli disse:
"Ora, messere, appendi quell'ascia! Abbastanza per oggi ha
                                             tagliato."
E agli arazzi ch'eran dietro la tavola l'appesero allora,
dove tutti poteano osservarla, stupefacente a vedersi,
un pegno verace che narrava di quell'avventura.
Alla tavola si volsero poi, quei due signori, insieme,
il re e il suo congiunto, e con cortesia furon serviti,
in doppia misura, di prelibatezze, le più ricche invero,
e d'ogni tipo di cibo, assieme ai canti dei menestrelli.
Con piacere trascorser quel dì, sinché sulla terra ridiscese
       la notte.
  Sir Gawain, bada ora
  che la paura non t'impedisca
  d'affrontare il periglioso atto
  che nella mano preso tu hai!

II

With this earnest of high deeds thus Arthur began the
young year, for brave vows he yearned to hear made.
Though such words were wanting when they went to
table, now of fell work to full grasp filled were their hands.
Gawain was gay as he began those games in the hall, but if
the end be unhappy, hold it no wonder! For though men
be merry of mood when they have mightily drunk, a year
slips by swiftly, never the same returning; the outset to the
ending is equal but seldom. And so this Yule passed over
and the year after, and severally the seasons ensued in their
turn: after Christmas there came the crabbed Lenten that
with fish tries the flesh and with food more meagre; but
then the weather in the world makes war on the winter,
cold creeps into the earth, clouds are uplifted, shining
rain is shed in showers that all warm fall on the fair turf,
flowers there open, of grounds and of groves green is the
raiment, birds are busy a-building and bravely are singing
for sweetness of the soft summer that will soon be on

    the way;
  and blossoms burgeon and blow
  in hedgerows bright and gay;
  then glorious musics go
  through the woods in proud array.

23   After the season of summer with its soft breezes,
when Zephyr goes sighing through seeds and herbs,
right glad is the grass that grows in the open,
when the damp dewdrops are dripping from the leaves
to greet a gay glance of the glistening sun.
But then Harvest hurries in, and hardens it quickly,
warns it before winter to wax to ripeness.
He drives with his drought the dust, till it rises

II

Con la più solenne e alta impresa, così, principiò Artù il
giovane anno, ché d'ardimento ei bramava udire giuramenti.
E se quando sedettero a tavola mancavano parole di tal fatta,
le mani aveano ora ricolme di un'azione ben cruda.
Lieto era Gawain quand'egli là nella sala cominciò quei giochi,

ma se

mesta ne fu la fine, qual v'è meraviglia? Ché se gli uomini
hanno un animo allegro dopo aver grandemente bevuto, rapido

scorre dipoi

un anno, per non tornare mai simile a sé; il principio alla
fine ben raramente è eguale. E passò questo tempo di Natale,
e così l'anno che seguì; e, tra loro ineguali, seguirono, una a una,
le stagioni: venne, dopo il Natale, l'aspra Quaresima che
col pesce tenta la carne, e con ben parco cibo; ma
poi nel mondo il tempo muove guerra all'inverno,
dentro il terreno si rintana il freddo, le nuvole si levano,

scintillando

la pioggia si riversa in scrosci che, caldi, cadono sulle belle zolle,
dove i fiori s'aprono, e di prati e di boschi verde è il
vestimento; affaccendati costruiscono gli uccelli e vivaci cantano
per la dolcezza della molle estate che presto sarà

per via;

nascono e s'aprono i fiori
sulle siepi liete e vivaci;
e splendide musiche sen vanno
per i boschi rivestiti di beltà.

23   Ed ecco la stagione estiva con le brezze sue, soavi,
quando Zefiro sen va sospiroso per semi e per piante,
e ben lieta è l'erba che cresce negli spazi aperti,
e l'umida rugiada goccia dalle foglie
per salutar del sole scintillante il vivace sguardo.

from the face of the land and flies up aloft;
wild wind in the welkin makes war on the sun,
the leaves loosed from the linden alight on the ground,
and all grey is the grass that green was before:
all things ripen and rot that rose up at first,
and so the year runs away in yesterdays many,
and here winter wends again, as by the way of the world
      it ought,
    until the Michaelmas moon
    has winter's boding brought;
    Sir Gawain then full soon
    of his grievous journey thought.

24   And yet till All Hallows with Arthur he lingered,
who furnished on that festival a feast for the knight
with much royal revelry of the Round Table.
The knights of renown and noble ladies
all for the love of that lord had longing at heart,
but nevertheless the more lightly of laughter they spoke:
many were joyless who jested for his gentle sake.
For after their meal mournfully he reminded his uncle
that his departure was near, and plainly he said:
'Now liege-lord of my life, for leave I beg you.
You know the quest and the compact; I care not further
to trouble you with tale of it, save a trifling point:
I must set forth to my fate without fail in the morning,
as God will me guide, the Green Man to seek.'
Those most accounted in the castle came then together,
Iwain and Erric and others not a few,
Sir Doddinel le Savage, the Duke of Clarence,
Lancelot, and Lionel, and Lucan the Good,
Sir Bors and Sir Bedivere that were both men of might,
and many others of mark with Mador de la Porte.
All this company of the court the king now approached

Ma poi di corsa giunge l'autunno e rapido tutto indurisce,
ammonendo che prima d'inverno maturare occorre.
Con la sua aridità sospinge la polvere ed essa si leva
dalla faccia della terra e in alto poi vola;
un vento selvaggio al sole fa guerra nel cielo,
cadono sul terreno le foglie strappate dai tigli,
e grigia è ora l'erba che prima era verde,
e ogni cosa che primamente era nata matura e marcisce;
e così corre via l'anno, di ieri in ieri,
e ritorna l'inverno, come all'uso del mondo

      è dovuto,
   sinché la luna di San Michele
   dell'inverno porta l'annuncio;
   Sir Gawain allora ben presto
   pensò al viaggio suo doloroso.

24   Eppure fino al dì d'Ognissanti indugiò presso Artù,
che in quel giorno di festa un banchetto approntò al cavaliere,
e ci fu grande e regale baldoria là, alla Tavola Rotonda.
I celebri cavalieri e le nobili dame
uno struggimento sentivan nel cuore per amore di quel cavaliere
ma, ciononostante, con leggerezza parlavano, ridendo,
pur se mesti eran molti che per amore di lui sì scherzavano.
Ché dopo quel pasto egli, con grande tristezza, allo zio rammentò
che l'ora della partenza s'approssimava e, con voce chiara,

                             poi disse:
"Ora, signore voi di mia vita, licenza vi chiedo.
Conoscete la cerca e il patto; non voglio più
importunarvi parlandone, se non per ben piccola cosa:
nel mattino io debbo, senza fallo, avviarmi al mio fato,
e, guidato da Dio, ricercare quell'uomo ch'è verde."
S'adunarono allora i più nobili ch'erano al castello,
Iwain ed Erric, e non pochi altri,
Sir Doddinel il Selvaggio, il duca di Clarence,

to comfort the knight with care in their hearts.
Much mournful lament was made in the hall
that one so worthy as Wawain should wend on that errand,
To endure a deadly dint and deal no more
     with blade.
  The knight ever made good cheer,
  saying, 'Why should I be dismayed?
  Of doom the fair or drear
  by a man must be assayed.'

25 He remained there that day, and in the morning got ready,
asked early for his arms, and they all were brought him.
First a carpet of red silk was arrayed on the floor,
and the gilded gear in plenty there glittered upon it.
The stern man stepped thereon and the steel things
                                handled,
dressed in a doublet of damask of Tharsia,
and over it a cunning capadoce that was closed at the
                                throat
and with fair ermine was furred all within.
Then sabatons first they set on his feet,
his legs lapped in steel in his lordly greaves,
on which the polains they placed, polished and shining
and knit upon his knees with knots all of gold;
then the comely cuisses that cunningly clasped
the thick thews of his thighs they with thongs on him tied;
and next the byrnie, woven of bright steel rings
upon costly quilting, enclosed him about;
and armlets well burnished upon both of his arms,
with gay elbow-pieces and gloves of plate,
and all the goodly gear to guard him whatever
     betide;
  coat-armour richly made,
  gold spurs on heel in pride;

Lancillotto, e Lionel, e Lucan il Buono,
Sir Bors e Sir Bedivere, uomini possenti entrambi,
e molti altri ben degni, come Mador de la Porte.
Al re s'accostarono questi nobili tutti,
per confortare, col cuore turbato, il cavaliere.
Mestissimi lamenti s'alzaron nella sala
perché Gawain, sì valoroso, doveva partir per il patto,
onde sopportare un colpo mortale e mai più impugnare
            una spada.
    Con viso sereno il cavaliere
    disse però: "Ché mai dovrei sgomentarmi?
    Sia benigno o maligno, il destino
    dev'esser da un uomo affrontato."

25   Là rimase quel giorno e nel mattino si preparò,
di buon'ora chiese le armi e tutte gli furon portate.
Per prima cosa, sul pavimento fu steso un tappeto rosso, di seta,
sul quale riluceva, completo, il suo dorato apparecchio.
Col volto serio egli vi pose il piede e prese quelle cose d'acciaio,
già rivestito d'un farsetto di damasco di Tarsia
con, sopra, una cappa elegante che s'allacciava alla gola
e ch'era tutta foderata di squisito ermellino.
Gli misero allora, ai piedi, i calzari di ferro,
e le gambe avvolsero con stupendi schinieri
e poi le ginocchiere gli sistemarono, polite e lucenti,
che alle ginocchia legarono con lacci dorati;
poi, gli eleganti cosciali che perfettamente aderivano
ai saldi muscoli delle cosce gli fissarono con legami;
e con l'usbergo, dipoi, tessuto di lucenti anelli d'acciaio,
sopra un'imbottitura preziosa, gli circondarono il petto;
e poi bracciali ben bruniti su entrambe le braccia,
e protezioni ai gomiti, e guanti di metallo,
e ogni splendido arnese che lo proteggesse in ogni
            occasione;

girt with a trusty blade,
silk belt about his side.

26   When he was hasped in his armour his harness was splendid:
the least latchet or loop was all lit with gold.
Thus harnessed as he was he heard now his Mass,
that was offered and honoured at the high altar;
and then he came to the king and his court-companions,
and with love he took leave of lords and of ladies;
and they kissed him and escorted him, and to Christ him
                        commended.
And now Gringolet stood groomed, and girt with a saddle
gleaming right gaily with many gold fringes,
and all newly for the nonce nailed at all points;
adorned with bars was the bridle, with bright gold banded;
the apparelling proud of poitrel and of skirts,
and the crupper and caparison accorded with the
                        saddlebows:
all was arrayed in red with rich gold studded,
so that it glittered and glinted as a gleam of the sun.
Then he in hand took the helm and in haste kissed it:
strongly was it stapled and stuffed within;
it sat high upon his head and was hasped at the back,
and a light kerchief was laid o'er the beaver,
all braided and bound with the brightest gems
upon broad silken broidery, with birds on the seams
like popinjays depainted, here preening and there,
turtles and true-loves, entwined as thickly
as if many sempstresses had the sewing full seven winters
        in hand.
   A circlet of greater price
   his crown about did band;
   The diamonds point-device
   there blazing bright did stand.

una ricca sopravveste,
stupendi speroni ai calcagni,
una spada al fianco, fedele,
una cintura di seta attorno ai fianchi.

26 Quando dell'armatura fu rivestito, splendido era il suo
                                                  armamento:
il minimo laccio, la minima stringa eran dorati e lucenti.
Così abbigliato, ora udì egli la Messa
che fu ufficiata, solennemente, all'altare maggiore;
e poi dal re andò, e dai suoi cortigiani,
e con affetto si congedò dai signori e dalle dame;
ed essi lo baciarono e lo scortarono, raccomandandolo a
                                               Cristo.
E ora Gringolet, perfettamente strigliato, già aveva la sella,
che vivamente riluceva per molte frange dorate,
per l'occasione a nuovo chiodata in ogni punto;
di strisce erano adorne le redini, di cerchi dorati e lucenti;
gli ornamenti, splendidi invero, del pettorale e dei drappi,
e la groppiera e la gualdrappa ben s'accordavano all'arcione;
tutto di rosso era rivestito, con ricche borchie dorate,
sì che tutto riluceva e brillava pari a un raggio di sole.
Poi egli in mano prese l'elmo, e in fretta lo baciò;
era ben graffato e foderato all'interno;
alto gli s'ergeva sul capo, e alla nuca era fissato,
e un leggero velo era posto sulla celata,
trapunto e ornato delle gemme più luminose,
su ampi ricami di seta, con uccelli lungo gli orli,
pappagalli dipinti, che si lisciavano le piume,
e tortore e colombe, intrecciati in modo sì fitto
quasi molte ricamatrici avesser mosso per sette inverni
      l'ago.
    Un cerchio più prezioso ancora
    gli cingeva il sommo della testa;

27 Then they brought him his blazon that was of brilliant gules
with the pentangle depicted in pure hue of gold.
By the baldric he caught it and about his neck cast it:
right well and worthily it went with the knight.
And why the pentangle is proper to that prince so noble
I intend now to tell you, though it may tarry my story.
It is a sign that Solomon once set on a time
to betoken Troth, as it is entitled to do;
for it is a figure that in it five points holdeth,
and each line overlaps and is linked with another,
and every way it is endless; and the English, I hear,
everywhere name it the Endless Knot.
So it suits well this knight and his unsullied arms;
for ever faithful in five points, and five times under each,
Gawain as good was acknowledged and as gold refinéd,
devoid of every vice and with virtues adorned.
      So there
  the pentangle painted new
  he on shield and coat did wear,
  as one of word most true
  and knight of bearing fair.

28 First faultless was he found in his five senses,
and next in his five fingers he failed at no time,
and firmly on the Five Wounds all his faith was set
that Christ received on the cross, as the Creed tells us;
and wherever the brave man into battle was come,
on this beyond all things was his earnest thought:
that ever from the Five Joys all his valour he gained
that to Heaven's courteous Queen once came from her
                             Child.

For which cause the knight had in comely wise
on the inner side of his shield her image depainted,
that when he cast his eyes thither his courage never failed.

i perfetti diamanti
eran là e chiari lucevano.

27   Indi gli portarono lo scudo, ch'era d'un rosso brillante,
col pentacolo dipinto nel puro color dell'oro.
Lo prese per la cinghia e lo gettò ad armacollo:
al cavaliere s'addiceva con piena dignità.
E intendo dir, sebbene ciò raffreni la mia storia,
perché il pentacolo sia adatto a principe sì nobile.
È un segno che Salomone, un tempo, pose
a significar Lealtà, e per questo fu creato;
ché esso è figura che in sé ha cinque punte
e ogni linea sua a un'altra si sovrappone e si lega,
sì che, comunque lo si guardi, esso è infinito;
e gl'inglesi, così ho sentito dire,
lo chiamano, ovunque, il Nodo Infinito.
Esso ben s'adatta, quindi, a tal cavaliere e alle sue pure armi;
perché, sempre fedele in cinque modi, e cinque volte per

ognuno,

era Gawain considerato buono, e raffinato come l'oro,
privo d'ogni vizio e di virtù adorno.
    Là, così,
il pentacolo, di fresco dipinto,
egli portava su scudo e su cotta,
come uomo più che leale
e cavaliere di nobile portamento.

28   Per prima cosa, immacolato era egli nei cinque sensi
e, poi, nelle sue cinque dita, che mai si mostravano fallaci,
e saldamente sulle Cinque Ferite era posta la sua fede
che Cristo ricevette sulla croce, sì come il Credo ci dice;
e ogniqualvolta quel coraggioso entrava in battaglia,
su questo posava, fra tutte le cose, il suo grave pensiero:
che sempre il suo valore egli otteneva dalle Cinque Gioie

The fifth five that was used, as I find, by this knight
was free-giving and friendliness first before all,
and chastity and chivalry ever changeless and straight,
and piety surpassing all points: these perfect five
were hasped upon him harder than on any man else.
Now these five series, in sooth, were fastened on this knight,
and each was knit with another and had no ending,
but were fixed at five points that failed not at all,
coincided in no line nor sundered either,
not ending in any angle anywhere, as I discover,
wherever the process was put in play or passed to an end.
Therefore on his shining shield was shaped now this knot,
royally with red gules upon red gold set:
this is the pure pentangle as people of learning
       have taught.
   Now Gawain in brave array
   his lance at last hath caught.
   He gave them all good day,
   for evermore as he thought.

29 He spurned his steed with the spurs and sprang on his way
so fiercely that the flint-sparks flashed out behind him.
All who beheld him so honourable in their hearts were
                            sighing,
and assenting in sooth one said to another,
grieving for that good man: 'Before God, 'tis a shame
that thou, lord, must be lost, who art in life so noble!
To meet his match among men, Marry, 'tis not easy!
To behave with more heed would have behoved one of
                            sense,
and that dear lord duly a duke to have made,
illustrious leader of liegemen in this land as befits him;
and that would better have been than to be butchered to
                            death,

che dal Figlio furon concesse alla cortese Regina del Cielo.
Per questo, il cavaliere aveva, in maniera squisita,
sul lato interno dello scudo l'immagine di lei dipinta,
sì che, quand'egli là volgea lo sguardo, mai gli mancava il
coraggio.
Gli altri cinque che in questo cavaliere scorgo
son la generosità e l'amicizia, prime fra tutte,
e castità e cavalleria sempre rette e immutate,
e una pietà che ogni cosa superava; in queste cinque qualità
era egli avvolto con più saldezza che ogni altro uomo.
Questi cinque gruppi erano, in piena verità, legati a questo
cavaliere,
ché ognuno all'altro era intessuto e non aveva fine,
ed erano fissati su cinque punte che mai eran fallaci,
mai unite in una linea sola eppure neppur divise,
e che mai in un angolo avevan fine, come posso notare,
ovunque iniziasse il disegno o là dove esso terminasse.
Ed ecco che sullo scintillante scudo era formato questo nodo,
regalmente d'un rosso color posto sopra oro rosso:
è questo il puro pentacolo, secondo l'insegnamento
dei dotti.
    Ora Gawain, così d'arme vestito,
    afferra alfine la lancia.
    A tutti augurò il buon giorno,
    per l'ultima volta, così egli pensò.

29 Con gli speroni il destriero spronò e balzò sulla via,
    con tanta foga che dietro sé scintille suscitò dalla selce.
    Tutti, pieno così vedendolo d'onore, sospiravan nel cuore
    e, l'uno all'altro invero assentendo, dissero,
    in pena per quel grand'uomo: "In nome di Dio, è un peccato
    che tu, messere, debba esser perduto, che sì nobile sei in tua
    vita!
    Non è facile, per il cielo, trovare il suo pari tra gli uomini!

beheaded by an elvish man for an arrogant vaunt.
Who can recall any king that such a course ever took
as knights quibbling at court at their Christmas games!'
Many warm tears outwelling there watered their eyes,
when that lord so beloved left the castle
       that day.
  No longer he abode,
  but swiftly went his way;
  bewildering ways he rode,
  as the book I heard doth say.

30   Now he rides thus arrayed through the realm of Logres,
Sir Gawain in God's care, though no game now he found it.
Oft forlorn and alone he lodged of a night
where he found not afforded him such fare as pleased him.
He had no friend but his horse in the forests and hills,
no man on his march to commune with but God,
till anon he drew near unto Northern Wales.
All the isles of Anglesey he held on his left,
and over the fords he fared by the flats near the sea,
and then over by the Holy Head to high land again
in the wilderness of Wirral: there wandered but few
who with goodwill regarded either God or mortal.
And ever he asked as he went on of all whom he met
if they had heard any news of a knight that was green
in any ground thereabouts, or of the Green Chapel.
And all denied it, saying nay, and that never in their lives
a single man had they seen that of such a colour
       could be.
  The knight took pathways strange
  by many a lonesome lea,
  and oft his view did change
  that chapel ere he could see.

Aver agito con maggior saggia cautela gli avrebbe giovato,
e quel caro signore un duca sarebbe diventato,
un capo illustre di vassalli, come per lui adatto sarebbe stato:
oh quanto meglio ch'essere a morte colpito,
decapitato da un essere non umano per un vanto arrogante.
Chi mai ricorda un re che tal corso prendesse,
ascoltando a corte le ciance di cavalieri che giocano, a Natale?"
Molte lacrime sgorgarono, calde, a bagnar loro gli occhi,
quando il tanto amato signore il castello lasciò
　　　quel giorno.
　Non più egli ristette
　ma rapido imboccò la sua via;
　per vie che sconcertano cavalcò,
　　come dice il libro che udii.

30　E ora cavalca, così armato, per il reame di Logres,
Sir Gawain, protetto da Dio, e che questo non è un gioco ben sa.
Spesso, smarrito e solingo, si fermava, di notte,
dove non trovava più offerto il cibo che amava.
Non aveva amici, se non il cavallo, nelle foreste, e sui monti,
nessun uomo, se non Dio, con cui parlar mentre avanzava,
sinché non arrivò nei pressi del Galles del Nord.
Sulla sinistra aveva le isole di Anglesey,
e superò più guadi accanto alle piane accoste al mare,
e poi risalì su terre più alte passando presso la Sacra Testa,
entrando nel deserto di Wirral; ben pochi vagavano là
che l'animo aveano di rispettare o Dio o i mortali.
E sempre ei notizie chiedeva d'un verde cavaliere
che fosse nei dintorni, o della Verde Cappella.
E tutti dicevano no, che mai nella vita
avevano un uomo visto che di tal colore
　　　esser potesse.
　Strani sentieri prese il cavaliere
　presso molti solitari prati,

31   Many a cliff he climbed o'er in countries unknown,
      far fled from his friends without fellowship he rode.
      At every wading or water on the way that he passed
      he found a foe before him, save at few for a wonder;
      and so foul were they and fell that fight he must needs.
      So many a marvel in the mountains he met in those lands
      that 'twould be tedious the tenth part to tell you thereof.
      At whiles with worms he wars, and with wolves also,
      at whiles with wood-trolls that wandered in the crags,
      and with bulls and with bears and boars, too, at times;
      and with ogres that hounded him from the heights of the
                                                            fells.
      Had he not been stalwart and staunch and steadfast in God,
      he doubtless would have died and death had met often;
      for though war wearied him much, the winter was worse,
      when the cold clear water from the clouds spilling
      froze ere it had fallen upon the faded earth.
      Wellnigh slain by the sleet he slept ironclad
      more nights than enow in the naked rocks,
      where clattering from the crest the cold brook tumbled,
      and hung high o'er his head in hard icicles.
      Thus in peril and pain and in passes grievous
      till Christmas-eve that country he crossed all alone
                in need.
          The knight did at that tide
          his plaint to Mary plead,
          her rider's road to guide
          and to some lodging lead.

e spesso mutava visuale,
onde la cappella cercar di vedere.

31   Su molte rupi s'inerpicò in regioni a lui ignote,
ben lungi dagli amici, privo di compagni avanzava.
A ogni guado o torrente che, andando, passava,
a sé innanzi trovava un nemico, tranne quando l'assisteva

fortuna;

e tanto feri e terribili erano che li doveva per forza combattere.
Sì tante meraviglie, per quelle terre, sulle montagne incontrò,
che tedioso sarebbe qui ridirvene anche solo la decima parte.
Lotta a volte con draghi, e anche con lupi,
a volte coi troll dei boschi che nelle balze vagavano,
e con tori e con orsi e con cinghiali, anche, talvolta;
e con orchi che lo braccavano dai picchi delle alture.
Non fosse stato saldo, fedele e devoto a Dio,
morto sarebbe senza dubbio, la morte spesso avea incontrato;
ché se la lotta molto lo stancava, peggio era l'inverno,
quando la fredda e pura acqua, cadendo dalle nubi,
gelava prima di toccare la terra ora appassita.
Quasi ucciso da pioggia e da neve egli, vestito di ferro, dormì
più notti, e troppe notti, sulle nude rocce,
là dove il freddo ruscello precipitava rumoreggiando

dalla cima,

e s'induriva in ghiaccioli pendenti sulla sua testa.
Così, tra perigli e duoli e dolorose prove,
sino alla vigilia di Natale egli traversò quella regione, da solo,

e nel bisogno.

In quel tempo il cavaliere
invocò piangendo Maria,
ché la via gli indicasse,
menandolo a un qualche rifugio.

32   By a mount in the morning merrily he was riding
into a forest that was deep and fearsomely wild,
with high hills at each hand, and hoar woods beneath
of huge aged oaks by the hundred together;
the hazel and the hawthorn were huddled and tangled
with rough ragged moss around them trailing,
with many birds bleakly on the bare twigs sitting
that piteously piped there for pain of the cold.
The good man on Gringolet goes now beneath them
through many marshes and mires, a man all alone,
troubled lest a truant at that time he should prove
from the service of the sweet Lord, who on that selfsame

night

of a maid became man our mourning to conquer.
And therefore sighing he said: 'I beseech thee, O Lord,
and Mary, who is the mildest mother most dear,
for some harbour where with honour I might hear the Mass
and thy Matins tomorrow. This meekly I ask,
and thereto promptly I pray with Pater and Ave
     and Creed.'
  In prayer he now did ride,
  lamenting his misdeed;
  he blessed him oft and cried,
  'The Cross of Christ me speed!'

33   The sign on himself he had set but thrice,
ere a mansion he marked within a moat in the forest,
on a low mound above a lawn, laced under the branches
of many a burly bole round about by the ditches:
the castle most comely that ever a king possessed
placed amid a pleasance with a park all about it,
within a palisade of pointed pales set closely
that took its turn round the trees for two miles or more.
Gawain from the one side gazed on the stronghold

32   Presso un monte egli solenne cavalcava nel mattino,
     e in una foresta entrò ch'era profonda e spaventosa e selvaggia,
     con alti colli ai fianchi, e bianchi boschi al disotto
     d'enormi, annose querce, presenti a centinaia;
     fitti e intricati erano noccioli e biancospini,
     e ruvido e scabro muschio vi cresceva all'intorno,
     con molti uccelli che tetramente stavano sui nudi rami,
     pigolando pietosamente per il freddo che ferisce.
     Su Gringolet, sotto di loro, il brav'uomo procede,
     per paludi e acquitrini, un uomo solo,
     turbato dal pensier di potersi, in quel tempo, rivelare un
                                        infingardo,
     inetto a servire il dolce Signore che, in quella stessa notte,
     uomo si fece, nascendo da una vergine, onde vincere il lutto
                                            nostro.
     E quindi, sospirando, disse: "Io t'imploro, oh Signore,
     e anche te, Maria, che la più dolce sei di tutte le madri,
     di condurmi a un rifugio ove io, con onore, possa domani
                                          ascoltare
     la Messa e il Mattutino. Questo umilmente io chiedo
     e per questo, prontamente, reciterò un Padre Nostro e un'Ave
        e un Credo."
        Pregando egli ora cavalcava,
        lamentando il proprio peccato;
        faceva spesso il segno della croce, esclamando:
        "M'indichi la via la Croce di Cristo!"

33   Per tre volte s'era egli fatto il segno della croce,
     quando notò, nella foresta, una magione circondata da un
                                          fossato,
     posta su un basso colle là, in un prato, attorniata dai rami
     di molti tronchi possenti sparsi attorno ai fossi:
     castello più leggiadro mai possedette un re,
     sito nel mezzo d'un giardino, con un parco tutt'attorno,

as it shimmered and shone through the shining oaks,
and then humbly he doffed his helm, and with honour he
thanked

Jesus and Saint Julian, who generous are both,
who had courtesy accorded him and to his cry harkened.
'Now bon hostel,' quoth the knight, 'I beg of you still!'
Then he goaded Gringolet with his gilded heels,
and he chose by good chance the chief pathway
and brought his master bravely to the bridge's end

> at last.
> That brave bridge was up-hauled,
> the gates were bolted fast;
> the castle was strongly walled,
> it feared no wind or blast.

34   Then he stayed his steed that on the steep bank halted
above the deep double ditch that was drawn round the
place.

The wall waded in the water wondrous deeply,
and up again to a huge height in the air it mounted,
all of hard hewn stone to the high cornice,
fortified under the battlement in the best fashion
and topped with fair turrets set by turns about
that had many graceful loopholes with a good outlook:
that knight a better barbican had never seen built.
And inwards he beheld the hall uprising,
tall towers set in turns, and as tines clustering
the fair finials, joined featly, so fine and so long,
their capstones all carven with cunning and skill.
Many chalk-white chimneys he chanced to espy
upon the roofs of towers all radiant white;
so many a painted pinnacle was peppered about,
among the crenelles of the castle clustered so thickly
that all pared out of paper it appeared to have been.

con una palizzata d'appuntiti legni posti l'uno stretto all'altro,
che per due miglia o più girava attorno agli alberi.
Da un lato Gawain osservò la roccaforte
che, di tra le querce lucenti, scintillava e brillava
e allora, con umiltà, si tolse l'elmo, e con rispetto, ringraziò
Gesù e San Giuliano, i quali generosi sono, entrambi,
e quella cortesia gli avevano accordato, dando ascolto al suo
grido:
"Ora anche un buon ostello," disse il cavaliere, "da voi io
imploro!"
Poi incitò Gringolet con gli argentei sproni
e, per fortunato caso, questi imboccò il giusto sentiero
e fiero portò il suo padrone all'estremità del ponte,
alfine.
Sollevato era quel superbo ponte,
serrati saldamente n'erano i cancelli;
forti mura avea il castello
e non temeva né vento né burrasca.

34   Arrestò poi il destriero, che si fermò sulla ripida sponda,
sull'orlo del profondo e duplice fossato che quel luogo
circondava.
Nell'acqua il muro s'immergeva, a una stupefacente profondità,
e nell'aria s'elevava ad un'altezza immane,
tutto di pietra squadrata su, su fino all'alto cornicione,
fortificato sotto la merlatura nel migliore dei modi,
e sormontato da belle torrette poste a intervalli regolari,
ov'erano molte eleganti feritoie che davano buona visuale;
mai aveva il cavaliere visto un barbacane sì bene edificato.
E, all'interno, vide levarsi il grande edificio centrale,
alte torri a intervalli regolari che, come corna di cervo,
le fini guglie univano in modo superbo, lunghe e snelle,
con le cimase decorate da incisioni di grand'arte.
Scorse dipoi comignoli bianchi come il gesso,

The gallant knight on his great horse good enough

thought it,

if he could come by any course that enclosure to enter,
to harbour in that hostel while the holy day lasted

with delight.
He called, and there came with speed
a porter blithe and bright;
on the wall he learned his need,
and hailed the errant knight.

35 'Good sir', quoth Gawain, 'will you go with my message
to the high lord of this house for harbour to pray?'
'Yes, by Peter!' quoth the porter, 'and I promise indeed
that you will, sir, be welcome while you wish to stay here.'
Then quickly the man went and came again soon,
servants bringing civilly to receive there the knight.
They drew down the great drawbridge, and duly came

forth,

and on the cold earth on their knees in courtesy knelt
to welcome this wayfarer with such worship as they knew.
They delivered him the broad gates and laid them wide

open,

and he readily bade them rise and rode o'er the bridge.
Several servants then seized the saddle as he alighted,
and many stout men his steed to a stable then led,
while knights and esquires anon descended
to guide there in gladness this guest to the hall.
When he raised up his helm many ran there in haste
to have it from his hand, his highness to serve;
his blade and his blazon both they took charge of.
Then he greeted graciously those good men all,
and many were proud to approach him, that prince to

honour.

All hasped in his harness to hall they brought him,

posti sui tetti delle torri ch'erano radiose e bianche;
tanti pinnacoli dipinti disseminati erano ovunque
tra i merli del castello, ch'erano invero fitti,
sì che il tutto parea esser stato ritagliato da un foglio di carta.
Il valoroso cavaliere sul suo cavallo grande pensò che ben
volentieri
sarebbe, in qualche modo, entrato in quel chiuso luogo,
dimorando in quell'ostello sinché durasse il santo giorno,
con piacere.
Egli chiamò e in fretta venne
un portinaio allegro e vivace;
dal muro apprese il suo bisogno
e salutò il cavaliere errante.

35 "Messere," disse Gawain, "volete recare il mio messaggio
all'alto signor di questa casa e chiedergli un riparo?"
"Certo, per san Pietro!" disse il portinaio, "e invero vi prometto,
messere, che sarete il benvenuto per tutto il tempo che vorrete."
Rapido poi l'uomo se ne andò e tornò presto,
con sé recando servi per ricever con piena cortesia quel cavaliere.
Calarono il grande ponte levatoio e prontamente avanzarono
e sulla fredda terra, in atto di cortesia, piegarono il ginocchio
per accogliere il viaggiatore col rispetto che ben conoscevano.
Aprirono per lui i grandi cancelli e spalancati li tennero,
ed egli subito ordinò loro di alzarsi e sopra il ponte cavalcò.
Molti servitori afferrarono la sella mentr'egli smontava
e molti uomini robusti condusser poi alla stalla il suo destriero,
mentre cavalieri e scudieri presto discendevano
onde, con piena allegrezza, alla sala condurre quell'ospite.
Quand'egli l'elmo sollevò, molti corsero da lui in tutta fretta
per toglierglielo di mano, e servire la sua nobiltà;
e presero in custodia la sua lama e il suo blasone.
Con cortesia egli salutò allora quegli uomini gentili,
e molti erano fieri d'accostarsi a lui, d'onorare quel principe.

where a fair blaze in the fireplace fiercely was burning.
Then the lord of that land leaving his chamber
came mannerly to meet the man on the floor.
He said: 'You are welcome at your wish to dwell here.
What is here, all is your own, to have in your rule
        and sway.'
    'Gramercy!' quoth Gawain,
    'May Christ you this repay!'
    As men that to meet were fain
    they both embraced that day.

36   Gawain gazed at the good man who had greeted him kindly,
and he thought bold and big was the baron of the castle,
very large and long, and his life at the prime:
broad and bright was his beard, and all beaver-hued,
stern, strong in his stance upon stalwart legs,
his face fell as fire, and frank in his speech;
and well it suited him, in sooth, as it seemed to the knight,
a lordship to lead untroubled over lieges trusty.
To a chamber the lord drew him, and charged men at once
to assign him an esquire to serve and obey him;
and there to wait on his word many worthy men were,
who brought him to a bright bower where the bedding was
                                                    splendid:
there were curtains of costly silk with clear-golden hems,
and coverlets cunning-wrought with quilts most lovely
of bright ermine above, embroidered at the sides,
hangings running on ropes with red-gold rings,
carpets of costly damask that covered the walls
and the floor under foot fairly to match them.
There they despoiled him, speaking to him gaily,
his byrnie doing off and his bright armour.
Rich robes then readily men ran to bring him,
for him to change, and to clothe him, having chosen the
                                                    best.

Così com'era, chiuso nell'armatura, lo portarono nella sala,
dove un bel fuoco fieramente ardeva nel camino.
Lasciando allora la propria stanza, il signore di quella terra
venne a conoscer, con buone maniere, l'uomo ch'era giunto.
Disse: "Siate il benvenuto, e qui dimorate pure a vostro grado.
Tutto è vostro ciò ch'è qui, usatene come meglio
    volete."
    "Vi ringrazio," disse Gawain,
    "e vi ripaghi Cristo!"
    Come uomini lieti d'incontrarsi,
    essi s'abbracciarono quel giorno.

36 Fissò Gawain il brav'uomo che cortesemente l'avea salutato
    e grande ed audace egli pensò il barone del castello,
    ampio di corpo, e alto, e nel pieno vigore di sua vita:
    larga e splendente avea la barba, color di castoro;
    era di portamento forte e fiero, e robuste eran le gambe,
    come fuoco acceso era il suo volto, e franco il suo parlare;
    e ben gli si addiceva invero, pensò il cavaliere,
    d'esser tranquillo signore di fedeli vassalli.
    In una stanza lo accompagnò il signore e subito ordinò
    che uno scudiero gli fosse assegnato, che gli avrebbe obbedito;
    erano là molti degni uomini, a eseguire i suoi comandi,
    e lo accompagnarono in una camera ov'era uno splendido letto:
    v'erano cortine di seta preziosa con orli di chiaro oro,
    e coperte di squisita fattura con delicate imbottiture
    di lucido ermellino, e con ricami da ogni lato,
    e tendaggi che scorrevano su corde con anelli d'oro rosso,
    arazzi di prezioso damasco che coprivan le pareti
    e tappeti sul pavimento che, altrettanto belli, a loro s'intonavano.
    Là essi lo spogliarono, parlandogli con tono leggero,
    togliendogli l'usbergo e la lucente armatura.
    Ricche vesti corsero poi a prendergli quegli uomini,
    perché si cambiasse, e per rivestirlo – le migliori avevano
                                            scelto!

As soon as he had donned one and dressed was therein,
as it sat on him seemly with its sailing skirts,
then verily in his visage a vision of Spring
to each man there appeared, and in marvellous hues
bright and beautiful was all his body beneath.
That knight more noble was never made by Christ
      they thought.
   He came none knew from where,
   but it seemed to them he ought
   to be a prince beyond compare
   in the field where fell men fought.

37   A chair before the chimney where charcoal was burning
was made ready in his room, all arrayed and covered
with cushions upon quilted cloths that were cunningly
                       made.

Then a comely cloak was cast about him
of bright silk brocade, embroidered most richly
and furred fairly within with fells of the choicest
and all edged with ermine, and its hood was to match;
and he sat in that seat seemly and noble
and warmed himself with a will, and then his woes were
                     amended.

Soon up on good trestles a table was raised
and clad with a clean cloth clear white to look on;
there was surnape, salt-cellar, and silvern spoons.
He then washed as he would and went to his food,
and many worthy men with worship waited upon him;
soups they served of many sorts, seasoned most choicely,
in double helpings, as was due, and divers sorts of fish;
some baked in bread, some broiled on the coals,
some seethed, some in gravy savoured with spices,
and all with condiments so cunning that it caused him
                     delight.

Non appena una ne ebbe indossata e con essa si fu rivestito,
e benissimo essa gli stava, con le falde ondeggianti,
allora, in verità, sul suo volto una visione di primavera
a ognuno là apparve, e in colori meravigliosi
lucente e bello appariva il suo corpo sotto le vesti.
Un cavaliere più nobile mai fu creato da Cristo,
            pensarono.
    Nessuno sapea donde egli venisse
    ma a tutti parve che dovesse
    esser un principe senza pari
    sul campo ove combattono uomini fieri.

37 Una sedia dinanzi al focolare dove ardeva il carbone
    in quella stanza gli fu approntata, tutta ornata e coperta
    di cuscini posti su tele trapunte fatte ad opera d'arte.
    Poi gli fu avvolto il corpo in un manto leggiadro
    di lucido broccato di seta, riccamente ricamato
    e squisitamente foderato di trascelte pelli
    e bordato d'ermellino, e del tutto simile n'era il cappuccio;
    ed egli sedette in quella poltrona nobilmente a lui adatta
    e volentieri si scaldò e, così, le pene sue si attenuarono.
    Subito, su saldi cavalletti, fu sistemata la tavola,
    sulla quale fu posta una tovaglia netta e chiara e bianca;
    v'erano tovaglioli, saliere e cucchiai d'argento.
    Egli allora si lavò a suo piacere e andò poi a mangiare,
    e molti degni uomini con riverenza lo servirono;
    gli ammannirono zuppe d'ogni sorta, sapientemente insaporite,
    con doppia portata, com'era d'uopo, e diversi tipi di pesce,
    alcuni cotti nel pane, altri arrostiti sui carboni,
    alcuni bolliti, altri conditi con intingoli e spezie,
    il tutto con condimenti tanto squisiti da dargli gran piacere.
    Con franchezza, spesso chiamò tutto ciò un vero banchetto,
    con cortesi parole, mentre gli uomini attorno a lui
                            s'affaccendavano:

A fair feast he called it frankly and often,
graciously, when all the good men together there pressed

him:

　'Now pray,
this penance deign to take;
'twill improve another day!'
The man much mirth did make,
for wine to his head made way.

38　Then inquiry and question were carefully put
touching personal points to that prince himself,
till he courteously declared that to the court he belonged
that high Arthur in honour held in his sway,
who was the right royal King of the Round Table,
and 'twas Gawain himself that as their guest now sat
and had come for that Christmas, as the case had turned

out.

When the lord had learned whom luck had brought him,
loud laughed he thereat, so delighted he was,
and they made very merry, all the men in that castle,
and to appear in the presence were pressing and eager
of one who all profit and prowess and perfect manners
comprised in his person, and praise ever gained;
of all men on middle-earth he most was admired.
Softly each said then in secret to his friend:
'Now fairly shall we mark the fine points of manners,
and the perfect expressions of polished converse.
How speech is well spent will be expounded unasked,
since we have found here this fine father of breeding.
God has given us of His goodness His grace now indeed,
Who such a guest as Gawain has granted us to have!
When blissful men at board for His birth sing blithe

　　at heart,
　what manners high may mean

"Per ora accettate
questa penitenza, di grazia,
miglior tutto sarà un altro giorno!"
Piena allegria creavan tutti, là,
mentre il vino alla testa gli saliva.

38 Poi, con discrezione, domande e quesiti furon posti
a quel principe, toccando temi personali,
sinché egli, con cortesia, dichiarò che la corte cui apparteneva
era con onore governata dall'eccelso Artù,
ossia dal legittimo re della Tavola Rotonda,
e che ora là sedeva, ospite loro, proprio Gawain,
il quale, come il caso aveva voluto, era giunto lì a Natale.
Quando apprese il signore chi la fortuna gli aveva lì condotto,
alto egli rise, tanta era la delizia sua,
e tutti furono allegri e lieti in quel castello,
e ansiosi e impazienti erano di apparire alla presenza
d'un uomo che ogni beneficio e valentia e perfette maniere
in una sola persona comprendeva, ottenendo per sé sempre
                                        lode grande;
il più ammirato egli era fra gli uomini della terra dei mortali.
Piano ognuno poi diceva, in segreto, all'amico:
"Ora certamente potremo notare come bene ci si comporta,
e apprender le migliori espressioni d'un polito conversare.
Senza chiedere nulla, vedremo esposto come si costruisce un
                                        discorso,
ché qui, innanzi a noi, abbiamo il nobile modello
                                        dell'educazione.
Invero la Sua grazia ci ha mostrato Dio, nella Sua bontà,
che concederci ha voluto un ospite qual è Gawain!
Quando, a tavola, uomini beati cantan della Sua nascita
        con cuore lieto,
    ciò che sono le belle maniere
    questo cavaliere ci mostrerà.

this knight will now impart.
Who hears him will, I ween
of love-speech learn some art.'

39   When his dinner was done and he duly had risen,
it now to the night-time very near had drawn.
The chaplains then took to the chapel their way
and rang the bells richly, as rightly they should,
for the solemn evensong of the high season.
The lord leads the way, and his lady with him;
into a goodly oratory gracefully she enters.
Gawain follows gladly, and goes there at once
and the lord seizes him by the sleeve and to a seat leads him,
kindly acknowledges him and calls him by his name,
saying that most welcome he was of all guests in the world.
And he grateful thanks gave him, and each greeted the
                                                            other,
and they sat together soberly while the service lasted.
Then the lady longed to look at this knight;
and from her closet she came with many comely maidens.
She was fairer in face, in her flesh and her skin,
her proportions, her complexion, and her port than all
                                                            others,
and more lovely than Guinevere to Gawain she looked.
He came through the chancel to pay court to her grace;
leading her by the left hand another lady was there
who was older than she, indeed ancient she seemed,
and held in high honour by all men about her.
But unlike in their looks those ladies appeared,
for if the younger was youthful, yellow was the elder;
with rose-hue the one face was richly mantled,
rough wrinkled cheeks rolled on the other;
on the kerchiefs of the one many clear pearls were,
her breast and bright throat were bare displayed,

Credo che chi bene lo ascolta
l'arte imparerà anche del parlare d'amore."

39   Quando la cena si concluse ed egli si alzò da tavola,
     ci si era approssimati molto al tempo della notte.
     I cappellani allora s'avviarono alla cappella
     e a distesa sonaron le campane, com'era lor dovere,
     per la funzione solenne di quel periodo di festa.
     Il signore apre la via e la sua dama è con lui;
     in una piccola e splendida cappella ella entra, con molta grazia.
     Gawain li segue lietamente e immantinente là si reca,
     e il signore lo afferra per la manica e lo conduce a uno scranno,
     cortesemente lo accoglie e lo chiama per nome,
     dicendo che, fra tutti gli ospiti del mondo, il più ben accetto
                                                        lui era.
     Ed ei lo ringraziò ben grato, e ognuno l'altro salutò,
     e, sinché la funzione durò, con grave aspetto entrambi sedettero.
     La dama ebbe poi un desiderio grande di guardar quel cavaliere;
     e il proprio posto ella lasciò, con molte graziose damigelle.
     Ella era più leggiadra d'ogni altra donna, di viso, di carnagione
     e di pelle, di figura, d'incarnato e di portamento,
     e più bella di Ginevra a Gawain ella apparve.
     Traversò egli la cantoria onde render omaggio alla sua grazia;
     v'era un'altra dama là, che la conduceva tenendole la mano
                                                        destra,
     più vecchia di lei, invero vecchissima sembrava,
     e da tutti in grande onore era tenuta.
     Del tutto diverse d'aspetto erano le due dame,
     ché, se fresca di gioventù la giovane era, gialliccia era la vecchia;
     riccamente ammantata d'un roseo colore era la faccia dell'una,
     guance grinzose e avvizzite eran su quella dell'altra;
     sui veli dell'una erano sparse molteplici perle,
     e scoperti ella avea e il petto e la gola,
     belli più della neve che, bianca, cade sulle colline;

fairer than white snow that falls on the hills;
the other was clad with a cloth that enclosed all her neck,
enveloped was her black chin with chalk-white veils,
her forehead folded in silk, and so fumbled all up,
so topped up and trinketed and with trifles bedecked
that naught was bare of that beldame but her brows all

                                       black,

her two eyes and her nose and her naked lips,
and those were hideous to behold and horribly bleared;
that a worthy dame she was may well, fore God,
     be said!
  Short body and thick waist,
  with bulging buttocks spread;
  more delicious to the taste
  was the one she by her led.

40   When Gawain glimpsed that gay lady that so gracious looked,
with leave sought of the lord towards the ladies he went;
the elder he saluted, low to her bowing,
about the lovelier he laid then lightly his arms
and kissed her in courtly wise with courtesy speaking.
His acquaintance they requested, and quickly he begged
to be their servant in sooth, if so they desired.
They took him between them, and talking they led him
to a fireside in a fair room, and first of all called
for spices, which men sped without sparing to bring them,
and ever wine therewith well to their liking.
The lord for their delight leaped up full often,
many times merry games being minded to make;
his hood he doffed, and on high he hung it on a spear,
and offered it as an honour for any to win
who the most fun could devise at that Christmas feast –
'And I shall try, by my troth, to contend with the best
ere I forfeit this hood, with the help of my friends!'

l'altra portava un soggolo che le copriva interamente il collo,
e avvolto era il suo mento nero in veli bianchi come il gesso,
mentre la fronte era ravvolta in seta e inver fasciata,
quasi imbacuccata, e ornata di tanti orpelli e gingilli
che della vecchia dama nulla era scoperto se non le nere
sopracciglia, gli occhi e il naso e le labbra nude,
e tutto ciò era orrido a vedersi e orrendamente offuscato;
ch'ella fosse una degna dama, per Dio, si potrebbe
     ben dire!
  Un corpo tozzo e una vita ampia,
  con natiche sporgenti e gonfie;
  più deliziosa al gusto
  era colei che conduceva.

40   Quando Gawain vide quella dama lieta, e di sì bell'aspetto,
al signor chiese licenza e si accostò alle dame;
la più anziana salutò, a lei inchinandosi con umiltà,
e la più leggiadra, con atto lieve, circondò con le braccia,
e la baciò in maniera cortese, con cortesia parlandole.
Esse richieser la sua vicinanza ed egli subitamente le implorò
d'essere invero il servitore loro, se tale era il loro desiderio.
In mezzo a loro lo posero e, parlando, lo condussero
presso un focolare in una bella stanza; e, per prima cosa,
                chiesero
delle spezie, che uomini s'affrettarono a portare, senza lesinarle,
assieme a vino che essi potessero gustare.
Spesso il signore in piedi balzava, per il piacer loro,
e più e più volte giochi propose per averne svago;
toltosi il cappuccio, in alto lo appese su una picca
e annunciò che ciò sarebbe stato il premio vinto
da chi avesse inventato le più divertenti cose in quella festa
                di Natale –
"E io, in fede mia, di contendere mi sforzerò con i migliori,
prima ch'io ceda questo cappuccio, con l'aiuto degli amici!"

Thus with laughter and jollity the lord made his jests
to gladden Sir Gawain with games that night
　　　in hall,
　　until the time was due
　　that the lord for lights should call;
　　Sir Gawain with leave withdrew
　　and went to bed withal.

41　On the morn when every man remembers the time
　　that our dear Lord for our doom to die was born,
　　in every home wakes happiness on earth for His sake.
　　So did it there on that day with the dearest delights:
　　at each meal and at dinner marvellous dishes
　　men set on the dais, the daintiest meats.
　　The old ancient woman was highest at table,
　　meetly to her side the master he took him;
　　Gawain and the gay lady together were seated
　　in the centre, where as was seemly the service began,
　　and so on through the hall as honour directed.
　　When each good man in his degree without grudge had
　　　　　　　　　　　　　　　　　　　　　been served,
　　there was food, there was festival, there was fullness of joy;
　　and to tell all the tale of it I should tedious find,
　　though pains I might take every point to detail.
　　Yet I ween that Wawain and that woman so fair
　　in companionship took such pleasure together
　　in sweet society soft words speaking,
　　their courteous converse clean and clear of all evil,
　　that with their pleasant pastime no prince's sport
　　　　　compares.
　　Drums beat, and trumps men wind,
　　many pipers play their airs;
　　each man his needs did mind,
　　and they two minded theirs.

Così, con risa e con allegrezza, i suoi lazzi fece il signore
per rallegrar Sir Gawain con giochi quella notte
    nella sala,
  sinché tempo non venne
  che il signor chiedesse i lumi;
  chiestane licenza, Sir Gawain si ritirò
  e se ne andò nella sua stanza.

41   Nel mattino in cui ognun di noi ricorda il tempo
in cui nacque per morir, per la salvezza nostra, nostro Signore,
per amor Suo si desta in ogni casa della terra l'allegria.
Così fu anche là, in quel giorno, con i piaceri più squisiti;
a ogni pasto, e a cena poi, piatti meravigliosi
furon disposti sulla tavola alta, e i cibi più squisiti.
La vecchissima donna sedeva al posto più elevato della tavola
e, com'era giusto, posto presso di lei prese il signore;
Gawain e la vivace dama sedevano l'uno accanto all'altra,
al centro, dov'era doveroso che iniziasse il servizio,
il quale poi sarebbe proseguito per la sala, secondo il grado
                        di ciascuno.
E quando ognuno, secondo il proprio rango, fu servito senza
                        lesinare,
  ci fu cibo, ci fu festa, ci fu la pienezza della gioia;
  e mi sarebbe di tedio ridirne l'intero racconto,
  anche se mi sforzassi di descriverne ogni dettaglio.
  Penso però che Gawain e quella donna sì leggiadra,
  trovandosi insieme in compagnia, tanto piacer trassero
  da quella dolce vicinanza, dalle soavi parole che si dissero,
  dal cortese conversare, puro invero e privo d'ogni male,
  che il loro delizioso passatempo paragonar non si possa
      ad alcuno svago d'un principe.
    Battono i tamburi, squillano le trombe,
    i flautisti suonano le arie loro,
    ognun soddisfaceva i propri desideri,
    e loro due soddisfacevano i propri.

42   With much feasting they fared the first and the next day,
and as heartily the third came hastening after:
the gaiety of Saint John's day was glorious to hear;
[with cheer of the choicest Childermas followed,]
and that finished their revels, as folk there intended,
for there were guests who must go in the grey morning.
So a wondrous wake they held, and the wine they drank,
and they danced and danced on, and dearly they carolled.
At last when it was late their leave then they sought
to wend on their ways, each worthy stranger.
Good-day then said Gawain, but the good man stayed him,
and led him to his own chamber to the chimney-corner,
and there he delayed him, and lovingly thanked him,
for the pride and pleasure his presence had brought,
for so honouring his house at that high season
and deigning his dwelling to adorn with his favour.
'Believe me, sir, while I live my luck I shall bless
that Gawain was my guest at God's own feast.'
'Gramercy, sir,' said Gawain, 'but the goodness is yours,
all the honour is your own – may the High King repay you!
And I am under your orders what you ask to perform,
as I am bound now to be, for better or worse,
      by right.'
  Him longer to retain
  the lord then pressed the knight;
  to him replied Gawain
  that he by no means might.

43   Then with courteous question he enquired of Gawain
what dire need had driven him on that festal date
with such keenness from the king's court, to come forth

                                        alone

ere wholly the holidays from men's homes had departed.
'In sooth, sir,' he said, 'you say but the truth:

42 Ci fu un gran festa il primo giorno, e anche il secondo,
   e altrettanto allegro fu il terzo, che li seguì in tutta fretta:
   splendido era udire la gaiezza del giorno di San Giovanni;
   [che si ripeté nell'allegria del dì dei Santi Innocenti],
   e ciò concluse i lor festeggiamenti, e tutti lo sapevano
   ché v'erano ospiti che dovevano partire nel grigio mattino.
   Così vegliarono festosi e bevvero vino
   e danzarono e danzarono e dolcemente cantarono carole.
   Poi, quando si fece tardi, ogni nobile forestiero
   chiese licenza di avviarsi per la propria via.
   Disse allora Sir Gawain: "Addio"; ma il brav'uomo lo trattenne
   e lo condusse nella propria stanza, nell'angolo dov'era il camino,
   e là lo fece indugiare, ringraziandolo con affetto,
   per la gloria e il piacere che la sua presenza aveva portato,
   e per aver così onorato la sua casa in quella santa stagione
   e per essersi degnato d'ornare col suo favor quella dimora.
   "Credetemi, messere, sinché vivrò benedirò la fortuna
   d'aver avuto ospite Gawain nella festività di Dio."
   "Mia fe', messere," disse Gawain, "vostra è invero la bontà tutta,
   tutto vostro è l'onore – e possa ripagarvi l'Alto Re!
   E io obbedirò a ciò che abbiate a comandarmi,
   ché a ciò legato io sono, nel bene e nel male,
            per diritto."
        Più a lungo a trattenersi
        il signor sollecitò il cavaliere;
        gli rispose Gawain
        ch'egli non poteva invero.

43 Poi, con cortesi domande, ei chiese a Gawain
   qual aspra mai necessità lo avesse tolto, in quel giorno festoso,
   alla corte del re, con tanta urgenza, per andarsene solo,
   prima che i giorni di festa lasciassero del tutto le case degli
                                                              uomini.
   "Invero, messere," disse, "la verità voi dite:

a high errand and a hasty from that house brought me;
for I am summoned myself to seek for a place,
though I wonder where in the world I must wander to
                                                  find it.
I would not miss coming nigh it on New Year's morning
for all the land in Logres, so our Lord help me!
And so, sir, this question I enquire of you here:
can you tell me in truth if you tale ever heard
of the Green Chapel, on what ground it may stand,
and of the great knight that guards it, all green in his colour?
For the terms of a tryst were between us established
to meet that man at that mark, if I remained alive,
and the named New Year is now nearly upon me,
and I would look on that lord, if God will allow me,
more gladly, by God's son, than gain any treasure.
So indeed, if you please, depart now I must.
For my business I have now but barely three days,
and I would fainer fall dead than fail in my errand.'
Then laughing said the lord: 'Now linger you must;
for when 'tis time to that tryst I will teach you the road.
On what ground is the Green Chapel – let it grieve you no
                                                  more!
In your bed you shall be, sir, till broad is the day,
without fret, and then fare on the first of the year,
and come to the mark at midmorn, there to make what
        play you know.
    Remain till New Year's day,
    then rise and riding go!
    We'll set you on your way,
    'tis but two miles or so.'

un'alta, un'urgente missione mi ha spinto lungi

da quella dimora;
poiché io sono chiamato, sì, io, a ricercare un luogo,
seppur non sappia dove, vagando nel mondo onde trovarlo.
Non mancherei di raggiungerlo la mattina del Nuovo Anno
se anche offerta mi fosse l'intera terra di Logres, e m'aiuti il

Signore!
Quindi, messere, ecco la domanda ch'io vi pongo, qui:
potete dirmi invero se mai racconto udiste
della Cappella Verde, in qual luogo essa s'erga,
e del gran cavaliere, verde di colore, che n'è il custode?
Poiché tra noi furono stabiliti i termini di un patto, che io,
se ancora fossi in vita, avrei incontrato quell'uomo in

quel luogo,
e quasi mi ha raggiunto la data del Nuovo Anno;
e, se Dio me lo concede, quel messere vedrei
con più letizia, nel nome di Cristo, che se un tesoro io vincessi.
E quindi, davvero, dipartirmi debbo, se così a voi piace.
Per la mia impresa non mi restano più che tre giorni
e preferirei morire che mancare all'impegno."
Ridendo disse allora il signore: "Trattenervi qui dovete;
ché quando il tempo verrà, io v'indicherò la via per quel luogo.
Non datevi più pensiero della terra ove s'erge la Cappella

Verde!
Nel vostro letto resterete, messere, sinché è giorno fatto,
senz'impazienza, e poi andrete, nel primo dì dell'anno,
e a metà mattina raggiungerete il luogo, ove giocherete

come sapete.

Restate sino al dì dell'Anno Nuovo,
levatevi poi e poi partite!
La via v'indicheremo:
da qui è due miglia o poco più."

44   Then was Gawain delighted, and in gladness he laughed:
      'Now I thank you a thousand times for this beyond all!
      Now my quest is accomplished, as you crave it, I will
      dwell a few days here, and else do what you order.'
      The lord then seized him and set him in a seat beside him,
      and let the ladies be sent for to delight them the more,
      for their sweet pleasure there in peace by themselves.
      For love of him that lord was as loud in his mirth
      as one near out of his mind who scarce knew what he

                                                            meant.

      Then he called to the knight, crying out loudly:
      'You have promised to do whatever deed I propose.
      Will you hold this behest here, at this moment?'
      'Yes, certainly, sir,' then said the true knight,
      'while I remain in your mansion, your command I'll obey.'
      'Well,' returned he, 'you have travelled and toiled from afar,
      and then I've kept you awake: you're not well yet, not cured;
      both sustenance and sleep 'tis certain you need.
      Upstairs you shall stay, sir, and stop there in comfort
      tomorrow till Mass-time, and to a meal then go
      when you wish with my wife, who with you shall sit
      and comfort you with her company, till to court I return.

            You stay,
         and I shall early rouse,
         and a-hunting wend my way.'
         Gawain gracefully bows:
         'Your wishes I will obey.'

45   'One thing more,' said the master, 'we'll make an agreement:
      whatever I win in the wood at once shall be yours,
      and whatever gain you may get you shall give in exchange.
      Shall we swap thus, sweet man – come, say what you think! –
      whether one's luck be light, or one's lot be better?'
      'By God,' quoth good Gawain, 'I agree to it all,

44   Deliziato fu allora Gawain e tutto lieto rise:
"Mille volte io vi ringrazio, per questo soprattutto!
Or che compiuta è la mia inchiesta, come voi volete, qui
dimorerò per qualche giorno, e ciò che comandate io farò."
Allora il signore lo prese per mano e sedere lo fece a sé

                                       d'accanto,
e mandò a chiamare la dame, ché accrescessero la lor letizia,
e avessero, con tranquillità, un dolce piacere.
Per amor suo quel messere tant'alta allegrezza mostrava
che pari pareva a un forsennato che più non sappia ciò che dica.
Poi si rivolse al cavaliere e a voce alta esclamò:
"Avete promesso di far qualunque cosa io proponga.
Manterrete la vostra parola qui, in questo momento?"
"Sì, certo, messere," disse allora il leale cavaliere,
"sinché starò nella vostra magione, obbedirò al vostro comando."
"Bene," replicò l'altro, "da lungi avete viaggiato, con fatica,
e poi io desto vi ho tenuto; bene non state ancora, sanato non

                                           siete,
e certo a voi abbisogna cibo e, certamente, sonno.
Al piano di sopra starete, messere, là comodo indugiando,
domani, sino all'ora della Messa e poi a pranzo andrete,
quando vorrete, con mia moglie, che con voi siederà
e vi conforterà con la sua compagnia, sinché a corte io non

                                        ritorni.
     Restate, voi,
  mentr'io presto mi leverò
  e mi avvierò alla caccia."
  S'inchina cortese Gawain:
  "Ai vostri desideri obbedirò."

45   "Una cosa ancora," disse il padrone, "un accordo stringeremo:
qualunque cosa io vinca nel bosco subito sarà vostra,
e qualunque guadagno voi facciate, a me in cambio lo darete.
Così ci scambieremo, dolce uomo – ditemi che ne pensate! –

and whatever play you propose seems pleasant to me.'
'Done! 'Tis a bargain! Who'll bring us the drink?'
So said the lord of that land. They laughed one and all;
they drank and they dallied, and they did as they pleased,
these lords and ladies, as long as they wished,
and then with customs of France and many courtly phrases
they stood in sweet debate and soft words bandied,
and lovingly they kissed, their leave taking.
With trusty attendants and torches gleaming
they were brought at the last to their beds so soft,
       one and all.
   Yet ere to bed they came,
   he the bargain did oft recall;
   he knew how to play a game
   the old governor of that hall.

III

Before the first daylight the folk uprose: the guests
that were to go for their grooms they called; and they
hurried up in haste horses to saddle, to stow all their
stuff and strap up their bags. The men of rank arrayed
them, for riding got ready, to saddle leaped swiftly, seized
then their bridles, and went off on their ways where their
wish was to go. The liege-lord of the land was not last of
them all to be ready to ride with a rout of his men; he ate a
hurried mouthful after the hearing of Mass, and with horn
to the hunting-field he hastened at once. When daylight
was opened yet dimly on earth he and his huntsmen were
up on their high horses. Then the leaders of the hounds
leashed them in couples, unclosed the kennel-door and
cried to them 'out!', and blew boldly on bugles three blasts
full long. Beagles bayed thereat, a brave noise making; and

ciò che la sorte a ciascuno darà, sia ciò poco ovvero molto."
"In nome di Dio," disse il buon Gawain, "io son d'accordo,
e piacevole mi pare ogni gioco che voi proponete."
"L'affare è concluso! Chi ci porta ora da bere?"
Disse così il signor di quella terra. E tutti risero;
bevvero e si trastullarono e fecero ciò che loro piaceva,
quei signori e quelle dame, per tutto il tempo che vollero;
e poi, secondo l'uso di Francia, con molte espressioni cortesi,
dolcemente dibatterono e discussero con molli parole,
e amorevolmente si baciarono nel prendere congedo.
Da servitori fedeli che avevan torce fiammeggianti
furono poi condotti ai loro soffici letti,
        dal primo all'ultimo.
    Ma prima che andassero a letto,
    egli spesso ricordò quel patto;
    sapeva come si organizza un gioco
    il vecchio reggitor di quel palazzo.

III

Prima che sorgesse l'alba, si levò la gente; gli ospiti
ch'erano di partenza chiamarono i valletti; e questi
rapidi corsero a sellare i cavalli, a preparare la loro
roba e a fissare con cinghie le borse. Gli uomini di rango
                                    s'abbigliarono,
s'apprestarono a partire e balzarono rapidi in sella, afferrarono
le briglie dipoi e ciascuno si avviò lungo la propria via, là dove
li menava il volere. Il signor di quella terra l'ultimo non fu
                                    tra loro
a esser pronto a cavalcare con una schiera di uomini; mangiò
un rapido boccone dopo aver ascoltato la Messa e coi corni
subito s'affrettò verso i terreni di caccia. Quando flebile ancora
era la luce del dì sulla terra, lui e i suoi cacciatori erano in sella

they whipped and wheeled in those that wandered on a
scent; a hundred hunting-dogs, I have heard, of the best
      were they.
  To their stations keepers passed;
  the leashes were cast away,
  and many a rousing blast
  woke din in the woods that day.

47   At the first burst of the baying all beasts trembled;
deer dashed through the dale by dread bewildered,
and hastened to the heights, but they hotly were greeted,
and turned back by the beaters, who boldly shouted.
They let the harts go past with their high antlers,
and the brave bucks also with their branching palms;
for the lord of the castle had decreed in the close season
that no man should molest the male of the deer.
The hinds were held back with hey! and ware!,
the does driven with great din to the deep valleys:
there could be seen let slip a sleet of arrows;
at each turn under the trees went a twanging shaft
that into brown hides bit hard with barbéd head.
Lo! they brayed, and they bled, and on the banks they died;
and ever the hounds in haste hotly pursued them,
and hunters with high horns hurried behind them
with such a clamour and cry as if cliffs had been riven.
If any beast broke away from bowmen there shooting,
it was snatched down and slain at the receiving-station;
when they had been harried from the height and hustled to
                    the waters
the men were so wise in their craft at the watches below,
and their greyhounds were so great that they got them at once,
and flung them down in a flash, as fast as men could see
    with sight.
  The lord then wild for joy

di alti cavalli. Allora, quanti guidavano i segugi a coppie
misero loro i guinzagli, apersero la porta del canile e
gridarono "Fuori!" e con forza trasser dalle trombe tre squilli
ben lunghi. Abbaiarono i cani a quel suono, suscitando un
                                   fiero baccano; e i cacciatori
frustarono e strattonarono chi già si smarriva fiutando
una pista; ben cento cani da caccia, ho udito, e dei migliori
         essi erano.
    I bracchieri si misero alle poste,
    sciolti furono i guinzagli
    e clamori vari e sonanti
    destarono, quel dì, fracasso nei boschi.

47   Al primo scoppio dell'abbaiar tremò ogni animale,
      sfrecciaron per la valle i cervi confusi dal terrore,
      e corsero alle alture per essere però là accolti dalla foga
      dei battitori, che indietro li ricacciarono, urlando forte.
      Passar lasciarono i cervi, coi loro alti palchi,
      i cervi arditi con le lor ramificate pale;
      perché il signore del castello aveva decretato che, alla chiusura
      della stagione, nessuno molestar dovesse i cervi maschi.
      Trattenute furono le cerbiatte con alte grida,
      e le cerve sospinte, con gran fracasso, verso le fonde valli:
      là veder si poté una pioggia invero di volanti frecce;
      ad ogni svolta sotto gli alberi scoccava un dardo vibrante,
      la cui punta, coi suoi barbigli, mordeva le brune pelli.
      Ed ecco! Bramendo e sanguinando morivano esse sulle prode;
      e con ardore, in fretta, sempre le inseguivano i segugi
      e dietro lor tanto correvano i cacciatori, con i sonanti corni,
      con tal clamore, con grida tali che pareva si spezzassero le rocce.
      Se un qualche animale poi sfuggiva all'arciere che scoccava,
      esso era afferrato, abbattuto e ucciso là, alle poste;
      quando a forza le bestie erano allontanate dalle alture e
                                   spinte al rivo,

99

did oft spur and oft alight,
and thus in bliss employ
that day till dark of night.

48   Thus in his game the lord goes under greenwood eaves,
and Gawain the bold lies in goodly bed,
lazing, till the walls are lit by the light of day,
under costly coverlet with curtains about him.
And as in slumber he strayed, he heard stealthily come
a soft sound at his door as it secretly opened;
and from under the clothes he craned then his head,
a corner of the curtain he caught up a little,
and looked that way warily to learn what it was.
It was the lady herself, most lovely to see,
that cautiously closed the door quietly behind her,
and drew near to his bed. Then abashed was the knight,
and lay down swiftly to look as if he slept;
and she stepped silently and stole to his bed,
cast back the curtain, and crept then within,
and sat her down softly on the side of the bed,
and there lingered very long to look for his waking.
He lay there lurking a long while and wondered,
and mused in his mind how the matter would go,
to what point it might pass – to some surprise, he fancied.
Yet he said to himself: 'More seemly 'twould be
in due course with question to enquire what she wishes.'
Then rousing he rolled over, and round to her turning
he lifted his eyelids with a look as of wonder,
and signed him with the cross, thus safer to be kept
      aright.
  With chin and cheeks so sweet
  of blended red and white,
  with grace then him did greet
  small lips with laughter bright.

tanto abili eran gli uomini nell'arte loro, là nelle poste situate
                                                        in basso,
e tanto grandi erano i segugi che subito le catturavano
e le abbattevano in un lampo, che a stento un uomo riusciva
                                                        il tutto a vedere
            coi suoi occhi.
   Il signore allora, pazzo di gioia,
   spesso spronava, spesso smontava,
   e così, felicissimo, trascorse
   quel dì sino alla notte scura.

48   Alla caccia indi sen va il signore, ai margini della foresta,
     e Gawain l'ardito giace in uno splendido letto,
     sinché le pareti illumina la luce del dì, poltrendo
     sotto una preziosa coperta, con cortine tutt'attorno.
     E mentre nel dormiveglia indugiava, udì giungere, furtivo,
     un lieve rumore dalla porta, che fu aperta, piano;
     e da sotto le coperte allungò il collo,
     d'un poco sollevò un angolo della cortina
     e con cautela sbirciò, per vedere che avveniva.
     Ed ecco la dama, sì, proprio lei, così bella a vedersi,
     che cauta dietro a sé richiudeva la porta,
     e al letto s'avvicinava. Atterrito fu allora il cavaliere
     e ratto si distese, fingendo di dormire;
     in silenzio ella avanzò e furtiva al letto s'accostò,
     e, scostata la cortina, all'interno s'insinuò
     e delicatamente sedette sull'orlo del letto
     e là a lungo attese, a lungo, ch'egli si destasse.
     Egli là giacque, indugiando, a lungo, meravigliato,
     e tra sé meditava su cosa sarebbe accaduto,
     fino a che punto le cose sarebbero andate – e qualche sorpresa
                                                        immaginò.
     E poi disse a se stesso: "Più appropriato sarebbe
     ricercar con domande (n'è il tempo) il suo desire."

                                                        101

49   'Good morning, Sir Gawain!' said that gracious lady.
    'You are a careless sleeper, if one can creep on you so!
    Now quickly you are caught! If we come not to terms,
    I shall bind you in your bed, you may be assured.'
    With laughter the lady thus lightly jested.
    'Good morning to your grace!' said Gawain gaily.
    'You shall work on me your will, and well I am pleased;
    for I submit immediately, and for mercy I cry,
    and that is best, as I deem, for I am obliged to do so.'
    Thus he jested in return with much gentle laughter:
    'But if you would, lady gracious, then leave grant me,
    and release your prisoner and pray him to rise,
    I would abandon this bed and better array me;
    the more pleasant would it prove then to parley with you.'
    'Nay, for sooth, fair sir,' said the sweet lady,
    'you shall not go from your bed! I will govern you better:
    here fast shall I enfold you, on the far side also,
    and then talk with my true knight that I have taken so.
    For I wot well indeed that Sir Wawain you are,
    to whom all men pay homage wherever you ride;
    your honour, your courtesy, by the courteous is praised,
    by lords, by ladies, by all living people.
    And right here you now are, and we all by ourselves;
    my husband and his huntsmen far hence have ridden,
    other men are abed, and my maids also,
    the door closed and caught with a clasp that is strong;
    and since I have in this house one that all delight in,
    my time to account I will turn, while for talk I chance
        have still.
      To my body will you welcome be
      of delight to take your fill;
      for need constraineth me
      to serve you, and I will.'

Allora, scotendosi, si girò e, volgendosi a lei,
levò le palpebre con sguardo che finse sorpresa
e si fece il segno della croce, per tenersi
           più saldo.
   Con mento e guance ch'erano dolci
   per l'unione di gigli e di rose,
   con grazia lo salutarono allora
   piccole labbra mosse da un riso d'argento.

49   "Buon giorno, Sir Gawain," disse la dama cortese.
     "Un incauto dormiente voi siete, se qualcuno così può
                                           sorprendervi!
     Ecco, vi ho catturato! Se non ci accordiamo,
     vi legherò a questo letto, siatene certo!"
     Motteggiava così, leggera, la dama.
     "Buon giorno pure a voi, vostra grazia," disse allegro Gawain.
     "Comandatemi secondo il voler vostro, e io piacere ne trarrò;
     ché subito mi sottometto e imploro pietà,
     e penso che ciò sia la miglior cosa, ché a ciò sono obbligato."
     In risposta così egli motteggiò, con un cortese riso.
     "Ma se voleste, dama graziosa, dare a me licenza
     e liberare il prigioniero e pregare che s'alzi,
     io il letto lascerei per meglio abbigliarmi;
     più gradevole allor sarebbe conversare con voi."
     "Oh, no davvero, no, nobile messere," disse la dolce dama,
     "dal letto voi non uscirete! Io meglio vi governerò:
     qui vi rinserrerò, tra le coperte, da ogni lato,
     per parlar poi col cavalier fedele che per me ho preso.
     Ché io so bene invero che Sir Gawain voi siete,
     al quale ognuno rende omaggio, ovunque andiate;
     loda la gente cortese il vostro onore, la vostra cortesia,
     ogni signor lo fa, ogni dama, ogni uomo che vive.
     E proprio qui voi siete, ora, e siamo soli;
     lungi hanno cavalcato mio marito e i cacciatori,

50   'Upon my word,' said Gawain, 'that is well, I guess;
      though I am not now he of whom you are speaking –
      to attain to such honour as here you tell of
      I am a knight unworthy, as well indeed I know –
      by God, I would be glad, if good to you seemed
      whatever I could say, or in service could offer
      to the pleasure of your excellence – it would be pure delight.'
      'In good faith, Sir Gawain,' said the gracious lady,
      'the prowess and the excellence that all others approve,
      if I scorned or decried them, it were scant courtesy.
      But there are ladies in number who liever would now
      have thee in their hold, sir, as I have thee here,
      pleasantly to play with in polished converse,
      their solace to seek and their sorrows to soothe,
      than great part of the goods or gold that they own.
      But I thank Him who on high of Heaven is Lord
      that I have here wholly in my hand what all desire,
              by grace.'
          She was an urgent wooer,
          that lady fair of face;
          the knight with speeches pure
          replied in every case.

a letto sono gli altri, e le mie damigelle,
chiusa è la porta e serrata da un forte chiavistello;
e ché in questa casa un uomo io ho che per tutti è delizia,
a mio vantaggio userò il mio tempo, mentre di parlare ho ancora
      l'occasione.
    Al mio corpo voi siete il benvenuto
    per trarne il piacere che vorrete;
    ché necessità m'astringe
    a servirvi, e voglio farlo."

50   "In fede mia," disse Gawain, "tutto ciò è giusto, penso,
sebbene io ora non sia colui di cui parlate –
per attingere l'onor di cui qui voi dite
indegno cavaliere sono, e lo so bene –
lieto sarei, in nome di Dio, se a voi buono paresse
ciò ch'io dir so, ovver ch'io offra qualche servizio
al piacer dell'eccellenza vostra – ciò sarebbe a me pura delizia."
"Mia fe'," disse la dama gentile,
"se l'ardire e l'eccellenza che tutti approvano
io sprezzassi o disdegnassi, sarebbe scarsa cortesia.
E molte dame vi sono che più amerebbero, adesso,
averti in lor potere, messere, come ora io ho te,
onde con te giocare, piacevolmente, in polito conversare,
onde cercar diletto e placar le angustie,
oh più dei beni e dell'oro che sono in lor possesso.
E io ringrazio Lui ch'è Signore del Cielo
per aver qui, tra le mani, ciò che tutti desiderano,
      per grazia."
    Ella pressante corteggiava,
    la dama dalla bella faccia;
    con discorsi puri il cavaliere
    rispondeva a ogni parola.

51　'Madam,' said he merrily, 'Mary reward you!
　　For I have enjoyed, in good faith, your generous favour,
　　and much honour have had else from others' kind deeds;
　　but as for the courtesy they accord me, since my claim is
　　　　　　　　　　　　　　　　　　　　　　　　　　not equal,
　　the honour is your own, who are ever well-meaning.'
　　'Nay, Mary!' the lady demurred, 'as for me, I deny it.
　　For were I worth all the legion of women alive,
　　and all the wealth in the world at my will possessed,
　　if I should exchange at my choice and choose me a husband,
　　for the noble nature I know, Sir Knight, in thee here,
　　in beauty and bounty and bearing so gay –
　　of which earlier I have heard, and hold it now true –
　　then no lord alive would I elect before you.'
　　'In truth, lady,' he returned, 'you took one far better.
　　But I am proud of the praise you are pleased to give me,
　　and as your servant in earnest my sovereign I hold you,
　　and your knight I become, and may Christ reward you.'
　　Thus of many matters they spoke till midmorn was passed,
　　and ever the lady demeaned her as one that loved him much,
　　and he fenced with her featly, ever flawless in manner.
　　'Though I were lady most lovely,' thought the lady to
　　　　　　　　　　　　　　　　　　　　　　　　　　herself,
　　'the less love would he bring here,' since he looked for
　　　　　　his bane, that blow
　　　　that him so soon should grieve,
　　　　and needs it must be so.
　　　　Then the lady asked for leave
　　　　and at once he let her go.

52　Then she gave him 'good day', and with a glance she
　　　　　　　　　　　　　　　　　　　　　　　　　　laughed,
　　and as she stood she astonished him with the strength of
　　　　　　　　　　　　　　　　　　　　　　　　　　her words:

106

51   "Mia dama," disse con allegria, "vi ricompensi Maria!
    Ché io, mia fe', ho goduto il vostro generoso favore,
    come altri ricevono onore dai gentili atti di altri;
    ma, quanto alla cortesia che mi si accorda, poiché non è pari
                           al merito mio,
    vostro è tutto l'onore, che sempre avete buone intenzioni."
    "No, per la Vergine," obiettò quella dama, "io lo nego.
    Perché, foss'io degna più delle donne tutte che oggi son vive,
    e possedessi a mio piacere le ricchezze tutte del mondo,
    e se potessi, a mia scelta, fare uno scambio e scegliermi uno
                                   sposo,
    per la nobile natura che so essere in te, Messer Cavaliere,
    in bellezza e liberalità e nobile portamento –
    di cui già udito avevo e che ora vero ritengo –
    nessun nobile che viva eleggerei io innanzi a voi."
    "Invero, signora," replicò lui, "uno molto migliore ne prendeste.
    Ma fiero mi sento della lode che vi compiacete di rivolgermi
    e, quale servo, con pieno fervore io tengo voi quale sovrana,
    e vostro cavaliere mi faccio, e possa Cristo darvi ricompensa."
    Parlarono così di molte cose, sinché la mattinata fu passata
                                 per metà,
    e sempre la dama si portò come una donna che molto l'amasse,
    ed egli abilmente si schermì, con impeccabili maniere.
    "Fossi pur io la più leggiadra dama," pensava tra sé la dama,
    "egli ben poco amor qui recherebbe," poiché egli attendeva
        la morte, quel colpo
      che ben presto afflitto lo avrebbe,
      perché così esser doveva.
      Chiese poi di congedarsi quella dama
      ed egli subito andare la lasciò.

52   Poi ella gli augurò un buon giorno e con lo sguardo rise,
    e, mentre stava là, in piedi, lo stupì con la forza del suo dire:
    "Colui che abbellisce il linguaggio, vi ripaghi per questo svago!

'Now He that prospers all speech for this disport repay you!
But that you should be Gawain, it gives me much thought.'
'Why so?', then eagerly the knight asked her,
afraid that he had failed in the form of his converse.
But 'God bless you! For this reason', blithely she answered,
'that one so good as Gawain the gracious is held,
who all the compass of courtesy includes in his person,
so long with a lady could hardly have lingered
without craving a kiss, as a courteous knight,
by some tactful turn that their talk led to.'
Then said Wawain, 'Very well, as you wish be it done.
I will kiss at your command, as becometh a knight,
and more, lest he displease you, so plead it no longer.'
She came near thereupon and caught him in her arms,
and down daintily bending dearly she kissed him.
They courteously commended each other to Christ.
Without more ado through the door she withdrew and
                                                    departed,
and he to rise up in haste made ready at once.
He calls to his chamberlain, and chooses his clothes,
and goes forth when garbed all gladly to Mass.
Then he went to a meal that meetly awaited him,
and made merry all day, till the moon arose
            o'er earth.
    Ne'er was knight so gaily engaged
    between two dames of worth,
    the youthful and the aged:
    together they made much mirth.

53   And ever the lord of the land in his delight was abroad,
      hunting by holt and heath after hinds that were barren.
      When the sun began to slope he had slain such a number
      of does and other deer one might doubt it were true.
      Then the fell folk at last came flocking all in,

108

Ma che voi siate invero Gawain mi dà gravi pensieri."
"Perché?" sollecito chiese allora il cavaliere,
temendo d'aver errato nella forma del loro conversare.
E: "Dio vi benedica! Ma per questa ragione," ella allegra rispose,
"ossia che un uomo stimato da tutti quale il nobile Gawain,
il quale nella propria persona racchiude ogni grado di cortesia,
con una dama abbia potuto soffermarsi tanto a lungo
senza bramarne un bacio, come farebbe un cavalier cortese,
a ciò volgendo, con tatto, il discorso."
Disse allora Gawain: "Benissimo, sia fatto come desiderate.
Vi bacerò se lo comandate, come a cavalier s'addice
e, per tema ch'ei vi dispiaccia, non più dovete pregare."
Ella allora s'accostò e tra le braccia lo prese
e, graziosamente piegandosi, caramente lo baciò.
A Cristo, con cortesia, si raccomandarono a vicenda.
Senza rumore, ella per la porta si ritirò e si allontanò,
ed egli, rapido, s'apprestò a levarsi.
Chiama il valletto e trasceglie i vestiti
e, bene abbigliato, lieto a Messa si reca.
Al pranzo poi andò che l'attendea, già pronto,
e per tutto quel giorno fu allegro, sinché sorse la luna
    sulla terra.
    Mai cavaliere fu con tanta letizia intrattenuto
    da due dame di tanto valore,
    la giovane e la vecchia:
    ebbero insieme un gran sollazzo!

53   E sempre il signor di quella terra per il proprio piacere fuori
                    se ne stava,
cacciando per boschi e per brughiere, inseguendo cerve che
                    sterili erano.
Quando il sole principiò a calare, un tal numero ucciso egli
                    aveva
di daine e di cerbiatte che dubitar si potea ciò fosse vero.

and quickly of the kill they a quarry assembled.
Thither the master hastened with a host of his men,
gathered together those greatest in fat
and had them riven open rightly, as the rules require.
At the assay they were searched by some that were there,
and two fingers' breadth of fat they found in the leanest.
Next they slit the eslot, seized on the arber,
shaved it with a sharp knife and shore away the grease;
next ripped the four limbs and rent off the hide.
Then they broke open the belly, the bowels they removed
(flinging them nimbly afar) and the flesh of the knot;
they grasped then the gorge, disengaging with skill
the weasand from the windpipe, and did away with the guts.
Then they shore out the shoulders with their sharpened
                                           knives
(drawing the sinews through a small cut) the sides to keep
                                           whole;
next they burst open the breast, and broke it apart,
and again at the gorge one begins thereupon,
cuts all up quickly till he comes to the fork,
and fetches forth the fore-numbles; and following after
all the tissues along the ribs they tear away quickly.
Thus by the bones of the back they broke off with skill,
down even to the haunch, all that hung there together,
and hoisted it up all whole and hewed it off there:
and that they took for the numbles, as I trow is their
       name in kind.
  Along the fork of every thigh
  the flaps they fold behind;
  to hew it in two they hie,
  down the back all to unbind.

54   Both the head and the neck they hew off after,
     and next swiftly they sunder the sides from the chine,

E allora i fieri cacciatori presero tutti a rientrare, a frotte,
e, rapidi, delle prede fecero un gran mucchio.
Ivi s'affrettò il padrone con un gruppo di uomini,
insieme raccolsero quelle più ricche di grasso
e, come le regole richiedono, nel giusto modo le aprirono.
Alcuni dei presenti le saggiarono ed esaminarono
e, nelle più magre, di grasso trovarono uno spessore di due dita.
Incisero poi lo sterno, raggiunsero l'omaso,
lo raschiarono con un coltello affilato e ne tolsero il grasso;
divisero indi i quattro arti e via ne strapparono la pelle.
Aprirono poi il ventre, ne rimossero le interiora
(che da parte rapidi gettarono) e la carne del nodo;
alla gola poi misero mano e con abilità separarono
l'esofago dalla trachea, e via gettarono le viscere.
Raschiarono poi le spalle coi loro affilati coltelli
(traendone i tendini da un piccolo taglio) per mantener integri
i fianchi;
poi squarciarono il petto e lo aprirono in due;
e uno si mette poi all'opera partendo di nuova dalla gorgia,
e tutto taglia sino a che arriva alla forca
e ne trae il filetto; e di seguito poi i tessuti
che sono lungo le costole essi rapidi strappano via.
Così, con abilità, essi staccarono, dagli ossi del dorso,
giù sino all'anca, tutto ciò che attaccato vi era,
e lo sollevarono e poi lo tagliarono,
e ne fecero pezzi di filetto, come penso sia
>il suo nome.

Lungo la forca di ogni coscia
ripiegano indietro la carne;
in fretta in due la tagliano
dipoi lungo il dorso.

54 Poscia mozzarono essi e la testa e il collo,
e poi ratti separano i fianchi dalla spina dorsale,

and the bone for the crow they cast in the boughs.
Then they thrust through both thick sides with a thong by
                                                    the rib,
and then by the hocks of the legs they hang them both up:
all the folk earn the fees that fall to their lot.
Upon the fell of the fair beast they fed their hounds then
on the liver and the lights and the leather of the paunches
with bread bathed in blood blended amongst them.
Boldly they blew the prise, amid the barking of dogs,
and then bearing up their venison bent their way homeward,
striking up strongly many a stout horn-call.
When daylight was done they all duly were come
into the noble castle, where quietly the knight
        abode
    in bliss by bright fire set.
    Thither the lord now strode;
    when Gawain with him met,
    then free all pleasure flowed.

55 Then the master commanded his men to meet in that hall,
    and both dames to come down with their damsels also;
    before all the folk on that floor fair men he ordered
    to fetch there forthwith his venison before him,
    and all gracious in game to Gawain he called,
    announced the number by tally of the nimble beasts,
    and showed him the shining fat all shorn on the ribs.
    'How does this play please you? Have I praise deserved?
    Have I earned by mine art the heartiest thanks?'
    'Yea verily,' the other averred, 'here is venison the fairest
    that I've seen in seven years in the season of winter!'
    'And I give it you all, Gawain,' said the good man at once,
    'for as our covenant accorded you may claim it as your own.'
    'That is true,' he returned, 'and I tell you the same:
    what of worth within these walls I have won also

e ne gettano l'osso tra i rami, per i corvi.
Poi, fra le costole, con forza sistemano una fune robusta
ed entrambi i fianchi li appendono per i garretti:
e la gente ottiene la mercede che le spetta.
Con la pelle del bell'animale essi nutrirono poi i segugi,
con il fegato e i polmoni e la cotenna del ventre,
con pane imbevuto di sangue a loro mischiato.
Fra l'abbaiar dei cani, essi altamente suonarono i corni
e poi, carichi delle prede, verso casa si diressero,
lanciando coi corni molte note forti e sonanti.
Quand'ormai era svanita la luce del dì, giunsero
al nobile castello, dove in tutta tranquillità il cavaliere
     dimorava
    con letizia là, presso il fuoco brillante.
    Là si diresse il signore a grandi passi;
    quando Gawain incontrò,
    abbondante scorse il piacere.

55   Comandò poi il padrone che tutti s'incontrasser nella sala,
e che scendessero le due dame, con le lor damigelle;
dinanzi a tutti i presenti, ordinò che nobili uomini
portassero la cacciagione davanti a lui, là, immantinente,
e, con fare allegro e giocoso, chiamare ei fece Gawain,
e, contando, annunciò il numero delle agili bestie,
e gli mostrò il grasso brillante ch'era stato tolto dalle costole.
"Vi piace questo gioco? Ho io meritato lode?
Guadagnato mi sono, per l'arte mia, un grazie di cuore?"
"Sì, invero sì," dichiarò l'altro, "questa cacciagione è la più ricca
che io, da sette anni a questa parte, mai vidi nella stagione
        dell'inverno!"
"E io tutta a voi la dono, Gawain" disse subito quel brav'uomo,
"poiché, secondo il patto stipulato, potete reclamarla come
        vostra."
"Questo è vero," replicò l'altro, "e a voi dico lo stesso:

with as good will, I warrant, 'tis awarded to you.'
His fair neck he enfolded then fast in his arms,
and kissed him with all the kindness that his courtesy knew.
'There take you my gains, sir! I got nothing more.
I would give it up gladly even if greater it were.'
'That is a good one!' quoth the good man. 'Greatly I thank
you.
'Tis such, maybe, that you had better briefly now tell me
where you won this same wealth by the wits you possess.'
'That was not the covenant,' quoth he. 'Do not question
me more!
For you've drawn what is due to you, no doubt can you
have 'tis true.'
They laugh, and with voices fair
their merriment pursue,
and to supper soon repair
with many dainties new.

56   Later by the chimney in chamber they were seated,
abundant wine of the best was brought to them oft,
and again as a game they agreed on the morrow
to abide by the same bond as they had bargained before:
chance what might chance, to exchange all their trade,
whatever new thing they got, when they gathered at night.
They concluded this compact before the courtiers all;
the drink for the bargain was brought forth in jest;
then their leave at the last they lovingly took,
and away then at once each went to his bed.
When the cock had crowed and cackled but thrice,
the lord had leaped from his bed, and his lieges each one;
so that their meal had been made, and the Mass was over,
and folk bound for the forest, ere the first daybreak,
to chase.
Loud with hunters and horns

ciò che io, entro queste mura, di degno ho guadagnato
con altrettanta buona volontà, affermo, a voi è dato a premio."
E allor con forza gli serrò il nobile collo tra le braccia
e lo baciò con la gentilezza piena che la sua cortesia ben sapeva.
"Ecco, messere: ciò che vi spetta prendete! Di più io non
                                       ottenni.
E lietamente ve lo darei se più grande guadagno avessi fatto."
"È un bel guadagno!" disse il brav'uomo. "Grandemente ve
                                   ne ringrazio.
Ma esso è tale che, forse, meglio sarebbe se voi brevemente
                                   mi diceste
dove, grazie alla vostra mente, questa ricchezza vinceste."
"Non questo era il patto," disse l'altro. "Oltre più non chiedete!
Ché ricevuto avete ciò che vi è dovuto, e certo voi potete
       averlo, è vero."
   Ridono essi e con voce chiara
   perseguono l'allegrezza,
   e presto a cena sen vanno,
   ove sono prelibatezze nuove.

56 Più tardi, presso il focolare, nella stanza eran tutti seduti;
spesso lor venia portato vino abbondante, del migliore,
e di nuovo, come un gioco, s'accordarono per l'indomani
di stringere lo stesso patto che prima avevano stretto:
di scambiarsi, ossia, accadesse quel che accadesse, il loro
                                   guadagno,
qualunque cosa nuova essi vincessero, quando di sera si
                                  sarebbero rivisti.
Innanzi ai cortigiani tutti conclusero essi quest'accordo;
con allegria altro vino fu portato a sancire l'affare;
poi, alfine, amorevolmente, essi presero congedo
e ognuno subito a letto se ne andò.
Quando il gallo ebbe tre volte lanciato il suo canto acuto,
balzò dal letto il signore e, uno a uno, i suoi vassalli:

o'er plains they passed apace,
and loosed there among the thorns
the running dogs to race.

57   Soon these cried for a quest in a covert by a marsh;
the huntsman hailed the hound that first heeded the scent,
stirring words he spoke to him with a strident voice.
The hounds then that heard it hastened thither swiftly,
and fell fast on the line, some forty at once.
Then such a baying and babel of bloodhounds together
arose that the rock-wall rang all about them.
Hunters enheartened them with horn and with mouth,
and then all in a rout rushed on together
between a fen-pool in that forest and a frowning crag.
In a tangle under a tall cliff at the tarn's edges,
where the rough rock ruggedly in ruin was fallen,
they fared to the find, followed by hunters
who made a cast round the crag and the clutter of stones,
till well they were aware that it waited within:
the very beast that the baying bloodhounds had spoken.
Then they beat on the bushes and bade him uprise,
and forth he came to their peril against folk in his path.
'Twas a boar without rival that burst out upon them;
long the herd he had left, that lone beast aged,
for savage was he, of all swine the hugest,
grim indeed when he grunted. Then aghast were many;
for three at the first thrust he threw to the ground,
and sprang off with great speed, sparing the others;
and they hallooed on high, and ha! ha! shouted,
and held horn to mouth, blowing hard the rally.
Many were the wild mouthings of men and of dogs,
as they bounded after this boar, him with blare and with
        din to quell.
  Many times he turns to bay,

116

e quando il pasto fu consumato, e terminata fu la Messa,
prima del primo sorgere del giorno, alla foresta andò quella
gente
per cacciare.
Rumoreggiando con i corni, i cacciatori
rapidi trascorser per le piane,
e là sciolsero, tra i rovi,
i cani che schizzarono via in corsa.

57   Presto gridaron questi che una preda era in una macchia
presso la palude;
il cacciatore per nome chiamò il segugio che per primo l'aveva
fiutata,
e con voce potente gli rivolse parole d'incitamento.
I segugi che le udirono, là s'affrettarono di corsa
e rintracciarono la pista, quasi quaranta in numero.
S'elevò allora un tale clamore, un tale baccano
d'abbaiar di cani che ne riecheggiò la parete di roccia.
Col corno e con la voce i cacciatori li incoraggiavano
e poi, tutti, in una massa confusa, insieme innanzi si
precipitarono
tra l'acquitrino della foresta e una rupe incombente.
In un intrico sotto un'alta roccia ai margini del piccolo lago,
dove lo scabro sasso era rovinato in frastagliati frantumi,
essi s'accostarono alla preda, seguiti dai cacciatori
che si disposero attorno alla rupe e al cumulo di pietre,
sinché ben s'accertarono ch'essa era là in attesa:
proprio l'animale che l'abbaiar dei cani aveva segnalato.
Batterono allora sui cespugli per stanarlo
ed esso si mostrò, un pericolo per chi la via gli sbarrava.
Fu un cinghiale senza rivali che contro di loro s'avventò;
da tempo aveva abbandonato il branco quell'animale vecchio
e solitario,
ed era selvaggio, tra i cinghiali il più enorme,

and maims the pack pell-mell;
he hurts many hounds, and they
grievously yowl and yell.

58   Hunters then hurried up eager to shoot him,
aimed at him their arrows, often they hit him;
but poor at core proved the points that pitched on his

shields,

and the barbs on his brows would bite not at all;
though the shaven shaft shivered in pieces,
back the head came hopping, wherever it hit him.
But when the hurts went home of their heavier strokes,
then with brain wild for battle he burst out upon them,
ruthless he rent them as he rushed forward,
and many quailed at his coming and quickly withdrew.
But the lord on a light horse went leaping after him;
as bold man on battle-field with his bugle he blew
the rally-call as he rode through the rough thickets,
pursuing this wild swine till the sunbeams slanted.
This day in such doings thus duly they passed,
while our brave knight beloved there lies in his bed
at home in good hap, in housings so costly and gay.

    The lady did not forget:
    she came to bid good day;
    early she on him set,
    his will to wear away.

59   She passed to the curtain and peeped at the knight.
Sir Wawain graciously then welcomed her first,
and she answered him alike, eagerly speaking,
and sat her softly by his side; and suddenly she laughed,
and with a look full of love delivered these words:
'Sir, if you are Wawain, a wonder I think it
that a man so well-meaning, ever mindful of good,

torvo invero quando grugniva. Allora tra molti crebbe lo
                                                    sgomento,
perché tre, al primo assalto, a terra esso ne abbatté,
e via poi balzò, risparmiando gli altri;
ed essi aizzarono ad alta voce i cani, gridando,
e si portarono i corni alla bocca, per ivi radunarli.
Molte furono le accese esclamazioni di uomini e di cani,
mentre inseguivano il cinghiale, per domarlo con clamore
        e strepito grande.
    Molte volte esso si volge
    e confusamente storpia la muta;
    molti segugi ferisce ed essi
    con pena ululano e gridano.

58   Impazienti innanzi si slanciarono i cacciatori per ferirlo,
     a esso mirando con le frecce, e colpendolo spesso;
     ma inefficaci si dimostrarono le punte che raggiungevano il
                                                        suo scudo
     e per nulla mordevano i barbigli la sua fronte;
     sebbene i dardi rasati vi s'infrangessero tremando,
     la punta indietro saltava, in qualunque parte fosse esso colpito.
     Ma quando i colpi più violenti alfine lo ferirono,
     esso allora, con la mente avida di lotta, su loro s'avventò,
     spietato li lacerò mentre si precipitava innanzi,
     e molti, vedendolo arrivare, si ritraevano sgomenti.
     Ma il signore, su un agile cavallo, lo inseguì con grandi balzi;
     come un uomo ardito sul campo di battaglia, ei la tromba suonò,
     tutti chiamando a raccolta, mentre cavalcava traverso le aspre
                                                        macchie,
     inseguendo il cinghiale selvatico sinché il raggi del sole
                                                    declinarono.
     In tali azioni essi il giorno trascorsero debitamente,
     mentre il nostro ardito cavaliere giace a letto, amato,
     a casa, tranquillo, in una dimora sì ricca e sì vivace.

yet cannot comprehend the customs of the gentle;
and if one acquaints you therewith, you do not keep them
in mind:
thou hast forgot altogether what a day ago I taught
by the plainest points I could put into words!'
'What is that?' he said at once. 'I am not aware of it at all.
But if you are telling the truth, I must take all the blame.'
'And yet as to kisses', she quoth, 'this counsel I gave you:
wherever favour is found, defer not to claim them:
that becomes all who care for courteous manners.'
'Take back', said the true knight, 'that teaching, my dear!
For that I dared not do, for dread of refusal.
Were I rebuffed, I should be to blame for so bold an offer.'
'Ma fay!' said the fair lady, 'you may not be refused;
you are stout enough to constrain one by strength, if you
like,
if any were so ill bred as to answer you nay.'
'Indeed, by God', quoth Gawain, 'you graciously speak;
but force finds no favour among the folk where I dwell,
and any gift not given gladly and freely.
I am at your call and command to kiss when you please.
You may receive as you desire, and cease as you think
in place.'
　　Then down the lady bent,
　　and sweetly kissed his face.
　　Much speech then there they spent
　　of lovers' grief and grace.

60　'I would learn from you, lord,' the lady then said,
　　'if you would not mind my asking, what is the meaning of
this:
that one so young as are you in years, and so gay,
by renown so well known for knighthood and breeding,
while of all chivalry the choice, the chief thing to praise,

Non lo dimenticò la dama,
andò ad augurargli il buon giorno;
presto da lui si recò,
per tentarne la volontà.

59 Alla cortina si fece accanto e sbirciò il cavaliere.
Con grazia Sir Gawain le diede per primo il benvenuto,
ed ella similmente rispose, con tono acceso parlando,
e mollemente gli si sedette al fianco; e di colpo rise
e, con sguardo d'amore, disse queste parole:
"Se voi, messere, siete Gawain, gran meraviglia mi pare
che un uomo di tanto nobili intenti, e tanto volto al bene,
a capir non riesca i costumi dei nobili;
e che, se qualcuno ve ne rende edotto, non li serbiate nella
                                                                    mente:
già hai scordato ciò che ieri t'insegnai
con la chiarezza più piana che nelle parole misi!"
"Che cosa intendete?" disse subito lui. "Cosciente non ne sono.
Ma se è verità ciò che dite, mio intero n'è il biasimo."
"Riguardo ai baci," disse lei, "questo consiglio vi diedi:
ovunque si trovi il favore, a reclamarli non tardate:
s'addice ciò a chi si curi delle maniere cortesi."
"Riprendetevi," disse il leale cavaliere, "quest'insegnamento,
                                                                    mia cara!
Fu per tema d'un rifiuto che io tanto non osai.
Se respinto io fossi, sarei da biasimare per sì ardita richiesta."
"In fede mia," disse la bella dama, "a voi non si può opporre
                                                                    un rifiuto,
siete forte abbastanza per costringer qualcuno con la forza,
                                                                    se volete,
se questi tanto maleducato fosse da rispondervi con un no."
"Invero, nel nome di Dio," disse Gawain, "con grande cortesia
                                                                    parlate;
ma tra la gente con cui vivo favor non trova la forza,

is the loyal practice of love: very lore of knighthood –
for, talking of the toils that these true knights suffer,
it is the title and contents and text of their works:
how lovers for their true love their lives have imperilled,
have endured for their dear one dolorous trials,
until avenged by their valour, their adversity passed,
they have brought bliss into her bower by their own brave

                                                 virtues –

and you are the knight of most noble renown in our age,
and your fame and fair name afar is published,
and I have sat by your very self now for the second time,
yet your mouth has never made any remark I have heard
that ever belonged to love-making, lesser or greater.
Surely, you that are so accomplished and so courtly in

                                                your vows

should be prompt to expound to a young pupil
by signs and examples the science of lovers.
Why? Are you ignorant who all honour enjoy?
Or else you esteem me too stupid to understand your
        courtship?
   But nay!
   Here single I come and sit,
   a pupil for your play;
   come, teach me of your wit,
   while my lord is far away.'

61   'In good faith', said Gawain, 'may God reward you!
     Great delight I gain, and am glad beyond measure
     that one so worthy as you should be willing to come here
     and take pains with so poor a man: as for playing with

                                             your knight,

     showing favour in any form, it fills me with joy.
     But for me to take up the task on true love to lecture,
     to comment on the text and tales of knighthood

né un dono che dato non sia con letizia e liberalità.
Sono ai vostri ordini e comandi e vi bacerò quando a voi piacerà.
Ricevere potete secondo il desiderio vostro, e smettere
                                        quando pensate
        ne sia il tempo."
    Allora si piegò la dama
    e con dolcezza gli baciò la faccia.
    Per molto tempo poi discorsero
    delle grazie e delle pene degli amanti.

60 "Vorrei da voi apprendere, signore," disse poi la dama,
    "se non vi spiace ch'io lo chieda, che mai significhi questo:
    che uno come voi, che giovane è d'anni, e così allegro,
    tanto chiaro di fama per cavalleria ed educazione,
    ed essendo, nella cavalleria, la cosa più trascelta e più degna
                                        di lode
    la leale pratica dell'amore, scienza vera dell'esser cavaliere –
    poiché, parlando delle fatiche che soffrono i leali cavalieri,
    essa è il titolo e il tema e il testo delle imprese loro:
    ossia, come gli amanti mettano in periglio la lor vita per l'amata,
    per la donna cara al loro cuor patiscano prove dolorose,
    sinché, dal loro valore riscattati, passano le tribolazioni
    e nella stanza di lei portano gaudio con la virtù del coraggio –
    e voi, che della nostra epoca siete il cavaliere più nobile e famoso,
    la cui fama e il cui nome ovunque son diffusi,
    e io per la seconda volta qui siedo, accanto a voi,
    eppure... mai dalla bocca vostra uscì commento che udissi
    che a tema avesse l'amore, sia esso alto ovvero vile.
    Certo, voi che tanto siete raffinato e sì cortese nelle promesse
    dovreste esser pronto a esporre a una giovane allieva,
    con segni e con esempi, la scienza degli amanti.
    Cosa? Ne siete voi ignorante, che d'ogni onore godete?
    Oppure così sciocca mi reputate da non poter capire il vostro
        corteggiamento?

to you, who I am certain possess far more skill
in that art by the half than a hundred of such
as I am, or shall ever be while on earth I remain,
it would be folly manifold, in faith, my lady!
All your will I would wish to work, as I am able,
being so beholden in honour, and, so help me the Lord,
desiring ever the servant of yourself to remain.'
Thus she tested and tried him, tempting him often,
so as to allure him to love-making, whatever lay in her heart.
But his defence was so fair that no fault could be seen,
nor any evil upon either side, nor aught but joy
      they wist.
  They laughed and long they played;
  at last she him then kissed,
  with grace adieu him bade,
  and went whereso she list.

Ma no, ma no!
Sola io qui vengo e siedo,
un'allieva dedita a voi;
insegnatemi, suvvia, la mente vostra,
mentre lungi è il mio signore."

61   "In fede mia," disse Gawain, "possa Dio rimeritarvi!
Grande piacere ricevo, e lieto sono oltre misura,
che una donna degna quale voi sia disposta a venir qui
e si dia pena per un uomo sì misero: il vostro giocar col cavaliere,
mostrando molte forme di favore, mi riempie di gioia.
Ma volere ch'io il compito mi assuma di dar lezioni sull'amore

vero,

di commentar della cavalleria il testo e le storie
a voi, che, ne son certo, più saper possedete
in quell'arte di quanto ne sappiano cinquanta uomini
quale io sono, e sarò sinché rimarrò su questa terra,
sarebbe follia manifesta, in fede mia, oh mia dama!
Ogni vostro volere eseguire intendo, per quanto ne sia capace,
ché in così alto onore sono tenuto, e, m'aiuti il Signore,
il desiderio mio è di restare vostro servitore."
In questa guisa ella lo tentava, mettendolo alla prova spesso,
sì da sedurlo all'amore, qualunque cosa fosse nel cuore di lei.
Ma tanto nobile fu la difesa di lui che non vi si poté scorgere

macchia alcuna,

e non malignità da parte dell'uno o dell'altra, nulla, no, se

non gioia

essi conobbero.
Risero e giocarono essi, a lungo;
alfine ella lo baciò,
con grazia "addio" gli disse
e andò dove più le piaceva.

62   Then rousing from his rest he rose to hear Mass,
      and then their dinner was laid and daintily served.
      The livelong day with the ladies in delight he spent,
      but the lord o'er the lands leaped to and fro,
      pursuing his fell swine that o'er the slopes hurtled
      and bit asunder the backs of the best of his hounds,
      wherever to bay he was brought, until bowmen dislodged
                                                          him,

      and made him, maugre his teeth, move again onward,
      so fast the shafts flew when the folk were assembled.
      And yet the stoutest of them still he made start there aside,
      till at last he was so spent he could speed no further,
      but in such haste as he might he made for a hollow
      on a reef beside a rock where the river was flowing.
      He put the bank at his back, began then to paw;
      fearfully the froth of his mouth foamed from the corners;
      he whetted his white tusks. Then weary were all
      the brave men so bold as by him to stand
      of plaguing him from afar, yet for peril they dared not
              come nigher.
          He had hurt so many before,
          that none had now desire
          to be torn with the tusks once more
          of a beast both mad and dire.

63   Till the knight himself came, his courser spurring,
      and saw him brought there to bay, and all about him his

                                                          men.

      Nothing loth he alighted, and leaving his horse,
      brandished a bright blade and boldly advanced,
      striding stoutly through the ford to where stood the felon.
      The wild beast was aware of him with his weapon in hand,
      and high raised his hair; with such hate he snorted
      that folk feared for the knight, lest his foe should worst him.

62 Poi, levandosi dal riposo, egli alla Messa n'andò
e poi il pranzo fu imbandito e squisitamente servito.
Il giorno intero egli trascorse con le dame, deliziandosi,
mentre il signore per le terre rapido andava, avanti e indietro,
inseguendo il rio cinghiale che rapido correva sui pendii
e mordeva, lacerandolo, il dorso dei migliori segugi,
ovunque esso fosse messo alle strette, sinché lo stanarono gli
arcieri
e, malgrado le sue zanne, lo forzarono a uscire allo scoperto,
tanto ratti volavano i dardi quando tutti si furono adunati.
Eppure, ancora, i più vigorosi di loro costringeva a balzare
di lato,
sinché, alfine, tanto stracco esso fu che più correr non poteva
e allora, più ratto che poté, a una cavità si diresse
su un costone di roccia, là dove il fiume scorreva.
La sponda si mise alle spalle e prese a pestar la terra con le zampe;
spaventosamente gli colava la bava schiumante dagli angoli
della bocca;
affilava le zanne sue bianche! Esausti erano tutti,
quegli uomini arditi, a restarsene là, a esso d'intorno,
e a tormentarlo di lungi – ma per il periglio non osavano
farsi più accosti.
Tanti ne aveva prima ferito
che nessuno aveva desiderio
d'esser di nuovo lacerato dalle zanne
d'una bestia sì pazza e feroce.

63 Sinché non giunse il cavaliere, spronando il suo destriero,
e lo vide là, messo alle strette, circondato dai suoi uomini.
Per nulla restio egli di sella smontò e, lasciando il cavallo,
brandì una lama lucente e arditamente avanzò,
a grandi passi guadando verso il luogo ov'era quel fellone.
Ben conscio era di lui, che aveva l'arma in mano, l'animale,
e in alto rizzò i peli; con tanto odio sbuffò

127

Out came the swine and set on him at once,
and the boar and the brave man were both in a mellay
in the wildest of the water. The worse had the beast,
for the man marked him well, and as they met he at once
struck steadily his point straight in the neck-slot,
and hit him up to the hilts, so that his heart was riven,
and with a snarl he succumbed, and was swept down the
water straightway.
A hundred hounds him caught,
and fiercely bit their prey;
the men to the bank him brought,
and dogs him dead did lay.

64   There men blew for the prise in many a blaring horn,
and high and loud hallooed all the hunters that could;
bloodhounds bayed for the beast, as bade the masters,
who of that hard-run chase were the chief huntsmen.
Then one that was well learnéd in woodmen's lore
with pretty cunning began to carve up this boar.
First he hewed off his head and on high set it,
then he rent him roughly down the ridge of the back,
brought out the bowels, burned them on gledes,
and with them, blended with blood, the bloodhounds
rewarded.
Next he broke up the boar-flesh in broad slabs of brawn,
and haled forth the hastlets in order all duly,
and yet all whole he fastened the halves together,
and strongly on a stout pole he strung them then up.
Now with this swine homeward swiftly they hastened,
and the boar's head was borne before the brave knight
himself
who felled him in the ford by force of his hand
so great.
Until he saw Sir Gawain

che tutti per il cavalier temettero, ch'egli abbattuto fosse dal
nemico.
Avanzò il cinghiale e contro subito gli s'avventò
e il cinghiale e l'uomo ardito ingaggiarono un corpo a corpo
in quell'acqua agitata. La peggio ebbe l'animale
ché bene prese la mira l'uomo e, quando s'incontrarono, subito
egli la punta immerse direttamente nell'incavo alla base
della gola,
giù fino all'elsa, sì che il cuore dell'altro in due fu spaccato,
e con un ringhio esso soccombette e immantinente s'abbatté
nell'acqua.
Cento segugi lo presero
e feroci morsero la preda;
a riva lo portarono gli uomini
e i cani lo morsero a morte.

64 Quella cattura col suon di molti corni quegli uomini celebrarono,
e tutti i cacciatori gridarono più forte che poterono;
contro l'animale abbaiavano i cani, a ciò dai padroni incitati,
che in quell'ardua battuta di caccia erano stati i migliori
cacciatori.
Poi, un uomo ch'era ben esperto nell'arte del cacciare,
con sicura destrezza prese a fare a pezzi quel cinghiale.
Per prima cosa gli spiccò la testa e in alto la pose;
poi lo tagliò con forza lungo la cresta del dorso,
fuori trasse le budella e su carboni ardenti le bruciò,
e, mescolandole con sangue, le diede ai cani quale lor mercede.
Poi tagliò la carne del cinghiale in larghe fette,
e sistemò in bell'ordine tutte le interiora,
e le parti intere le legò a due a due
e le appese poi solidamente a un grosso palo.
E ora, con il cinghiale, rapidi se ne andaron verso casa
e la testa del cinghiale era portata innanzi dallo stesso ardito
cavaliere

in the hall he could hardly wait.
He called, and his pay to gain
the other came there straight.

65 The lord with his loud voice and laughter merry
gaily he greeted him when Gawain he saw.
The fair ladies were fetched and the folk all assembled,
and he showed them the shorn slabs, and shaped his report
of the width and wondrous length, and the wickedness also
in war, of the wild swine, as in the woods he had fled.
With fair words his friend the feat then applauded,
and praised the great prowess he had proved in his deeds;
for such brawn on a beast, the brave knight declared,
or such sides on a swine he had never seen before.
They then handled the huge head, and highly he praised it,
showing horror at the hideous thing to honour the lord.
'Now, Gawain,' said the good man, 'this game is your own
by close covenant we concluded, as clearly you know.'
'That is true,' he returned, 'and as truly I assure you
all my winnings, I warrant, I shall award you in exchange.'
He clasped his neck, and courteously a kiss he then gave

him

and swiftly with a second he served him on the spot.
'Now we are quits,' he quoth, 'and clear for this evening
of all covenants we accorded, since I came to this house,
        as is due.'
    The lord said: 'By Saint Gile,
    your match I never knew!
    You'll be wealthy in a while,
    such trade if you pursue.'

66 Then on top of the trestles the tables they laid,
cast the cloths thereon, and clear light then
wakened along the walls; waxen torches

che lo abbatté nel guado con la forza della mano sua,
  invero grande.
Di veder Sir Gawain
nella sala non vedeva l'ora.
Chiamò e per ricever sua mercede
immantinente l'altro arrivò.

65 Il signore, con l'alta sua voce e la risata allegra,
lietamente salutò Gawain, quando lo vide.
Le belle dame furono chiamate e tutti là si radunarono,
ed ei loro mostrò le fette di carne tagliate, e diffusamente narrò
dell'ampiezza e della stupefacente lunghezza, e della malvagità
guerresca del maiale selvatico, ch'egli nei boschi aveva inseguito.
Con cortesi parole allor l'amico applaudì quell'impresa
e lodò la gran prodezza dell'altro, dimostrata dalle azioni sue;
ché tanta forza in un animale, dichiarò il prode cavaliere,
o tali fianchi mai egli aveva visto prima in un cinghiale.
Presero poi in mano la testa gigantesca ed egli altamente la
          lodò,
orror mostrando, per onorare il signore, innanzi a quell'orrenda
          cosa.
"Ora, Gawain," disse quel brav'uomo, "vostra è questa preda,
per lo stretto patto che stringemmo, come chiaramente voi
          sapete."
"Ciò è vero," l'altro rispose, "e con altrettanta sincerità io vi
          assicuro
che tutto ciò che vinsi, lo giuro, in cambio vi donerò."
Il collo gli abbracciò e, con cortesia, un bacio allor gli diede
e, rapido, subito un altro là gli diede.
"Siamo ora pari," disse, "e liberi, per questa sera,
da ogni patto che stringemmo, da quando giunsi in questa casa,
  così com'esser deve."
Disse il signore: "Per Sant'Egidio,
mai conobbi uno che fosse pari a voi!

131

men set there, and servants went swift about the hall.
Much gladness and gaiety began then to spring
round the fire on the hearth, and freely and oft
at supper and later: many songs of delight,
such as canticles of Christmas, and new carol-dances,
amid all the mannerly mirth that men can tell of;
and ever our noble knight was next to the lady.
Such glances she gave him of her gracious favour,
secretly stealing sweet looks that strong man to charm,
that he was passing perplexed, and ill-pleased at heart.
Yet he would fain not of his courtesy coldly refuse her,
but graciously engaged her, however against the grain
     the play.
    When mirth they had made in hall
    as long as they wished to stay,
    to a room did the lord them call
    and to the ingle they made their way.

67   There amid merry words and wine they had a mind once
                                             more
to harp on the same note on New Year's Eve.
But said Gawain: 'Grant me leave to go on the morrow!
For the appointment approaches that I pledged myself to.'
The lord was loth to allow it, and longer would keep him,
and said: 'As I am a true man I swear on my troth
the Green Chapel thou shalt gain, and go to your business
in the dawn of New Year, sir, ere daytime begins.
So still lie upstairs and stay at thine ease,
and I shall hunt in the holt here, and hold to my terms
with thee truly, when I return, to trade all our gains.
For I have tested thee twice, and trusty I find thee.
Now "third time pays for all", bethink thee tomorrow!
Make we merry while we may and be mindful of joy,
for the woe one may win whenever one wishes!'

Presto sarete ricco,
se così sapete trattar gli affari!"

66 Poi poggiate su cavalletti furon le tavole,
vi furono distese le tovaglie, e una chiara luce poi
lungo le pareti fu ridestata; torce di cera
vi furono poste e rapidi per la sala andavano i servitori.
Molta letizia, molta allegria principiò allora a sgorgare
attorno al fuoco del camino, liberamente e spesso,
a cena e pure dopo; molte piacevoli canzoni,
come i cantici di Natale e nuove carole di danza,
nell'allegrezza più composta che si possa immaginare;
e sempre presso la dama era il nostro cavaliere.
Tali sguardi ella gl'inviava del cortese suo favore,
lanciandogli occhiate furtive per ammaliar quel forte,
ch'egli n'era sommamente perplesso, e turbato nel cuore.
Restio era egli, però, per cortesia, a rifiutarla con freddezza,
e con grazia la intratteneva, quantunque a genio non gli andasse
   quel gioco.
 Tutti ebbero allegria in quella sala
 sinché ebbero voglia di restare;
 poi il signore a una stanza li chiamò
 e verso il vivo fuoco essi si mossero.

67 Là, tra liete parole e vino, una volta ancora rivolsero la mente
a batter sullo stesso tasto, ossia la vigilia del Nuovo Anno.
E disse Gawain: "Datemi licenza di partir domani!
Ché a me s'approssima l'appuntamento cui sono impegnato."
Restio era il signore a concederla e più a lungo voleva trattenerlo
e disse: "Siccome sono un uomo franco, sulla mia fede ti giuro
che alla Cappella Verde giungerai, e al tuo impegno,
all'alba dell'Anno Nuovo, messere, prima che il giorno principi.
Rimani dunque di sopra, ancora, a tuo pieno agio,
mentr'io là nel bosco caccerò, e manterrò i termini

This was graciously agreed, and Gawain would linger.
Then gaily drink is given them and they go to their beds
      with light.
    Sir Gawain lies and sleeps
    soft and sound all night;
    his host to his hunting keeps,
    and is early arrayed aright.

68   After Mass of a morsel he and his men partook.
Merry was the morning. For his mount then he called.
All the huntsmen that on horse behind him should follow
were ready mounted to ride arrayed at the gates.
Wondrous fair were the fields, for the frost clung there;
in red rose-hued o'er the wrack arises the sun,
sailing clear along the coasts of the cloudy heavens.
The hunters loosed hounds by a holt-border;
the rocks rang in the wood to the roar of their horns.
Some fell on the line to where the fox was lying,
crossing and re-crossing it in the cunning of their craft.
A hound then gives tongue, the huntsman names him,
round him press his companions in a pack all snuffling,
running forth in a rabble then right in his path.
The fox flits before them. They find him at once,
and when they see him by sight they pursue him hotly,
decrying him full clearly with a clamour of wrath.
He dodges and ever doubles through many a dense coppice,
and looping oft he lurks and listens under fences.
At last at a little ditch he leaps o'er a thorn-hedge,
sneaks out secretly by the side of a thicket,
weens he is out of the wood and away by his wiles from the
                            hounds.
Thus he went unawares to a watch that was posted,
where fierce on him fell three foes at once
      all grey.

con te pattuiti, al mio ritorno, di scambiarci i nostri guadagni.
Perché due volte ti ho messo alla prova e leale ti ho trovato.
E ricorda che, domani, 'la terza volta è quella che tutto vince!'
Siamo felici sinché ci è concesso e solo pensiamo alla gioia,
ché la pena ottenere si può quando si vuole!"
Furono così, con cortesia, d'accordo che Gawain ancora là
restasse.

Poi, lietamente, a loro è dato vino e a letto vanno
con torce.
Sir Gawain giace e dorme
beatamente tutta la notte;
l'ospite suo pensa alla caccia
e già di buon mattino è pronto.

68   Dopo la Messa, mangiarono un boccone lui e i suoi uomini.
Lieto era il mattino. La cavalcatura egli chiese.
Tutti i cacciatori che l'avrebbero seguito a cavallo
eran già pronti in sella, adunati presso i cancelli.
Meravigliosamente belli erano i campi, cosparsi di brina;
sopra la mobile nube, sorge, ecco, il sole d'un color rosso rosato,
e veleggia lungo le coste dei cieli annuvolati.
Presso la boscosa collina i cavalieri sciolsero i segugi,
risonarono le rocce del bosco al ruggir dei loro corni.
Fiutarono alcuni la traccia della volpe, che non era lontana,
e vanno avanti e indietro, abili e astuti nella caccia.
Abbaia poi uno dei cani, il cacciatore per nome lo chiama,
a lui d'attorno fan ressa i compagni, un branco che ovunque
fiuta,
avanzando in massa confusa, mettendosi poi sulle sue tracce.
Rapida si sposta la volpe innanzi a loro. Essi subito la trovano
e quando l'avvistano con foga l'inseguono,
oltraggiandola patentemente con un clamore d'ira.
Essa si scansa e devia traversando fitti boschetti,
e, girando e rigirando, spesso si cela e sta in ascolto sotto le siepi.

135

He swerves then swift again,
and dauntless darts astray;
in grief and in great pain
to the wood he turns away.

69   Then to hark to the hounds it was heart's delight,
when all the pack came upon him, there pressing together.
Such a curse at the view they called down on him
that the clustering cliffs might have clattered in ruin.
Here he was hallooed when hunters came on him,
yonder was he assailed with snarling tongues;
there he was threatened and oft thief was he called,
with ever the trailers at his tail so that tarry he could not.
Oft was he run at, if he rushed outwards;
oft he swerved in again, so subtle was Reynard.
Yea! he led the lord and his hunt as laggards behind him
thus by mount and by hill till mid-afternoon.
Meanwhile the courteous knight in the castle in comfort
slumbered
behind the comely curtains in the cold morning.
But the lady in love-making had no liking to sleep
nor to disappoint the purpose she had planned in her heart;
but rising up swiftly his room now she sought
in a gay mantle that to the ground was measured
and was fur-lined most fairly with fells well trimmed,
with no comely coif on her head, only the clear jewels
that were twined in her tressure by twenties in clusters;
her noble face and her neck all naked were laid,
her breast bare in front and at the back also.
She came through the chamber-door and closed it behind
her,
wide set a window, and to wake him she called,
thus greeting him gaily with her gracious words
of cheer:

Alfine, presso un piccolo fosso, balza oltre un roveto,
nascostamente esce presso il fianco d'una macchia d'alberi,
pensa d'esser fuori del bosco e, per l'astuzia ch'è sua, lungi
                              dalle grinfie dei cani.
Così, inconsapevole, arrivò a una posta dei cacciatori
e là, subitamente, fu assalita da tre nemici
          dal pelo grigio.
   Essa allora ratta devia
   e impavida si slancia di lato;
   dolente e afflitta
   verso il bosco si volge.

69   Allora al cuore fu delizia ascoltare i segugi,
     quando il branco intero le si gettò alle calcagna, in folla.
     Tali maledizioni su lei furon chiamate quando fu vista
     che parve le rocce all'intorno potesser rovinar con fracasso.
     Alto gridarono i cacciatori quando le furono addosso,
     e là essa venne assalita con lingue ringhianti;
     là fu minacciata, spesso ladra chiamata,
     e indugiar non poteva, ché ogni cacciatore le insidiava la coda.
     Se all'aperto si precipitava, subito era attaccata,
     e allora ancora deviava nel bosco, ché astuta era invero
                                   quella volpe.
     Sì! Pareva che sempre lenti fossero il signore e i suoi cacciatori.
     mentre li menava per monti e per colline, e ciò fu fino a
                                   metà pomeriggio.
     E intanto il cavalier cortese placido sonnecchiava nel castello,
     dietro le graziose cortine, in quel mattino freddo.
     Ma la dama che amava l'amore al sonno non era incline,
     né a mancare allo scopo che nel cuore aveva tramato;
     e, rapida alzandosi, si recò alla stanza di lui,
     con indosso un mantello vivace che misurava sino a terra
     ed era elegantemente foderato di pelliccia ben tagliata,
     e non portava in capo una bella cuffia ma solo chiare gemme

'Ah! man, how canst thou sleep,
the morning is so clear!'
He lay in darkness deep,
but her call he then could hear.

70   In heavy darkness drowsing he dream-words muttered,
as a man whose mind was bemused with many mournful
thoughts,
how destiny should his doom on that day bring him
when he at the Green Chapel the great man would meet,
and be obliged his blow to abide without debate at all.
But when so comely she came, he recalled then his wits,
swept aside his slumbers, and swiftly made answer.
The lady in lovely guise came laughing sweetly,
bent down o'er his dear face, and deftly kissed him.
He greeted her graciously with a glad welcome,
seeing her so glorious and gaily attired,
so faultless in her features and so fine in her hues
that at once joy up-welling went warm to his heart.
With smiles sweet and soft they turned swiftly to mirth,
and only brightness and bliss was broached there between
them so gay.
They spoke then speeches good,
much pleasure was in that play;
great peril between them stood,
unless Mary for her knight should pray.

che in una rete erano intrecciate venti a venti;
scoperti erano la nobile faccia e il collo,
una scollatura aveva sul petto e sulla schiena.
Entrò per la porta della stanza e dietro sé la richiuse,
spalancò una finestra e lo chiamò, per destarlo,
allegramente salutandolo così, con cortesi parole,

     e allegre:
"Ah, uomo, come dormir tu puoi,
è sì chiaro il mattino!"
Nel buio profondo egli giaceva
ma ora egli udì il richiamo di lei.

70 Nella fonda oscurità, sonnacchioso, mormorò parole come
                                      in sogno,
come un uomo la cui mente fosse confusa da luttuosi pensieri,
su come il destino quel giorno portato gli avrebbe un nero fato,
quando, alla Cappella Verde, avrebbe incontrato il gigante,
costretto, egli, senza replicare, a sopportarne il colpo.
Ma quand'ella sì graziosamente venne, egli in sé ritornò,
via discacciò di sonno ogni traccia e rapido rispose.
La dama, in guisa amorosa, venne ridendo dolcemente,
sulla di lui cara faccia si chinò e prontamente lo baciò.
Con grazia egli la salutò, e con un lieto benvenuto,
vedendola sì splendida e in sì vivaci vesti,
sì perfetta di lineamenti e di pura bellezza,
che subito una calda gioia gli zampillò dal cuore.
Con dolci, con molli sorrisi essi subito si volsero all'allegria
e solo levità, sol gaudio là trascorse fra loro,

     ch'erano felici.
Conversarono poi, cortesemente,
e v'era in quel gioco un grande piacere;
un grande periglio stava in mezzo a loro,
se Maria pel cavaliere non pregava.

71   For she, queenly and peerless, pressed him so closely,
      led him so near the line, that at last he must needs
      either refuse her with offence or her favours there take.
      He cared for his courtesy, lest a caitiff he proved,
      yet more for his sad case, if he should sin commit
      and to the owner of the house, to his host, be a traitor.
      'God help me!' said he. 'Happen that shall not!'
      Smiling sweetly aside from himself then he turned
      all the fond words of favour that fell from her lips.
      Said she to the knight then: 'Now shame you deserve,
      if you love not one that lies alone here beside you,
      who beyond all women in the world is wounded in heart,
      unless you have a lemman, more beloved, whom you like

                                                better,
      and have affianced faith to that fair one so fast and so true
      that your release you desire not – and so I believe now;
      and to tell me if that be so truly, I beg you.
      For all sakes that men swear by conceal not the truth
           in guile.'
        The knight said: 'By Saint John,'
        and softly gave a smile,
        'Nay! lover have I none,
        and none will have meanwhile.'

72   'Those words', said the woman, 'are the worst that could be.
     But I am answered indeed, and 'tis hard to endure.
     Kiss me now kindly, and I will quickly depart.
     I may but mourn while I live as one that much is in love.'
     Sighing she sank down, and sweetly she kissed him;
     then soon she left his side, and said as she stood there:
     'Now, my dear, at this parting do me this pleasure,
     give me something as thy gift, thy glove it might be,
     that I may remember thee, dear man, my mourning to

                                              lessen.'

71   Ché lei, sì regale e senza pari, tanto lo sollecitava,
tanto sino al punto estremo lo spingeva ch'egli, alfine, per forza,
dovuto avrebbe o rifiutarla e offenderla, o accettarne i favori.
Teneva egli alla propria cortesia, per non mostrarsi villano,
ma più ancora, nel triste suo caso, temeva di commetter peccato
ed essere sleale verso chi l'ospitava, al padrone di quella casa.
"M'aiuti Iddio!" diceva. "Ciò accader non deve!"
Con un dolce sorriso, egli da sé allora allontanò
le appassionate parole di favore che dalle labbra di lei cadevano.
Allora ella disse al cavaliere: "Meritate voi ora vergogna,
se colei non amate che accanto a voi, qui, sola, si giace,
e che più d'ogni altra donna al mondo ha il cuor ferito –
sempre che non abbiate, voi, un'amante che più amate, che
                                 più vi piace,
e alla quale, bella, abbiate fatto una promessa sì salda e fedele
che la liberazione non desiderate – e ciò io credo, adesso;
e se ciò è vero, di dirmelo ora vi prego.
Per ogni cara cosa su cui giura ogni uomo, non celate la verità
      nell'inganno."
    Disse il cavaliere: "Per San Giovanni,"
    ed ebbe un dolce sorriso,
    "no, non ho io un'amante,
    né una ne avrò in questo tempo."

72   "Queste parole," disse la donna, "sono d'ogni altra peggiori.
Risposto però m'avete, invero, e duro è ciò da sopportare.
Baciatemi ora caramente, e rapida lungi da voi poi me n'andrò.
Non mi resta ch'esser dolente, sinché io viva, come colei che
                                 molto ama."
Sospirando s'abbandonò e lo baciò oh dolcemente;
poi da lui subito s'allontanò e disse, mentre in piedi là restava:
"Ora che ci lasciamo, caro, fammi un favore, questo:
di tuo in dono dammi qualcosa, un guanto dammi,
sì ch'io possa ricordarti, uomo mio caro, ed alleviar la pena."

'Now on my word,' then said he, 'I wish I had here
the loveliest thing for thy delight that in my land I possess;
for worthily have you earned wondrously often
more reward by rights than within my reach would now be,
save to allot you as love-token thing of little value.
Beneath your honour it is to have here and now
a glove for a guerdon as the gift of Sir Gawain:
and I am here on an errand in unknown lands,
and have no bearers with baggage and beautiful things
(unluckily, dear lady) for your delight at this time.
A man must do as he is placed; be not pained nor
        aggrieved,' said he.
    Said she so comely clad:
    'Nay, noble knight and free,
    though naught of yours I had,
    you should get a gift from me.'

73 A rich ring she offered him of red gold fashioned,
    with a stone like a star standing up clear
    that bore brilliant beams as bright as the sun:
    I warrant you it was worth wealth beyond measure.
    But the knight said nay to it, and announced then at once:
    'I will have no gifts, fore God, of your grace at this time.
    I have none to return you, and naught will I take.'
    She proffered it and pressed him, and he her pleading
                                            refused,
    and swore swiftly upon his word that accept it he would not.
    And she, sorry that he refused, said to him further:
    'If to my ring you say nay, since too rich it appears,
    and you would not so deeply be indebted to me,
    I shall give you my girdle, less gain will that be.'
    She unbound a belt swiftly that embracing her sides
    was clasped above her kirtle under her comely mantle.
    Fashioned it was of green silk, and with gold finished,

142

"Sulla mia parola," diss'egli allora, "vorrei qui avere,
per il tuo diletto, la più amabile cosa che, nella mia terra, io
                                                    possiedo;
ché, meravigliosamente e spesso, voi degnamente avete
                                                    guadagnato,
per diritto, più ricompense di quante siano ora alla mia portata,
e qual pegno d'amore darvi non potrei che oggetto di poco
                                                    valore.
Al disotto dell'onor vostro è, qui e ora, ricevere
un guanto a guiderdone e dono di Sir Gawain;
essendo io qui, in terre sconosciute, per una missione,
e con nessuno che mi porti bagagli e belle cose
(per sfortuna, mia cara dama) che in quest'ora vi portino diletto.
Alle circostanze è legato un uomo: dolente non siate,
        e non addolorata," ei disse.
    Ed ella disse, così ben abbigliata:
    "No, libero e nobile cavaliere,
    anche se da voi io nulla avessi,
    un dono da me avrete voi."

73 E gli offerse un ricco anello lavorato in oro rosso,
    con nel mezzo una pietra chiara come stella,
    che raggi emanava brillanti e lucenti come il sole:
    io v'assicuro che il suo valore eccedeva ogni ricchezza.
    Ma il cavalier lo ricusò, subito dichiarando:
    "Doni io non avrò, in quest'ora, e Dio mi è testimone, dalla
                                                    grazia vostra.
    Nulla ho di che ricambiarvi e nulla accetterò."
    Ella ancor lo offerse con insistenza ma egli rifiutò la sua
                                                    preghiera,
    e rapido giurò, per la sua fede, che no, accettato non l'avrebbe.
    Ed ella, dispiaciuta di quel rifiuto, ancor gli disse:
    "Se al mio anello dite no, perché esso troppo ricco vi appare,
    e non volete aver con me un debito sì grande,

though only braided round about, embroidered by hand;
and this she would give to Gawain, and gladly besought him,
of no worth though it were, to be willing to take it.
And he said nay, he would not, he would never receive
either gold or jewelry, ere God the grace sent him
to accomplish the quest on which he had come thither.
'And therefore I pray you, please be not angry,
and cease to insist on it, for to your suit I will ever

    say no.
  I am deeply in debt to you
  for the favour that you show,
  to be your servant true
  for ever in weal or woe.'

74   'Do you refuse now this silk,' said the fair lady,
'because in itself it is poor? And so it appears.
See how small 'tis in size, and smaller in value!
But one who knew of the nature that is knit therewithin
would appraise it probably at a price far higher.
For whoever goes girdled with this green riband,
while he keeps it well clasped closely about him,
there is none so hardy under heaven that to hew him were able;
for he could not be killed by any cunning of hand.'
The knight then took note, and thought now in his heart,
'twould be a prize in that peril that was appointed to him.
When he gained the Green Chapel to get there his sentence,
if by some sleight he were not slain, 'twould be a sovereign
                         device.
Then he bore with her rebuke, and debated not her words;
and she pressed on him the belt, and proffered it in earnest;
and he agreed, and she gave it very gladly indeed,
and prayed him for her sake to part with it never,
but on his honour hide it from her husband; and he then
                         agreed
that no one ever should know, nay, none in the world

vi darò la mia cintura, un dono ben minore."
E rapida slacciò una cintura che i fianchi le cingeva
ed era chiusa sopra la sua veste, sotto l'elegante manto.
Era tessuta con seta verde, e rifinita in oro,
intrecciata lungo i lati e ricamata a mano;
e la volle dare a Gawain e lietamente lo pregò,
sebbene fosse di nessun valore, di volerla accettare.
Ed egli disse no, che non voleva, che mai avrebbe ricevuto
oro ovver gioielli prima che Dio la grazia gli donasse
di compier la ricerca per la quale sino là era andato.
"E quindi vi prego di non esser, per favore, irata,
e cessate l'insistenza, ché alle vostre richieste sempre
       dirò no.
   Sono in debito, molto, con voi,
     per il favor che mi mostrate,
     e fedelmente vi servirò
     per sempre, nella gioia e nel dolore."

74 "Ora voi rifiutate questa seta," disse la bella dama,
"perché è ben povera cosa? E così essa appare.
Vedete com'è piccola, come più piccolo n'è il valore!
Ma chi sapesse quale virtù è in essa intessuta
probabilmente la valuterebbe a un più alto prezzo.
Ché chiunque si cinga di questa fascia verde
e attorno alla vita ben stretta la tenga,
nessun sì forte vi è sotto il cielo che possa ferirlo:
nessuna destrezza di mano ucciderlo potrebbe, giammai."
Ciò considerò il cavaliere e pensò, dentro il cuore,
che ciò un prezioso aiuto sarebbe nel periglio che per lui era
       pronto.
   Se, raggiunta la Cappella Verde onde là ricever la sentenza,
   per un qualche stratagemma ei non fosse ucciso, ottima cosa
       sarebbe.
   Della dama sopportò allora il rimprovero e più non contrastò
       le sue parole;

but they.
With earnest heart and mood
great thanks he oft did say.
She then the knight so good
a third time kissed that day.

75 Then she left him alone, her leave taking,
for amusement from the man no more could she get.
When she was gone Sir Gawain got him soon ready,
arose and robed himself in raiment noble.
He laid up the love-lace that the lady had given,
hiding it heedfully where he after might find it.
Then first of all he chose to fare to the chapel,
privately approached a priest, and prayed that he there
would uplift his life, that he might learn better
how his soul should be saved, when he was sent from the
world.
There he cleanly confessed him and declared his misdeeds,
both the more and the less, and for mercy he begged,
to absolve him of them all he besought the good man;
and he assoiled him and made him as safe and as clean
as for Doom's Day indeed, were it due on the morrow.
Thereafter more merry he made among the fair ladies,
with carol-dances gentle and all kinds of rejoicing,
than ever he did ere that day, till the darkness of night,
in bliss.
Each man there said: 'I vow
a delight to all he is!
Since hither he came till now,
he was ne'er so gay as this.'

ed ella con insistenza gli porse la cintura e con fervore l'offerse;
ed egli l'accettò, della qual cosa ella fu grandemente lieta
e lo pregò, per amor suo, di mai da essa separarsi,
e di darle parola di celarla al marito; egli acconsentì allora
che nessuno saputo ne avrebbe, no, nessuno al mondo,

      se non loro due.
  Con ardore nel cuore e nell'animo
  più volte la ringraziò.
  Ed ella poi quel bravo cavaliere
  una terza volta baciò quel dì.

75 Poi, prendendo congedo, la lasciò da solo,
ché da quell'uomo nessun sollazzo più poteva avere.
Andata ch'ella fu, Sir Gawain fu pronto a prepararsi,
lavandosi e abbigliandosi in raffinate vesti.
Il laccio d'amore mise poi da parte, quel che la dama gli
                      aveva donato,
celandolo con cura là dove l'avrebbe ritrovato poi.
Decise poi d'andar, per prima cosa, alla cappella
e, senza farsi notare, a un prete s'accostò e lo pregò
d'elevar la sua vita, sì che meglio apprendere potesse
come l'anima si salva quand'egli fosse uscito fuor da questo
                      mondo.
Compiutamente poi si confessò, elencando le proprie mancanze,
e le gravi e le lievi, e richiese misericordia,
e d'assolverlo da tutte egli implorò quel brav'uomo;
e questi l'assolse e lo rese sicuro e mondo,
quasi che l'indomani giunger dovesse il Giorno del Giudizio.
Poi, fra le leggiadre dame egli allegria creò,
con cortesi danze e con carole, e con gioiosi svaghi,
più di quanti mai n'avesse fatti prima, fino a che buia fu la notte,
      con pieno gaudio.
  E ognun diceva: "Giuro
  ch'egli per tutti è una delizia!

76   Now indoors let him dwell and have dearest delight,
      while the free lord yet fares afield in his sports!
      At last the fox he has felled that he followed so long;
      for, as he spurred through a spinney to espy there the villain,
      where the hounds he had heard that hard on him pressed,
      Reynard on his road came through a rough thicket,
      and all the rabble in a rush were right on his heels.
      The man is aware of the wild thing, and watchful awaits
                                                        him,
      brings out his bright brand and at the beast hurls it;
      and he blenched at the blade, and would have backed if he
                                                        could.
      A hound hastened up, and had him ere he could;
      and right before the horse's feet they fell on him all,
      and worried there the wily one with a wild clamour.
      The lord quickly alights and lifts him at once,
      snatching him swiftly from their slavering mouths,
      holds him high o'er his head, hallooing loudly;
      and there bay at him fiercely many furious hounds.
      Huntsmen hurried thither, with horns full many
      ever sounding the assembly, till they saw the master.
      When together had come his company noble,
      all that ever bore bugle were blowing at once,
      and all the others hallooed that had not a horn:
      it was the merriest music that ever men harkened,
      the resounding song there raised that for Reynard's soul
            awoke.
         To hounds they pay their fees,
         their heads they fondly stroke,
         and Reynard then they seize,
         and off they skin his cloak.

Da che qui arrivò insino a oggi
mai gaio egli fu a tal punto."

76 Lasciamo ora ch'egli, con delizia piena, in casa se ne stia,
mentre ancora il libero signore pei campi al suo svago si dà!
Ed ecco che alfine ha abbattuto la volpe tanto inseguita;
perché, mentr'egli cavalcava rapido in una macchia per
                                    scovarvi quella villana,
avendo là udito i cani che l'incalzavano da presso,
sulla strada sbucò Reynard traverso un cespuglio irsuto,
e alle calcagna avea la massa confusa dei cani in affannosa corsa.
Quell'uomo scorge l'animale selvatico e vigile lo attende,
sguaina il brando lucente e contro la bestia l'agita;
e questa atterrì al veder la lama e retrocedere avrebbe voluto.
Ma prima che potesse farlo, un segugio le fu addosso e la prese;
e su lei tutti si ammassarono dinanzi alle zampe del cavallo,
e con selvaggio clamore confusero quella bestia sì scaltra.
Smonta di sella il signore e subito la solleva,
strappandola ratto a quelle fauci che colavan di bava,
in alto sopra la testa la tiene, forte gridando;
e contro lei ferocemente abbaiano molti cani furiosi.
S'affrettarono là i cacciatori, con gran numero di corni
che all'adunata chiamavano, sinché videro il lor signore.
Quando raccolta si fu quella compagnia, nobile invero,
chiunque portasse un corno subito lo suonò,
e chi un corno non aveva a gran voce si mise a gridare:
fu la musica più lieta che mai udisse un uomo,
il risonante canto che là si levò, per l'anima di Renyard
          intonato.
      Pagano il dovuto a ogni cane,
      gli carezzan gentili la testa,
      e poi Reynard afferrano
      e lo scuoiano, togliendogli il manto.

77 And then homeward they hastened, for at hand was now
                                                    night,
  making strong music on their mighty horns.
  The lord alighted at last at his beloved abode,
  found a fire in the hall, and fair by the hearth
  Sir Gawain the good, and gay was he too,
  among the ladies in delight his lot was most joyful.
  He was clad in a blue cloak that came to the ground;
  his surcoat well beseemed him with its soft lining,
  and its hood of like hue that hung on his shoulder:
  all fringed with white fur very finely were both.
  He met indeed the master in the midst of the floor,
  and in gaiety greeted him, and graciously said:
  'In this case I will first our covenant fulfil
  that to our good we agreed, when ungrudged went the
                                                    drink.'
  He clasps then the knight and kisses him thrice,
  as long and deliciously as he could lay them upon him.
  'By Christ!' the other quoth, 'you've come by a fortune
  in winning such wares, were they worth what you paid.'
  'Indeed, the price was not important,' promptly he
                                                    answered,
  'whereas plainly is paid now the profit I gained.'
  'Marry!' said the other man, 'mine is not up to't;
  for I have hunted all this day, and naught else have I got
  but this foul fox-fell – the Fiend have the goods! –
  and that is price very poor to pay for such treasures
  as these you have thrust upon me, three such kisses
        so good.'
     ''Tis enough,' then said Gawain.
  'I thank you, by the Rood,'
  and how the fox was slain
  he told him as they stood.

77   E poi verso casa s'affrettarono, ché prossima era la notte,
traendo dai possenti corni musica ben forte.
Smontò di sella alfine il signore all'amata sua dimora,
trovò il fuoco nella sala e, bello accanto al focolare,
Sir Gawain il buono, e allegro egli era allora;
tra le dame, con letizia, ben gioiosa era sua sorte.
Indossava una tunica azzurra che sfiorava la terra;
bene gli stava la sopravveste, con la sua morbida fodera,
come anche il cappuccio d'egual colore che gli cadea sulle spalle;
erano entrambi orlati d'una finissima pelliccia bianca.
Egli incontrò il padrone nel mezzo della stanza
e tutto allegro lo salutò e cortesemente disse:
"Stavolta il primo io sarò a rispettare il patto che, con reciproco
vantaggio, stringemmo quando abbondante scorse il vino."
Stringe a sé poi il cavaliere e tre volte lo bacia,
sì a lungo e sì dolcemente come meglio poté.
"In nome di Cristo!" disse l'altro, "vi siete imbattuto in una
                                                                fortuna
nel vincer questa merce, s'essa vale quanto l'avete pagata."
"Non importante ne è il prezzo, invero," prontamente
                                                                rispose,
"mentre chiaramente è ora pagato il guadagno che ottenni."
"Per la Vergine!" disse l'altro, "il mio non può stargli alla pari;
ché tutto il giorno io cacciai, eppure null'altro ora ho
se non questa brutta pelliccia di volpe – che il diavolo se la
                                                                prenda! –
ed essa è un prezzo molto basso per ripagare i tesori
che su me avete riversato, quei tre baci davvero
        squisiti."
    "Ciò basta," disse allora Gawain.
    "Vi ringrazio, in nome della Croce."
    E come fu ammazzata la volpe
    egli gli narrò mentre là rimanevano.

78   With mirth and minstrelsy and meats at their pleasure
      as merry they made as any men could be;
      amid the laughter of ladies and light words of jest
      both Gawain and the good man could no gayer have

                                            proved,
    unless they had doted indeed or else drunken had been.
    Both the host and his household went on with their games,
    till the hour had approached when part must they all;
    to bed were now bound the brave folk at last.
    Bowing low his leave of the lord there first
    the good knight then took, and graciously thanked him:
    'For such a wondrous welcome as within these walls I have

                                              had,
    for your honour at this high feast the High King reward you!
    In your service I set myself, your servant, if you will.
    For I must needs make a move tomorrow, as you know,
    if you give me some good man to go, as you promised,
    and guide me to the Green Chapel, as God may permit me
    to face on New Year's day such doom as befalls me.'
    'On my word,' said his host, 'with hearty good will
    to all that ever I promised I promptly shall hold.'
    Then a servant he assigns him to set him on the road,
    and by the downs to conduct him, that without doubt or

                                            delay
    he might through wild and through wood ways most
            straight pursue.
      Said Gawain, 'My thanks receive,
      such a favour you will do!'
      The knight then took his leave
      of those noble ladies two.

79   Sadly he kissed them and said his farewells,
      and pressed oft upon them in plenty his thanks,
      and they promptly the same again repaid him;

78   Con letizia e con musica e canti, e con cibi a loro piacimento,
     essi stettero allegri come allegro può essere un uomo;
     fra le risate delle dame e lievi parole scherzose
     Gawain e quel brav'uomo non avrebber potuto mostrarsi
                                                      più gai,
     a meno di non esser pazzi oppure del tutto ubriachi.
     L'ospite e la sua corte proseguirono i giochi,
     fino a che l'ora s'approssimò in cui separarsi dovevano;
     era ormai l'ora di coricarsi per quella nobile gente.
     Con un inchino profondo, congedo dal signore per primo
     prese il buon cavaliere, e con cortesia lo ringraziò:
     "Per lo splendido benvenuto che tra queste pareti ho ricevuto,
     per l'onor vostro a tale alto banchetto vi rimeriti l'Alto Re!
     Al vostro servizio mi pongo, io servo vostro, se lo volete.
     Ché io domani per forza debbo partire, come ben sapete,
     e se darmi potete qualche valido uomo, come prometteste,
     che mi guidi alla Cappella Verde, così permetta Dio
     che, il giorno del Nuovo Anno, io affronti il destino che mi
                                                      è dato."
     "Sulla mia parola," disse l'ospite, "col cuore e con la mente
     prontamente io manterrò ciò che ho promesso."
     E un servitore gli assegna che gli indichi la strada
     e lo conduca per le colline, sì che senza incertezze e ritardi
     egli possa, per piane selvagge e per boschi, diritto
               procedere.
          Disse Gawain: "Ricevete il mio grazie,
          un tale piacer mi farete!"
          Prese poi congedo il cavaliere
          dalle due nobili dame.

79   Con mestizia le baciò e disse loro addio,
     e più e più volte ripeté, con dovizia, il suo grazie,
     ed esse prontamente gli risposero con eguali parole;
     alla cura di Dio l'affidarono, con penosi sospiri.

153

to God's keeping they gave him, grievously sighing.
Then from the people of the castle he with courtesy parted;
all the men that he met he remembered with thanks
for their care for his comfort and their kind service,
and the trouble each had taken in attendance upon him;
and every one was as woeful to wish him adieu
as had they lived all their lives with his lordship in honour.
Then with link-men and lights he was led to his chamber
and brought sweetly to bed, there to be at his rest.
That soundly he slept then assert will I not,
for he had many matters in the morning to mind, if he
         would, in thought.
    There let him lie in peace,
    near now is the tryst he sought.
    If a while you will hold your peace,
    I will tell the deeds they wrought!

IV

Now New Year draws near and the night passes, day
comes driving the dark, as ordained by God; but
wild weathers of the world awake in the land, clouds
cast keenly the cold upon earth with bitter breath from the
North biting the naked. Snow comes shivering sharp to
shrivel the wild things, the whistling wind whirls from the
heights and drives every dale full of drifts very deep. Long
the knight listens as he lies in his bed; though he lays down
his eyelids, very little he sleeps: at the crow of every cock
he recalls well his tryst. Briskly he rose from his bed ere the
break of day, for there was light from a lamp that illumined
his chamber. He called to his chamberlain, who quickly
him answered, and he bade him bring his byrnie and his
beast saddle. The man got him up and his gear fetched

Poi si congedò con cortesia dalle persone del castello;
a ogni uomo che incontrò espresse il suo ringraziamento
per come di lui cura s'erano presi, cortesemente servendolo,
e per gli sforzi che ognuno aveva profuso nell'assisterlo;
e dolente era ognuno nel dirgli addio, quasi che per tutta la vita,
con onore, presso la sua nobiltà avessero essi vissuto.
Poi, da servitori che reggevano le torce, in camera fu condotto
e con delicatezza sistemato nel letto, ché là riposasse.
Che profondamente egli dormisse non posso asserirlo,
ché molte cose su ciò che il mattino avrebbe portato gli
occupavano
      la mente.
Lasciamo allora ch'egli in pace si giaccia,
ormai prossimo all'appuntamento fissato.
Se per un poco volete esser pazienti,
vi dirò quali azioni furon compiute!

IV

Or s'avvicina il Nuovo Anno e passa la notte, il dì
giunge scacciando il buio, come da Dio fu ordinato; e
il brutto tempo del mondo si ridesta in quella regione, nuvole
acutamente gettano il freddo sulla terra, con un respiro
amaro dal
settentrione, che morde chi è nudo. Rabbrividendo viene la
neve che, aspra,
avvizzisce le piante selvatiche, il vento, fischiando, vortica dalle
alture e sospinge cumuli alti di neve in ogni valle. A lungo
resta in ascolto il cavaliere, giacendo nel letto; seppur abbassi
le palpebre, ben poco egli dorme: al canto di ogni gallo,
ben si sovviene dell'appuntamento. Vivacemente dal letto
s'alzò prima
che sorgesse il dì, ché vi era luce da una lampada che illuminava

him, and garbed then Sir Gawain in great array; first he
clad him in his clothes to keep out the cold, and after that
in his harness that with heed had been tended, both his
pauncer and his plates polished all brightly, the rings rid of
the rust on his rich byrnie: all was neat as if new, and the
knight him
thanked with delight.
He put on every piece
all burnished well and bright;
most gallant from here to Greece
for his courser called the knight.

81   While the proudest of his apparel he put on himself:
his coat-armour, with the cognisance of the clear symbol
upon velvet environed with virtuous gems
all bound and braided about it, with broidered seams
and with fine furs lined wondrous fairly within,
yet he overlooked not the lace that the lady had given him;
that Gawain forgot not, of his own good thinking;
when he had belted his brand upon his buxom haunches,
he twined the love-token twice then about him,
and swiftly he swathed it sweetly about his waist,
that girdle of green silk, and gallant it looked
upon the royal red cloth that was rich to behold.
But he wore not for worth nor for wealth this girdle,
not for pride in the pendants, though polished they were,
not though the glittering gold there gleamed at the ends,
but so that himself he might save when suffer he must,
must abide bane without debating it with blade or with
brand of war.
When arrayed the knight so bold
came out before the door,
to all that high household
great thanks he gave once more.

la stanza. Chiamò il ciambellano, il quale rapido
gli rispose e a lui ordinò di recargli l'usbergo e la sua
sella migliore. Rapido agì quell'uomo e andò a prendergli l'arme
e poi rivestì in splendide vesti Gawain; per prima cosa
gli fece indossar gli abiti perché si riparasse dal freddo, e poi
l'armatura che era stata tenuta con ogni cura, sia
la ventriera sia le piastre, tutte lucidate e polite, con gli anelli privi
di ruggine sul ricco suo usbergo; tutto era perfetto, come
nuovo, e il cavaliere

con piacere lo ringraziò.
Indossò ogni pezzo,
lucido e ben lustro;
il più valoroso da qui alla Grecia,
il cavaliere chiese il proprio destriero.

81 Indi indossò il più splendido pezzo del suo apparecchio,
la sopravveste che il segno recava, il chiaro suo simbolo,
posto su velluto e circondato da gemme ricche di virtù,
tutte legatevi e intrecciatevi attorno, con orli ricamati
e foderata di una fine pelliccia meravigliosamente leggiadra;
non trascurò però egli il laccio che la dama gli avea dato;
quello Gawain non scordò, pensando alla propria salvezza;
quand'ebbe alla bell'e meglio fissato anche il brando,
con due giri legò a sé d'attorno quel pegno d'amore
e rapido s'avvolse, con delicatezza, attorno alla vita,
la cintura di seta verde; ed elegante essa appariva
sulla regale stoffa rossa così ricca da vedere.
Ma non per il valore, non per la ricchezza indossò quella cintura,
non per lo splendor degli ornamenti, ch'erano ben politi,
non perché alle sue estremità l'oro scintillasse,
ma per salvar se stesso nel momento in cui avrebbe dovuto
patire,
sopportare la morte, senza discutere, con la lama o con
il brando guerresco.

82 Now Gringolet was groomed, the great horse and high,
    who had been lodged to his liking and loyally tended:
    fain to gallop was that gallant horse for his good fettle.
    His master to him came and marked well his coat,
    and said: 'Now solémnly myself I swear on my troth
    there is a company in this castle that is careful of honour!
    Their lord that them leads, may his lot be joyful!
    Their beloved lady in life may delight befall her!
    If they out of charity thus cherish a guest,
    upholding their house in honour, may He them reward
    that upholds heaven on high, and all of you too!
    And if life a little longer I might lead upon earth,
    I would give you some guerdon gladly, were I able.'
    Then he steps in the stirrup and strides on his horse;
    his shield his man showed him, and on shoulder he slung it,
    Gringolet he goaded with his gilded heels,
    and he plunged forth on the pavement, and prancing no
            more stood there.
        Ready now was his squire to ride
        that his helm and lance would bear.
        'Christ keep this castle!' he cried
        and wished it fortune fair.

83 The bridge was brought down and the broad gates then
    unbarred and swung back upon both hinges.
    The brave man blessed himself, and the boards crossing,
    bade the porter up rise, who before the prince kneeling
    gave him 'Good day, Sir Gawain!', and 'God save you!'
    Then he went on his way with the one man only
    to guide him as he goes to that grievous place
    where he is due to endure the dolorous blow.
    They go by banks and by braes where branches are bare,
    they climb along cliffs where clingeth the cold;
    the heavens are lifted high, but under them evilly

Quando l'ardito cavaliere fu sì rivestito,
egli dalla porta uscì,
e a quella nobile casata
una volta di più disse il suo grazie.

82 Ben strigliato era Gringolet, il grande, alto cavallo,
che a suo piacere, e lealmente, era stato alloggiato;
stava bene in salute e vago era di galoppare quel nobile destriero.
Andò da lui il suo padrone e bene ne osservò il mantello
e disse: "Solennemente ora giuro, in fede mia,
che in questo castello gente dimora ch'è ben attenta all'onore!
Lieto destino aver possa il signore che la guida!
Possa in sua vita ogni delizia aver la sua dama!
Se, per carità, essi così intrattengono un ospite,
innalzando in onore la loro dimora, possa ricompensarli Lui
che sostiene l'alto cielo, e che sostiene voi tutti!
E se io una vita più lunga viver potessi qui sulla terra,
un guiderdone a voi darei con gioia grande, se capace ne fossi."
Poi infila il piede nella staffa e in sella si pone;
lo scudo gli porse il valletto ed egli sulla spalla lo gettò,
pungolò Gringolet con gli speroni dorati
e innanzi si slanciò sul selciato e, cavalcando,
      non più stette là.
  Pronto a cavalcare era lo scudiero
  che per lui portava elmo e lancia.
  "Protegga Cristo questo castello!" gridò,
  e augurò ogni buona fortuna.

83 Il ponte fu abbassato e gli ampi cancelli poi,
tolti i catenacci, facendoli girar sui cardini, furono spalancati.
Il prode si fece il segno della croce e, passando sulle larghe assi,
ordinò al portinaio di alzarsi, il quale, sui ginocchi innanzi al
                            principe,
gli disse: "Buona giornata, Sir Gawain!" e "Dio vi salvi!"

mist hangs moist on the moor, melts on the mountains;
every hill has a hat, a mist-mantle huge.
Brooks break and boil on braes all about,
bright bubbling on their banks where they bustle downwards.
Very wild through the wood is the way they must take,
until soon comes the season when the sun rises
      that day.
  On a high hill they abode,
  white snow beside them lay;
  the man that by him rode
  there bade his master stay.

84   'For so far I have taken you, sir, at this time,
and now you are near to that noted place
that you have enquired and questioned so curiously after.
But I will announce now the truth, since you are known
                               to me,
and you are a lord in this life that I love greatly,
if you would follow my advice you would fare better.
The place that you pass to, men perilous hold it,
the worst wight in the world in that waste dwelleth;
for he is stout and stern, and to strike he delights,
and he mightier than any man upon middle-earth is,
and his body is bigger than the four best men
that are in Arthur's house, either Hector or others.
All goes as he chooses at the Green Chapel;
no one passes by that place so proud in his arms
that he hews not to death by dint of his hand.
For he is a man monstrous, and mercy he knows not;
for be it a churl or a chaplain that by the Chapel rideth,
a monk or a mass-priest or any man besides,
he would as soon have him slain as himself go alive.
And so I say to you, as sure as you sit in your saddle,
if you come there, you'll be killed, if the carl has his way.

Poi egli s'incamminò con un uomo soltanto
che lo guidava mentre verso quel luogo va, d'afflizione,
dove d'uopo sarà ch'egli sopporti il doloroso colpo.
Ed essi vanno per prode e per declivi ove spogli sono i rami,
s'inerpicano per costoni di roccia dove il freddo s'aggrappa;
lontani, in alto, sono i cieli e, disotto, malvagiamente
sull'erica aleggia la foschia, e sui monti si discioglie;
ogni collina ha un cappuccio, un enorme manto di foschia.
Tracimano i rivi e sui declivi ribolliscono all'intorno,
spumeggiando lucenti sulle rive, là dove in basso precipitano.
Asperrima è la via che per il bosco debbono percorrere,
e poi, presto, giunge il tempo in cui il sole sorge
      quel giorno.
  Ristettero su una collina,
  accanto a loro giaceva la neve;
  l'uomo che gli cavalcava appresso
  il padrone invitò là a fermarsi.

84 "Sino a questo luogo, sino a quest'ora vi ho condotto, messere,
e ora siete prossimo al luogo ben noto
sul quale tante e tante domande avete posto, con curiosità.
Ora la verità voglio dirvi, siccome ormai vi conosco,
e siete un signore, in questa vita, che molto io amo:
se voleste seguire il mio consiglio, per voi meglio sarebbe.
Il luogo ove vi recate, periglioso lo giudica ognuno:
il peggior uomo del mondo in quel deserto dimora;
ché egli è robusto, è inflessibile, e gode nel colpire
e più possente è d'ogni uomo che vive nella terra dei mortali,
e il suo corpo è più grande dei quattro uomini migliori
che abitano con Artù, di Hector o degli altri.
Tutto accade secondo il suo volere alla Verde Cappella;
nessuno passa, fiero ed armato, in quel luogo
ch'egli a morte non lo colpisca con l'urto della mano sua.
Perché è un uomo mostruoso, e la pietà non conosce;

Trust me, that is true, though you had twenty lives
     to yield.
  He here has dwelt now long
  and stirred much strife on field;
  against his strokes so strong
  yourself you cannot shield.

85   And so, good Sir Gawain, now go another way,
and let the man alone, for the love of God, sir!
Come to some other country, and there may Christ keep

                       you!

And I shall haste me home again, and on my honour I

                       promise

that I swear will by God and all His gracious saints,
so help me God and the Halidom, and other oaths a plenty,
that I will safe keep your secret, and say not a word
that ever you fain were to flee for any foe that I knew of.'
'Gramercy!' quoth Gawain, and regretfully answered:
'Well, man, I wish thee, who wishest my good,
and keep safe my secret, I am certain thou wouldst.
But however heedfully thou hid it, if I here departed
fain in fear now to flee, in the fashion thou speakest,
I should a knight coward be, I could not be excused.
Nay, I'll fare to the Chapel, whatever chance may befall,
and have such words with that wild man as my wish is
to say, come fair or come foul, as fate will allot
     me there.
  He may be a fearsome knave
  to tame, and club may bear;
  but His servants true to save
  the Lord can well prepare.'

86   'Marry!' quoth the other man, 'now thou makest it so clear
that thou wishest thine own bane to bring on thyself,

e sia uno zotico, sia un cappellano che presso la Cappella
                                      cavalchi,
o sia un monaco o un prete o un qualunque altro uomo,
egli subito uccider lo vuole, sì come lui resta in vita.
E così io voglio dirvi, con tanta verità quant'è vero che voi in
                                      sella sedete,
che se là andrete sarete ucciso, se tutto accade come vuole
                                      quell'uomo.
Fidatevi di me, è questo il vero, seppur voi venti vite aveste
    da dare.
    Qui da lungo egli vive
    e molte lotte ha suscitato sul campo;
    contro i suoi colpi, sì violenti,
    scudo voi no, non avete.

85   Indi, buon Sir Gawain, andate ora per un'altra via
e quell'uomo, messere, lasciate stare, per l'amore di Dio!
Andate in un altro paese, e là Cristo vi protegga!
E in fretta io verso casa tornerò e sul mio onor prometto,
e giuro su Dio e sui Suoi santi che son pieni di grazia
(e dirò: 'Dio mi aiuti' e sui martiri giurerò, e su altri ancora)
che il vostro segreto serberò al sicuro, e non dirò parola
che abbiate avuto il desiderio di fuggir da un nemico che
                                        conosco."
"Dio non voglia!" disse Gawain e con gran dispiacere rispose:
"A te io auguro il bene, uomo che a me auguri il bene,
e certo sono che al sicuro serberesti il mio segreto.
Ma, per quanto con attenzione lo celassi, se io di qui partissi
con voglia di fuggire, per paura, nel modo che descrivi,
un cavaliere ben codardo sarei, e non avrei io scusa alcuna.
No, alla Cappella n'andrò, qualunque caso là m'attenda,
e con quell'uomo selvaggio scambierò parole come di dir
mi sento, avvenga il bene o il male, secondo ciò che il fato
    a me destina.

and to lose thy life hast a liking, to delay thee I care not!
Have here thy helm on thy head, thy spear in thy hand,
and ride down by yon rock-side where runs this same track,
till thou art brought to the bottom of the baleful valley.
A little to thy left hand then look o'er the green,
and thou wilt see on the slope the selfsame chapel,
and the great man and grim on ground that it keeps.
Now farewell in God's name, Gawain the noble!
For all the gold in the world I would not go with thee,
nor bear thee fellowship through this forest one foot

further!'
With that his bridle towards the wood back the man turneth,
hits his horse with his heels as hard as he can,
gallops on the greenway, and the good knight there leaves
        alone,
    Quoth Gawain: 'By God on high
    I will neither grieve nor groan.
    With God's will I comply,
    Whose protection I do own.'

87   Then he put spurs to Gringolet, and espying the track,
thrust in along a bank by a thicket's border,
rode down the rough brae right to the valley;
and then he gazed all about: a grim place he thought it,
and saw no sign of shelter on any side at all,
only high hillsides sheer upon either hand,
and notched knuckled crags with gnarled boulders;
the very skies by the peaks were scraped, it appeared.
Then he halted and held in his horse for the time,
and changed oft his front the Chapel to find.
Such on no side he saw, as seemed to him strange,
save a mound as it might be near the marge of a green,
a worn barrow on a brae by the brink of a water,
beside falls in a flood that was flowing down;

Egli può esser anche un furfante orrendo
duro da domare, e armato di bastone;
ma a salvare i Suoi servi fedeli
pronto può essere il Signore."

86 "Per la Vergine!" disse l'altro, "ora hai chiarito bene invero
il desiderio che hai di rovesciar su te stesso il male a te assegnato,
e che ti piace di perdere la vita – e allora cesso di raffrenarti!
Ecco, poni l'elmo sul tuo capo, prendi in mano la lancia,
e cavalca poi presso quel fianco di roccia dove corre il sentiero,
sinché tu non raggiunga il fondo dell'orrida valle.
Un poco a sinistra guarda allora, oltre la verde distesa,
e su un pendio vedrai proprio quella cappella,
e lì accanto l'uomo massiccio e truce che la governa.
E ora addio, nel nome di Dio, nobile Gawain!
Non per tutto l'oro del mondo t'accompagnerei,
né per un altro passo ti sarei compagno traverso la foresta!"
Con uno strappo alle redini, egli poi al bosco volge le spalle,
con tutta la forza colpisce il cavallo coi talloni,
galoppa sul prato verde e lascia là il buon cavaliere,
        solo.
    Disse Gawain: "In nome dell'alto Dio,
    non mi dorrò, non mi lagnerò.
    M'attengo al voler di Dio,
    ché mia è la sua protezione."

87 Spronò poi Gringolet e, scorgendo il sentiero,
si slanciò lungo una proda presso il margine del bosco,
e discese il ripido declivio che portava alla valle;
poi attorno si guardò: un posto tetro quello gli parve
e segno non vide d'un riparo in nessun lato,
solo, da ogni parte, alti e ripidissimi fianchi di montagne,
e balze intaccate e nocchiute, e ruvidi massi;
lo stesso cielo, così pareva, era graffiato da quei picchi.

165

the burn bubbled therein, as if boiling it were.
He urged on his horse then, and came up to the mound,
there lightly alit, and lashed to a tree
his reins, with a rough branch rightly secured them.
Then he went to the barrow and about it he walked,
debating in his mind what might the thing be.
It had a hole at the end and at either side,
and with grass in green patches was grown all over,
and was all hollow within: nought but an old cavern,
or a cleft in an old crag; he could not it name
      aright.
  'Can this be the Chapel Green,
  O Lord?' said the gentle knight.
  'Here the Devil might say, I ween,
  his matins about midnight!'

88 'On my word,' quoth Wawain, ''tis a wilderness here!
This oratory looks evil. With herbs overgrown
it fits well that fellow transformed into green
to follow here his devotions in the Devil's fashion.
Now I feel in my five wits the Fiend 'tis himself
that has trapped me with this tryst to destroy me here.
This is a chapel of mischance, the church most accursed
that ever I entered. Evil betide it!'
With high helm on his head, his lance in his hand,
he roams up to the roof of that rough dwelling.
Then he heard from the high hill, in a hard rock-wall
beyond the stream on a steep, a sudden startling noise.
How it clattered in the cliff, as if to cleave it asunder,
as if one upon a grindstone were grinding a scythe!
How it whirred and it rasped as water in a mill-race!
How it rushed, and it rang, rueful to harken!
Then 'By God,' quoth Gawain, 'I guess this ado
is meant for my honour, meetly to hail me

Allora si fermò e trattenne il cavallo per un poco,
e spesso mutò di visuale per scorger la Cappella.
Nulla di simile vide né qui né là, e ciò strano gli parve,
se non un tumulo, o qualcosa d'affine, al margine di un prato,
un tumulo consunto, su un declivio presso l'orlo di uno stagno,
accanto a cascate le cui acque rapide scorrevan verso il basso;
mormorava il ruscello, quasi stesse ribollendo.
Incitò allora il cavallo e al tumulo s'accostò,
là agile smontò di sella e a un albero legò
le redini, assicurandole con uno scabro ramo.
Andò poi al tumulo e gli camminò intorno,
dibattendo tra sé che mai potesse esser quello.
Aveva un buco all'estremità e un altro su entrambi i lati,
e da chiazze d'erba verde era tutto ricoperto,
ed era cavo all'interno: null'altro se non una vecchia caverna,
o la fenditura d'un'antica rupe; trovarne non poteva il nome
       giusto.
    "Può esser questa la Cappella Verde,
    oh Signore?" disse il nobile cavaliere.
    "Qui il Diavolo può recitar, mi sembra,
    i mattutini a mezzanotte!"

88 "In fede mia," disse Gawain, "qui solo è desolazione!
Malvagio appare quest'oratorio. Ricoperto d'erbe abbondanti
ben s'adatta a quell'uomo tutto in verde trasmutato,
che secondo i modi del Diavolo può qui recitar le devozioni.
Ora coi miei cinque sensi ben percepisco che il Demonio in
                                                        persona
m'ha intrappolato con quest'appuntamento, onde distruggermi.
Questa è la cappella della malasorte, la chiesa più maledetta
nella quale mai io posi il piede. La colpisca il male!"
Con l'alto elmo in capo, la lancia nella mano,
vaga sul tetto di quell'aspra dimora.
Poi, dall'alta collina, udì, in una parete di dura roccia

as knight!
As God wills! Waylaway!
That helps me not a mite.
My life though down I lay,
no noise can me affright.'

89　Then clearly the knight there called out aloud:
'Who is master in this place to meet me at tryst?
For now 'tis good Gawain on ground that here walks.
If any aught hath to ask, let him hasten to me,
either now or else never, his needs to further!'
'Stay!' said one standing above on the steep o'er his head,
'and thou shalt get in good time what to give thee I vowed.'
Still with that rasping and racket he rushed on a while,
and went back to his whetting, till he wished to descend.
And then he climbed past a crag, and came from a hole,
hurtling out of a hid nook with a horrible weapon:
a Danish axe newly dressed the dint to return,
with cruel cutting-edge curved along the handle –
filed on a whetstone, and four feet in width,
'twas no less – along its lace of luminous hue;
and the great man in green still guised as before,
his locks and long beard, his legs and his face,
save that firm on his feet he fared on the ground,
steadied the haft on the stones and stalked beside it.
When he walked to the water, where he wade would not,
he hopped over on his axe and haughtily strode,
fierce and fell on a field where far all about
　　　　lay snow.
　　Sir Gawain the man met there,
　　neither bent nor bowed he low.
　　The other said: 'Now, sirrah fair,
　　I true at tryst thee know!'

oltre il ruscello, su un'altura, un rumore che lo fece sobbalzare.
Un cupo rumore nella roccia, come fosse per spaccarla in due,
come se qualcuno su una mola stesse affilando una falce!
Come ronzava, come raschiava, pari all'acqua in un mulino!
Come precipite scorreva e come risonava, tremendo a udirsi!
Poi: "In nome di Dio," disse Gawain, "penso che questo
                                                frastuono

sia fatto in mio onore, per salutarmi com'è d'uopo,
        io che son cavaliere!
    Come Dio vuole sia! Ahimè!
    Nulla qui m'è d'aiuto.
    Pur se deporre debbo la mia vita,
    nessun rumore può sgomentarmi."

89   Allora, con voce chiara e forte, gridò il cavaliere:
     "Chi è il padrone di questo luogo, ove esser deve l'incontro?
     Poiché è il buon Gawain che ora qui cammina sul terreno.
     Se qualcuno deve chieder qualcosa, che a me ratto s'accosti,
     adesso oppure mai più, per reclamar ciò che deve!"
     "Lì resta!" disse un uomo che in alto, sopra un'erta, restava,
     "e a tempo debito riceverai ciò ch'io di darti giurai."
     E ancora proseguì per un poco quel suo raschiare, quel suo
                                                clamore,

     e a molare riprese, sinché a discender non si decise.
     E allora una rupe superò e da un buco se ne uscì,
     spuntando con forza da un pertugio nascosto, con un'arma
                                                tremenda:

     un'ascia danese, messa a nuovo per restituire il colpo,
     con un filo crudele che s'incurvava verso l'impugnatura –
     affilata con una cote e d'un'ampiezza di quattro passi,
     tale essa era, non di meno – e con un laccio d'un lustro colore;
     e il gigante verde era abbigliato come già era stato,
     e così i suoi capelli e la lunga barba, le gambe e la faccia,
     se non che coi piedi ben saldi al terreno avanzava,

90   'Gawain,' said that green man, 'may God keep thee!
On my word, sir, I welcome thee with a will to my place,
and thou hast timed thy travels as trusty man should,
and thou hast forgot not the engagement agreed on

                                   between us:
at this time gone a twelvemonth thou took'st thy allowance,
and I should now this New Year nimbly repay thee.
And we are in this valley now verily on our own,
there are no people to part us – we can play as we like.
Have thy helm off thy head, and have here thy pay!
Bandy me no more debate than I brought before thee
when thou didst sweep off my head with one swipe only!'
'Nay', quoth Gawain, 'by God that gave me my soul,
I shall grudge thee not a grain any grief that follows.
Only restrain thee to one stroke, and still shall I stand
and offer thee no hindrance to act as thou likest

        right here.'
   With a nod of his neck he bowed,
   let bare the flesh appear;
   he would not by dread be cowed,
   no sign he gave of fear.

poggiando l'asta alle pietre e camminandole accanto.
Quando raggiunse l'acqua, guadar non la volle
ma, aiutandosi con l'ascia, fece un balzo e altero si mosse a
                                                    grandi passi,
fiero e feroce su un campo dove tutto all'intorno
            giaceva la neve.
    Là s'incontraron quell'uomo e Gawain,
    e questi non s'inchinò, non si piegò.
    Disse l'altro: "Ora, nobile messere,
    ti conosco fedele all'impegno!"

90   "Gawain," disse l'uomo verde, "Dio ti conservi in salute!
In fede mia, messere, volentieri t'accolgo nel luogo ch'è mio,
e bene calcolasti il tempo del tuo andare, come far deve ogni
                                                    uomo leale,
e non hai scordato l'accordo che tra noi stabilimmo:
or son dodici mesi che prendesti ciò che ti spettava,
e ora, in questo Nuovo Anno, io prontamente ti ripagherò.
E in questa valle noi siamo, adesso, del tutto soli,
nessun v'è che possa separarci – giocare possiamo come ci
                                                    aggrada.
Togliti l'elmo dal capo e qui ricevi ciò che ti è dovuto!
Non volere dibatter con me, non più di quanto io feci
quando tu, con un colpo solo, mi mozzasti la testa!"
"No," disse Gawain, "nel nome di Dio, che l'anima mi diede,
nessun rancore ti porterò, qualunque sia il male che segua.
Solo, limitati a un colpo, non di più, e immobile io resterò,
e ostacolo non porrò a che tu agisca come t'aggrada
            proprio qui."
    Piegando il collo si chinò,
    scoprendosi la carne;
    non avrebbe mostrato spavento,
    segno non diede di paura.

91   Then the great man in green gladly prepared him,
      gathered up his grim tool there Gawain to smite;
      with all the lust in his limbs aloft he heaved it,
      shaped as mighty a stroke as if he meant to destroy him.
      Had it driving come down as dour as he aimed it,
      under his dint would have died the most doughty man ever.
      But Gawain on that guisarm then glanced to one side,
      as down it came gliding on the green there to end him,
      and he shrank a little with his shoulders at the sharp iron.
      With a jolt the other man jerked back the blade,
      and reproved then the prince, proudly him taunting.
      'Thou'rt not Gawain,' said the green man, 'who is so good
                                    reported,
      who never flinched from any foes on fell or in dale;
      and now thou fleest in fear, ere thou feelest a hurt!
      Of such cowardice that knight I ne'er heard accused.
      Neither blenched I nor backed, when thy blow, sir, thou
                                    aimedst,
      nor uttered any cavil in the court of King Arthur.
      My head flew to my feet, and yet fled I never;
      but thou, ere thou hast any hurt, in thy heart quailest,
      and so the nobler knight to be named I deserve
          therefore.'
        'I blenched once,' Gawain said,
        'and I will do so no more.
        But if on floor now falls my head,
        I cannot it restore.

92   But get busy, I beg, sir, and bring me to the point.
      Deal me my destiny, and do it out of hand!
      For I shall stand from thee a stroke and stir not again
      till thine axe hath hit me, have here my word on't!'
      'Have at thee then!' said the other, and heaved it aloft,
      and wratched him as wrathfully as if he were wild with rage.

91   Allora quel colosso vestito di verde lieto si preparò,
sollevò l'arma sua truce per là colpire Gawain;
con tutta la forza ch'avea nelle membra in alto la levò,
apprestandosi a un colpo che pareva dovesse distruggere l'altro.
Se fosse esso calato con la severità con cui egli mirò,
a quell'urto morto sarebbe l'uomo più animoso che mai fosse.
Ma Gawain mosse lo sguardo verso quell'ascia da guerra,
mentr'essa rapida scendeva verso l'erba, per finirlo,
e dinanzi a quel ferro affilato egli un poco ritrasse le spalle.
Con uno scatto, l'altro trattenne indietro la lama
e il principe rimproverò, fieramente dileggiandolo.
"Tu non sei Gawain," disse l'uomo verde, "del quale tanto
                                      bene si dice,
il quale mai indietreggiò dinanzi a un nemico, su colle o su piana;
e ora spaventato ti fuggi, sì, prima di sentir l'urto!
Mai quel cavaliere udii accusato di tal codardia.
Non tremai io, non mi ritrassi quando il tuo colpo, messere,
                                        sferrasti,
né sollevai obiezioni là, alla corte d'Artù.
La testa mi cadde ai piedi eppure io non fuggii,
mentre tu, prima di ricever ferita, già tremi nel cuore;
e allora il nome di miglior cavaliere io merito,
       invero."
    "Una volta ho tremato," disse Gawain,
    "e mai più lo farò.
    Ma se la mia testa a terra ora cade,
    recuperare non la potrò.

92   Affrettatevi, vi prego, messere, e al punto venite.
Datemi il destino ch'è mio e fatelo senza indugi!
Poiché da te io attenderò quel colpo e non più mi muoverò,
sinché non m'avrà colpito la tua ascia: è questa la mia parola."
"Eccotelo, dunque!" disse l'altro e in alto la levò
e grandemente irato lo guardò, quasi pieno fosse di rabbia.

He made at him a mighty aim, but the man he touched not,
holding back hastily his hand, ere hurt it might do.
Gawain warily awaited it, and winced with no limb,
but stood as still as a stone or the stump of a tree
that with a hundred ravelled roots in rocks is embedded.
This time merrily remarked then the man in the green:
'So, now thou hast thy heart whole, a hit I must make.
May the high order now keep thee that Arthur gave thee,
and guard thy gullet at this go, if it can gain thee that.'
Angrily with ire then answered Sir Gawain:
'Why! lash away, thou lusty man! Too long dost thou

> threaten.

'Tis thy heart methinks in thee that now quaileth!'
'In faith,' said the fellow, 'so fiercely thou speakest,
I no longer will linger delaying thy errand

> right now.'

　　Then to strike he took his stance
　　and grimaced with lip and brow.
　　He that of rescue saw no chance
　　was little pleased, I trow.

93　Lightly his weapon he lifted, and let it down neatly
with the bent horn of the blade towards the neck that was

> bare;

though he hewed with a hammer-swing, he hurt him no

> more

than to snick him on one side and sever the skin.
Through the fair fat sank the edge, and the flesh entered,
so that the shining blood o'er his shoulders was shed on

> the earth;

and when the good knight saw the gore that gleamed on

> the snow,

he sprang out with spurning feet a spear's length and more,
in haste caught his helm and on his head cast it,

E un colpo possente egli menò ma non toccò quell'uomo,
in fretta ritraendo la sua mano, prima che ferir potesse.
Gawain l'attese accorto e non ritrasse un solo arto
ma stette immoto qual pietra, o come il troncone d'un albero
che nelle rocce sia confitto con cento radici intricate.
E stavolta con allegria commentò quell'uomo in verde:
"Ora che saldo hai il cuore, sferrare il colpo io debbo.
Possa ora proteggerti l'alto ordine che Artù t'ha conferito,
e dall'urto proteggerti la strozza, se tanto può ottenere."
Con rabbia e con ira rispose allora Sir Gawain:
"Colpisci! Che aspetti, uomo gagliardo? Troppo a lungo
                                                    minacci.
Mi pare che ora sia il tuo cuore a tremarti nel petto!"
"Mia fe'," disse l'altro, "con tanto ardore tu parli
che più non indugerò, né il tuo impegno ritarderò
        adesso."
    Poi si apprestò a colpire
    con una smorfia sulle labbra e sulla fronte.
    Ed ei che non vedea speranza di salvezza
    poco piacere n'ebbe, io credo.

93 Senza fatica sollevò egli l'arma e la calò con gesto netto,
    col corno curvo della lama verso il collo scoperto;
    sebbene colpisse con la forza d'un martello, egli lo ferì soltanto
    intaccandogli un lato e appena lacerandogli la pelle.
    La lama incise la parte morbida ed entrò nella carne,
    sì che il sangue lucente dalle spalle sul terreno si disperse;
    e quando il buon cavaliere vide quel sangue che riluceva
                                                    sulla neve,
    con un balzo possente s'allontanò per la lunghezza d'una
                                                    lancia, e più,
    afferrò in fretta l'elmo e se lo mise in capo,
    e il bello scudo si sistemò, scrollando le spalle,
    brandì poi la spada sua luminosa e ardimentoso parlò –

under his fair shield he shot with a shake of his shoulders,
brandished his bright sword, and boldly he spake –
never since he as manchild of his mother was born
was he ever on this earth half so happy a man:
'Have done, sir, with thy dints! Now deal me no more!
I have stood from thee a stroke without strife on this spot,
and if thou offerest me others, I shall answer thee promptly,
and give as good again, and as grim, be assured,
       shall pay.
  But one stroke here's my due,
  as the covenant clear did say
  that in Arthur's halls we drew.
  And so, good sir, now stay!'

94   From him the other stood off, and on his axe rested,
held the haft to the ground, and on the head leaning,
gazed at the good knight as on the green he there strode.
To see him standing so stout, so stern there and fearless,
armed and unafraid, his heart it well pleased.
Then merrily he spoke with a mighty voice,
and loudly it rang, as to that lord he said:
'Fearless knight on this field, so fierce do not be!
No man here unmannerly hath thee maltreated,
nor aught given thee not granted by agreement at court.
A hack I thee vowed, and thou'st had it, so hold thee content;
I remit thee the remnant of all rights I might claim.
If I brisker had been, a buffet, it may be,
I could have handed thee more harshly, and harm could
                           have done thee.
First I menaced thee in play with no more than a trial,
and clove thee with no cleft: I had a claim to the feint,
for the fast pact we affirmed on the first evening,
and thou fairly and unfailing didst faith with me keep,
all thy gains thou me gavest, as good man ought.

mai, da quando, bambino, era nato a sua madre,
fu egli, ormai uomo, più felice su questa terra:
"Hai finito, messere, coi tuoi urti! Cessa d'attaccarmi!
Un colpo da te, senza contendere, ho sopportato in questo
                                                                    luogo,
e se altri offrirmene vuoi, prontamente ti risponderò
e altrettanto validi, e duri, siine certo,
       te ne darò.
   Un colpo solo qui m'era dovuto,
   come chiaramente stabiliva il patto
   stretto da noi al palazzo di Artù.
   Quindi, ora, messere, sta' in guardia!"

94 L'altro da lui si staccò e s'appoggiò alla sua ascia,
    ne tenne l'asta contro il terreno e, chinandosi sull'estremità,
    fissò il buon cavaliere che a grandi passi avanzava sul verde.
    Vedendolo sì vigoroso, così serio e così impavido,
    armato e privo di paura, piacere al cuore ne ebbe.
    E allora allegramente parlò con voce potente,
    che alta risonò mentre così a quel signore parlava:
    "Impavido cavaliere lì, sul campo, feroce non esser così.
    Nessuno t'ha qui maltrattato in modo disumano,
    né dato t'ha qualcosa che non fosse nel patto stretto alla
                                                                    corte.
    Un fendente t'avevo giurato: l'hai avuto, soddisfatto rimani;
    a te io condono il resto di ciò che reclamar potrei.
    Se fossi stato più energico, una botta, forse, più aspra
    avrei potuto indirizzarti e ciò t'avrebbe potuto far male.
    Dapprima, per scherzo, ti minacciai con una semplice prova
    e non t'inflissi alcun taglio; una finta mi spettava
    per via del patto che chiudemmo quella prima sera
    e tu, con onestà e senza fallo, la tua fede con me mantenesti,
    dandomi ogni tuo guadagno, come fa chi è leale.
    All'altra prova ti sottoposi, uomo, per il mattino

The other trial for the morning, man, I thee tendered
when thou kissedst my comely wife, and the kisses didst render.
For the two here I offered only two harmless feints
     to make.
  The true shall truly repay,
  for no peril then need he quake.
  Thou didst fail on the third day,
  and so that tap now take!

95   For it is my weed that thou wearest, that very woven girdle:
my own wife it awarded thee, I wot well indeed.
Now I am aware of thy kisses, and thy courteous ways,
and of thy wooing by my wife: I worked that myself!
I sent her to test thee, and thou seem'st to me truly
 the fair knight most faultless that e'er foot set on earth!
As a pearl than white pease is prized more highly,
so is Gawain, in good faith, than other gallant knights.
But in this you lacked, sir, a little, and of loyalty came short.
But that was for no artful wickedness, nor for wooing either,
but because you loved your own life: the less do I blame you.'
The other stern knight in a study then stood a long while,
in such grief and disgust he had a grue in his heart;
all the blood from his breast in his blush mingled,
and he shrank into himself with shame at that speech.
The first words on that field that he found then to say
were: 'Cursed be ye, Coveting, and Cowardice also!
In you is vileness, and vice that virtue destroyeth.'
He took then the treacherous thing, and untying the knot
fiercely flung he the belt at the feet of the knight:
'See there the falsifier, and foul be its fate!
Through care for thy blow Cowardice brought me
to consent to Coveting, my true kind to forsake,
which is free-hand and faithful word that are fitting to
                      knights.

in cui la mia bella moglie tu baciasti e i baci mi rendesti.
Per questi due casi ti offersi, qui, due finte innocue
soltanto.
Chi è leale con lealtà ripagherà
e tremar non dovrà nel periglio.
Il terzo giorno tu fallisti, invece,
e quindi il colpo or ora ricevesti!

95 Perché è mio ciò che tu indossi, quella cintura intessuta;
fu la mia sposa a dartela in premio, io ben lo so.
Consapevole sono dei tuoi baci e dei modi tuoi cortesi,
e della corte che mia moglie ti fece: io tutto concertai!
Io la mandai ché ti mettesse alla prova e tu invero a me appari
il cavalier più nobile e senza macchia che mai il piede pose
in terra!
Come perla che più preziosa è valutata di un pisello bianco,
tale è Gawain, in fede mia, più d'ogni altro valoroso cavaliere.
Ma in una cosa, messere, voi mancaste un poco, ossia in lealtà.
Ma ciò non fu per un malvagio piano, né per brama d'amore;
ma sol perché la vostra vita voi amavate; e per questo poco è
il biasimo."

L'altro severo cavaliere allora se ne stette pensieroso per un
pezzo,
dolente, disgustato, con il cuor colmo d'orrore;
dal petto il sangue gli salì sul volto, al rossore mescendosi,
e, per l'onta che era in quel discorso, in sé ei si ritrasse.
Le prime parole che, su quel campo, gli vennero alle labbra
furono: "Maledette voi siate, Cupidigia e Codardia!
Vi è viltà in voi, e vizio che distrugge la virtù."
Poi prese quell'infido oggetto e, slegandone il nodo,
la cintura gettò, con impeto, ai piedi del cavaliere:
"Ecco ciò che falso m'ha reso, e atroce ne sia il destino!
La Codardia, per tema del tuo colpo, mi condusse
ad assentire alla Cupidigia e a rinnegare la mia vera natura,

179

Now I am faulty and false, who afraid have been ever
of treachery and troth-breach: the two now my curse
    may bear!
  I confess, sir, here to you
  all faulty has been my fare.
  Let me gain your grace anew,
  and after I will beware.'

96   Then the other man laughed and lightly answered:
'I hold it healed beyond doubt, the harm that I had.
Thou hast confessed thee so clean and acknowledged thine
                                    errors,
and hast the penance plain to see from the point of my blade,
that I hold thee purged of that debt, made as pure and as
                                    clean
as hadst thou done no ill deed since the day thou wert born.
And I give thee, sir, the girdle with gold at its hems,
for it is green like my gown. So, Sir Gawain, you may
think of this our contest when in the throng thou walkest
among princes of high praise; 'twill be a plain reminder
of the chance of the Green Chapel between chivalrous
                                    knights.
And now you shall in this New Year come anon to my house,
and in our revels the rest of this rich season
    shall go.'
  The lord pressed him hard to wend,
  and said, 'my wife, I know,
  we soon shall make your friend,
  who was your bitter foe.'

97   'Nay forsooth!' the knight said, and seized then his helm,
and duly it doffed, and the doughty man thanked:
'I have lingered too long! May your life now be blest,
and He promptly repay you Who apportions all honours!

ossia la generosità e la fedeltà alla parola data, virtù d'un
                                                    cavaliere.
Ora io sono falso e imperfetto, io che sempre temetti
d'essere traditore ed insincero: la mia maledizione ricevano
      quelle due!
   Qui, messere, a voi confesso
   che erroneo fu il mio agire.
   Fate che io la vostra grazia riacquisti,
   e dipoi più cauto sarò."

96   Rise l'altro allora e rispose, col cuore leggero:
"Io reputo sanato oltre ogni dubbio il male che ricevetti.
Sinceramente ti sei confessato, riconoscendo i tuoi errori,
e dalla punta della mia lama hai ricevuto la penitenza,
sì che purgato ti considero dal tuo debito, reso sì puro e sì
                                                    mondo
quasi che, dal giorno in cui nascesti, alcuna mala azione
                                       avessi mai commesso.
E io ti do, messere, la cintura che d'oro è orlata,
ché essa è verde come la mia veste. Così, Sir Gawain, potrai
pensare al nostro duello quando tra la folla camminerai,
tra principi d'alta fama; essa a te sarà chiaro ricordo
dell'avventura occorsa alla Cappella Verde tra cortesi cavalieri.
E in questo Nuovo Anno ora potrete tornare alla mia casa,
e tra festeggiamenti il resto di questa santa stagione
      passerà."
   Quel signore con insistenza lo invitò
   e disse: "Mia moglie, lo so,
   diverrà presto vostra amica,
   lei che amara nemica vi era."

97   "In fede mia, no," disse il cavaliere afferrando l'elmo
e, toltolo com'era d'uopo, ringraziò quel valoroso uomo:
"Troppo a lungo indugiai! Sia benedetta la vostra vita, ora,

And give my regards to her grace, your goodly consort,
both to her and to the other, to mine honoured ladies,
who thus their servant with their designs have subtly

                     beguiled.
But no marvel it is if mad be a fool,
and by the wiles of woman to woe be brought.
For even so Adam by one on earth was beguiled,
and Solomon by several, and to Samson moreover
his doom by Delilah was dealt; and David was after
blinded by Bathsheba, and he bitterly suffered.
Now if these came to grief through their guile, a gain

                     'twould be vast
to love them well and believe them not, if it lay in man's power!
Since these were aforetime the fairest, by fortune most blest,
eminent among all the others who under heaven bemused

    were too,
    and all of them were betrayed
    by women that they knew,
    though a fool I now am made,
    some excuse I think my due.'

98   'But for your girdle,' quoth Gawain, 'may God you repay!
That I will gain with good will, not for the gold so joyous
of the cincture, nor the silk, nor the swinging pendants,
nor for wealth, nor for worth, nor for workmanship fine;
but as a token of my trespass I shall turn to it often
when I ride in renown, ruefully recalling
the failure and the frailty of the flesh so perverse,
so tender, so ready to take taints of defilement.
And thus, when pride my heart pricks for prowess in arms,
one look at this love-lace shall lowlier make it.
But one thing I would pray you, if it displeaseth you not,
since you are the lord of yonder land, where I lodged for a

                     while

e vi ripaghi Lui il quale ogni onore assegna!
E portate i miei rispetti a sua grazia, alla vostra splendida
consorte,
a lei e anche all'altra, alle dame mie onorate,
le quali il lor servitore hanno ingannato con sottili trame.
Ma non v'è da stupirsi se da pazzo si comporta uno sciocco,
e se al male è portato per le astuzie donnesche.
Poiché persino Adamo da una donna sulla terra fu ingannato
e da molte ne fu Salomone; e, inoltre, Sansone il proprio fato
da Dalila ricevette; e dipoi fu Davide
accecato da Betsabea e amaramente ne soffrì.
E se per i lor raggiri essi ebbero a soffrire, gran guadagno
sarebbe
amarle, sì, ma non credere loro, se ciò fosse possibile a un uomo!
Poiché, in antico, essi furono i più nobili, i più baciati dalla
fortuna,
eccelsi fra gli altri che, sotto il cielo, parimente furono
illusi,
e tutti furono traditi
da donne che pur conoscevano;
se ebbene ora io sia fatto uno zimbello,
penso d'averne una scusa."

98 "Ma per la cintura," disse Gawain, "vi renda merito Iddio!
L'accetto di buon grado, e non per lo splendido oro
della cintura stessa, né per la seta o gli oscillanti ornamenti,
né per la ricchezza, non per il valore, non per la squisita fattura;
bensì quale segno del mio errore; e io spesso a essa mi volgerò
quando famoso cavalcherò, rammemorando con pentimento
la fallacia e la fragilità della carne, che è sì perversa,
così debole, così prona a macchiarsi e lordarsi.
E così, quando l'orgoglio mi pungerà il cuore per la mia
prodezza
in armi, l'abbasserà un solo sguardo a questo laccio amoroso.

in your house and in honour – may He you reward
Who upholdeth the heavens and on high sitteth! –
how do you announce your true name? And then nothing
further.'

'That I will tell thee truly,' then returned the other.
'Bertilak de Hautdesert hereabouts I am called,
[who thus have been enchanted and changed in my hue]
by the might of Morgan le Fay that in my mansion dwelleth,
and by cunning of lore and crafts well learned.
The magic arts of Merlin she many hath mastered;
for deeply in dear love she dealt on a time
with that accomplished clerk, as at Camelot runs
     the fame;
   and Morgan the Goddess
   is therefore now her name.
   None power and pride possess
   too high for her to tame.

99   She made me go in this guise to your goodly court
     to put its pride to the proof, if the report were true
     that runs of the great renown of the Round Table.
     She put this magic upon me to deprive you of your wits,
     in hope Guinevere to hurt, that she in horror might die
     aghast at that glamoury that gruesomely spake
     with its head in its hand before the high table.
     She it is that is at home, that ancient lady;
     she is indeed thine own aunt, Arthur's half-sister,
     daughter of the Duchess of Tintagel on whom doughty Sir
                                                      Uther
     after begat Arthur, who in honour is now.
     Therefore I urge thee in earnest, sir, to thine aunt return!
     In my hall make merry! My household thee loveth,
     and I wish thee as well, upon my word, sir knight,
     as any that go under God, for thy great loyalty.'

Ma d'una cosa vi prego, se a voi non dispiaccia,
poiché il signore siete di quella terra dove un poco alloggiai,
onorato, nella vostra casa – possa ricompensarvi Lui
che i cieli tutti sostiene e in eccelso siede –
ossia che mi diciate qual è il vostro nome. E poi, nulla più."
"In tutta verità ve lo dirò," rispose l'altro,
"Bertilak di Hautdesert mi chiamano in questa zona
[e per incantamento fui mutato nella forma]
dal potere di Morgana la Fata, che nella mia magione vive,
e dalla sua conoscenza, ch'è profonda, della scienza degli incanti.
Delle magiche arti di Merlino ella molte ne domina;
ché un profondo amore ella un tempo provò
per quel perfetto erudito, sì come a Camelot narra
     la fama;
  e Morgana la Dea
  ora è dunque ella chiamata.
  Nessun possiede potere o orgoglio
  che alto troppo sia perché ella non lo domi.

99 Mi fece ella andare in questa guisa alla vostra splendida corte,
per metterne a prova l'orgoglio, ossia se vera fosse la voce
che si spande della gran fama della Tavola Rotonda.
Su me ella pose un incanto per rendervi insani di mente,
nella speranza di ferire Ginevra, sì ch'ella per l'orrore morisse,
atterrita dinanzi all'essere incantato che, orrendamente,
                             parlava,
innanzi alla tavola alta, in mano reggendo la propria testa.
Ella è colei che vive in casa mia, la vecchia dama;
ed è invero tua zia, la sorellastra d'Artù,
figlia della Duchessa di Tintagel, con la quale il prode Sir Uther
generò poi Artù, che in tanto onore ora si sta.
Ti sollecito, quindi, messere, a tornar da tua zia!
Ad essere lieto nel mio castello! T'ama chi con me vive
e a te io auguro il bene, sì, in fede mia, a te cavaliere,

But he denied him with a 'Nay! by no means I will!'
They clasp then and kiss and to the care give each other
of the Prince of Paradise; and they part on that field
      so cold,
  To the king's court on courser keen
  then hastened Gawain the bold,
  and the knight in the glittering green
  to ways of his own did hold.

100 Wild ways in the world Wawain now rideth
  on Gringolet: by the grace of God he still lived.
Oft in house he was harboured and lay oft in the open,
oft vanquished his foe in adventures as he fared
which I intend not this time in my tale to recount.
The hurt was healed that he had in his neck,
and the bright-hued belt he bore now about it
obliquely like a baldric bound at his side,
under his left arm with a knot that lace was fastened
to betoken he had been detected in the taint of a fault;
and so at last he came to the Court again safely.
Delight there was awakened, when the lords were aware
that good Gawain had returned: glad news they thought it.
The king kissed the knight, and the queen also,
and then in turn many a true knight that attended to greet

                                    him.
About his quest they enquire, and he recounts all the

                                    marvels,
declares all the hardships and care that he had,
what chanced at the Chapel, what cheer made the knight,
the love of the lady, and the lace at the last.
The notch in his neck naked he showed them
that he had for his dishonesty from the hands of the
      knight in blame.
  It was torment to tell the truth:

come te l'augura chi segue Dio, per la grande tua lealtà!"
Ma egli si negò dicendo: "No! In nessun caso vi tornerò!"
Allor s'abbracciano e si baciano e si affidano l'un l'altro
alla bontà del Principe del Paradiso; e si separano su quel campo
    sì freddo.
Su un rapido destriero, alla corte del re
s'affrettò poi Gawain l'ardito,
mentre il cavaliere dal verde scintillante
percorse altri sentieri.

100 Per le vie selvagge del mondo ora cavalca Gawain
su Gringolet; ancora in vita egli era, per grazia di Dio.
Trovò spesso ospizio in una casa, spesso all'aperto dormì,
spesso, andando, sconfisse nemici in avventure
che non intendo ora narrare in questo mio racconto.
Fu sanata la ferita che aveva sul collo
ed egli la copriva con la cintura dai colori vivaci,
che portava obliquamente al fianco legata, come un budriere,
e quel laccio con un nodo era fissato sotto il braccio sinistro,
a segno che in macchia di fallo egli era stato colto;
e, sano e salvo, egli raggiunse alfine la corte.
Qual delizia si levò quando s'accorsero i signori
ch'era tornato il buon Gawain: era per loro grata notizia.
Il re baciò il cavaliere, com'anche la regina,
e poi, a vicenda, i fedeli cavalieri ch'eran lì per salutarlo.
Dell'inchiesta gli chiedono ed egli le meraviglie là narra,
dice le avversità e le patite angustie,
ciò che avvenne alla Cappella, come l'accolse il cavaliere,
l'amore della dama e, alfine, dice di quel laccio.
La cicatrice sul collo nudo egli loro mostrò,
che dal cavaliere, a biasimo della sua disonestà,
    aveva ricevuto.
Tormentoso fu dire il vero:
sul volto il sangue gli avvampò

in his face the blood did flame;
he groaned for grief and ruth
when he showed it, to his shame.

101 'Lo! Lord,' he said at last, and the lace handled,
'This is the band! For this a rebuke I bear in my neck!
This is the grief and disgrace I have got for myself
from the covetousness and cowardice that o'ercame me

there!

This is the token of the troth-breach that I am detected in,
and needs must I wear it while in the world I remain;
for a man may cover his blemish, but unbind it he cannot,
for where once 'tis applied, thence part will it never.'
The king comforted the knight, and all the Court also
laughed loudly thereat, and this law made in mirth
the lords and the ladies that whoso belonged to the Table,
every knight of the Brotherhood, a baldric should have,
a band of bright green obliquely about him,
and this for love of that knight as a livery should wear.
For that was reckoned the distinction of the Round Table,
and honour was his that had it evermore after,
as it is written in the best of the books of romance.
Thus in Arthur his days happened this marvel,
as the Book of the Brut beareth us witness;
since Brutus the bold knight to Britain came first,
after the siege and the assault had ceased at Troy,
I trow,
many a marvel such before,
has happened here ere now.
To His bliss us bring Who bore
the Crown of Thorns on brow!

AMEN

HONY SOYT QUI MAL PENCE

per la pena gemette, e il rimorso,
quando, a propria vergogna, la mostrò.

101 "Ecco, signore," diss'egli alfine, e il laccio mostrò,
"questa è la fascia! Con questa, sul collo io porto un rimprovero!
Questa è la pena, è la vergogna che attrassi su me
per la cupidigia e la codardia che mi vinsero, là!
Questa è il segno ch'io ruppi la promessa, e ciò fu rivelato,
e, sinché nel mondo vivrò, dovrò io portarla;
perché un uomo può la propria macchia coprire ma cancellarla
non può,
ché là dove essa è comparsa, là per sempre rimane."
Il re confortò il cavaliere, come anche tutta la corte,
e alto risero tutti e questa legge fu emanata, con allegrezza:
che i signori e le dame e chiunque alla Tavola appartenga,
ogni cavaliere della Fratellanza, un budriere indossasse,
una fascia d'un verde brillante sistemata obliquamente su sé;
e questo, per amor di quel cavaliere, indossasse quale livrea.
E ciò sarebbe stato il segno che avrebbe distinto la Tavola
Rotonda,
e pieno d'onore sarebbe stato chiunque, d'allora in poi,
l'indossasse,
com'è scritto nei migliori romanzi di cavalleria.
Fu nei giorni di Artù che accadde quest'evento prodigioso,
come ci testimonia il Libro di Brut;
da quando Bruto, il prode cavaliere, giunse in Britannia,
dopo che a Troia furon cessati e l'assedio e l'assalto,
io credo
che molte simili meraviglie
siano qui accadute prima d'ora.
Al Suo gaudio ci guidi Colui che portò
sulla fronte la Corona di Spine! AMEN

HONY SOYT QUI MAL PENCE

CONFERENZA SU *SIR GAWAIN*
IN COMMEMORAZIONE DI W.P. KER

È un grande onore essere invitato a tenere una conferenza in quest'antica università, tanto più se per commemorare il nome illustre di W.P. Kerr. Una volta mi fu permesso di usare, per un certo periodo, la sua copia di *Sir Gawain e il Cavaliere Verde*. Essa mostrava chiaramente che egli, come al solito, e nonostante l'enorme varietà delle sue letture ed esperienze letterarie, aveva letto quest'opera con molta attenzione.

Si tratta di un poema che, davvero, merita un'attenzione precisa e dettagliata e, poi (non prima, secondo un procedimento critico fin troppo comune), un'attenta considerazione e riconsiderazione. È uno dei capolavori dell'arte del Trecento inglese e della letteratura inglese in generale. È una di quelle opere maggiori che non solo sopportano di essere bistrattate dalle scuole critiche, che sopravvivono al fatto di diventare un *testo*, e anzi (il che è la prova più severa) un *testo canonico*, ma che, sotto queste pressioni, danno frutti sempre più ricchi. Perché appartiene a quel genere di testi letterari che hanno radici profonde nel passato, anche più profonde di quanto ne fosse consapevole l'autore. È fatto di racconti già narrati spesso, prima e altrove, e di elementi che derivano da tempi remoti, oltre il campo di visione o di consapevolezza del poeta, come *Beowulf* o alcune delle maggiori opere di Shakespeare, come *Re Lear* o *Amleto*.

191

Ecco una domanda interessante: che cosa sono questo sapore, quest'atmosfera, questa virtù che hanno opere *dalle radici così profonde*, e che compensano gli inevitabili difetti e gli imperfetti aggiustamenti che, necessariamente, emergono quando trame, motivi, simboli sono rielaborati e messi al servizio di una mutata *forma mentis* di un tempo successivo, e usati per l'espressione d'idee del tutto diverse da quelle che le hanno prodotte? Sebbene *Sir Gawain* sia un testo particolarmente adatto su cui basare una discussione circa questa questione, non è di questo che vorrei parlare oggi. Non m'interessa, in questo momento, ricercare l'origine del racconto o dei suoi dettagli, o esaminare la questione circa la forma precisa in cui questi siano giunti all'autore di questo poema, prima che si mettesse al lavoro. Desidero invece parlare di come egli abbia trattato questa materia, o di un aspetto particolare, ossia il lavorio della sua mente mentre scriveva e (non ne dubito) riscriveva la storia, fino a farle assumere la forma che è giunta sino a noi. L'altra domanda, però, non va dimenticata. I tempi antichi, come un fondale dalle molte figure, sono sempre presenti dietro le scene descritte. Dietro il nostro poema si muovono le figure del mito antico e, attraverso i versi, si odono gli echi di antichi culti, di antiche credenze e di simboli che sono lontani dalla coscienza di un colto moralista (e anche poeta) della fine del XIV secolo. La storia che narra *non parla* di quelle antiche cose, ma ne trae parte della sua vitalità, della sua vivacità, della sua tensione. Accade così anche con le grandi fiabe – e una grande fiaba è anche questo poema. Non vi è, invero, mezzo migliore per impartire un insegnamento morale che una buona fiaba (termine con il quale intendo una fiaba autentica, un racconto che abbia radici profonde, e non un'allegoria morale sottilmente mascherata). E questo è il caso dell'autore di *Sir Gawain*, il quale, sembrerebbe, percepì o sentì tutto questo in modo più istintivo che consapevole, poiché, essendo un uomo del XIV secolo, un secolo che fu serio, didattico, enciclopedico, per non dire pedante, egli ereditò gli elementi di un mondo magico (*faerie*), senza rivolgersi a esso in modo deliberato.

Tra le tante cose nuove, dunque, sulle quali si potrebbe sperare di dire qualcosa di nuovo – anche adesso, quando questo poema è diventato oggetto di numerose edizioni, traduzioni, discussioni e articoli – come il gioco della decapitazione, l'ospite periglioso, l'Uomo Verde, la mitica figura simile al sole che s'intravede dietro il cortese Gawain, nipote di re Artù, come certamente, anche se più remotamente, il ragazzo-orso si nasconde dietro l'eroico Beowulf, nipote di re Hygelac; o come l'influenza irlandese sulla Gran Bretagna, e l'influenza di entrambe sulla Francia, e come il tutto ritornò nelle Isole Britanniche dalla Francia; o, giungendo ai tempi del nostro autore, il revival allitterativo, e il dibattito contemporaneo sul suo uso nella narrativa, quasi perduto, salvo pochi echi in *Sir Gawain* e in Chaucer (il quale credo conoscesse *Sir Gawain*, e, probabilmente, anche il suo autore) – fra tutte queste e altre questioni che il titolo *Sir Gawain e il Cavaliere Verde* potrebbe suggerire, desidero rivolgermi a una questione più trascurata e tuttavia, credo, di un'importanza invero fondamentale, ossia il nocciolo, il nucleo stesso del poema così com'è stato concepito nella sua forma definitiva: la grande terza parte e, al suo interno, la tentazione di Sir Gawain e la sua confessione.

Parlando di quest'argomento, della tentazione e della confessione di Gawain, devo appoggiarmi, ovviamente, a una conoscenza del poema nel suo insieme, nella lingua originale o in traduzione. Laddove la citazione è essenziale, userò una traduzione che ho appena completato, poiché l'ho realizzata con due obiettivi (che, in una certa misura, spero d'aver raggiunto): preservare la metrica e l'allitterazione originali, senza le quali la traduzione ha ben poco valore, se non come testo di mero servizio; e preservare e presentare, in un idioma moderno intelligibile, la nobiltà e la cortesia di questo poema, composto da un poeta per il quale "cortesia" aveva un alto significato.

Poiché non parlerò del poema nel suo insieme, o della sua mirabile costruzione, mi occorre indicare un solo punto che ha un profondo significato per il mio intento. Il poema è diviso in quattro parti o canti; ma la terza parte è, di gran lunga, la più ampia, poiché occupa molto più di un quarto dell'intero testo (872 versi su un totale di 2530), il che è, per così dire, un indicatore numerico che rivela l'autentico interesse primario del poeta. Eppure, egli ha cercato di nascondere quest'evidenza numerica allegando alla seconda parte, in modo abile ma artificioso, una sezione che invero appartiene alla situazione della terza. La tentazione di Sir Gawain inizia invero già dalla stanza 39 (verso 928) (se non prima) e si prolunga per più di mille versi. A confronto di ciò, tutto il resto è, anche quando mostra una qualità altamente pittorica, di semplice circostanza. Per questo poeta, la tentazione era la *raison d'être* del suo poema; tutto il resto era, per lui, scenografia, sfondo o apparato, ossia un espediente per portare Sir Gawain nella situazione che il poeta desiderava studiare.

Mi basta quindi ricordarvi brevemente quanto accade prima di quella situazione. Ci è presentato l'ambiente, mediante un breve abbozzo della magnificenza della corte di Artù nel bel mezzo della festa più importante dell'anno (per gli inglesi), la festa del Natale. A cena, il giorno di Capodanno, entra nella sala un grande Cavaliere Verde su un cavallo verde, con un'ascia verde, il quale lancia la sua sfida: qualsiasi uomo della corte che ne abbia il coraggio può prendere l'ascia e colpire, una volta sola, il Cavaliere Verde, senza che questi opponga la benché minima resistenza, a condizione di promettere che, dopo un anno e un giorno, egli lascerà che il Cavaliere Verde gli restituisca, in modo identico, quel colpo.

È Sir Gawain che raccoglie la sfida. Ma, di tutto ciò, mi preme porre in evidenza un solo aspetto importante. Sin dall'i-

194

nizio, possiamo percepire all'opera il fine morale del poeta, oppure saremo in grado di farlo dopo aver riletto il testo, e averci riflettuto. Per la tentazione, è necessario che le azioni di Gawain siano tali da ottenere un'approvazione morale; e, nell'ambiente del "mondo magico" (*faerie*), il poeta si sforza di dimostrare che lo erano. Gawain accetta la sfida per salvare il re dalla posizione fallace in cui lo ha messo la sua avventatezza. Il movente di Gawain non è l'orgoglio della propria abilità, non la vanagloria, e nemmeno la frivolezza spensierata di cavalieri che fanno scommesse e voti assurdi nel mezzo dei festeggiamenti di Natale. Il suo movente è più umile, egli vuole proteggere Artù, che è suo parente, e di lui più vecchio, vuole allontanare l'umiliazione e il pericolo dal suo re, che è il capo della Tavola Rotonda, scegliendo di mettere a rischio la propria vita, lui che è l'ultimo dei cavalieri (come egli stesso dichiara) e la cui perdita potrebbe essere sopportata con più facilità. Egli si trova quindi coinvolto nella vicenda fin dove possibile per far proseguire la fiaba, e lo fa per dovere, per umiltà e con l'intento di sacrificare se stesso. E poiché non ci si poteva liberare del tutto dell'assurdità insita in questa sfida – e parlo di assurdità nel momento in cui la storia deve essere portata su un serio piano morale, in cui ogni azione dell'eroe, Gawain, è da analizzare e valutare moralmente – il re stesso è criticato, sia dall'autore come narratore, sia dai signori della corte.

C'è un altro punto, sul quale torneremo più avanti. Fin dall'inizio, Gawain è ingannato o, almeno, intrappolato. Egli accetta la sfida, ossia di assestare il colpo *quat-so bifallez after* ("accada ciò che accada") e, dopo un anno, di presentarsi, senza sostituti né assistenti, per ricevere un eguale colpo, con qualsiasi arma il Cavaliere Verde sceglierà. Non appena si trova coinvolto, è informato che sarà lui stesso a dover cercare il Cavaliere Verde, per ottenere la sua "paga", là dove questi vive, in una qualche regione che non viene nominata. Egli accetta quest'onerosa aggiunta. Ma, dopo aver sferrato il colpo e decapitato il Cavaliere, ecco che scatta la trappola, poiché lo sfidante non è ucciso, anzi solleva la propria testa, rimonta a cavallo e se ne va, dopo che la brutta testa mozzata, tenuta in alto con la mano, ha sollecitato Gawain a essere fedele al voto.

Noi e, senza dubbio, molti tra il pubblico del nostro poeta, potremmo non essere sorpresi di tutto questo. Se ci viene presentato un uomo verde, con i capelli e la faccia verdi, su un cavallo verde, alla corte di Re Artù, ci aspettiamo qualcosa di "magico"; e anche Artù e Gawain avrebbero dovuto aspettarselo, ci pare. Come, invero, sembra abbia fatto la maggior parte delle persone presenti alla scena: "uno spettro lo pensarono, o un essere del mondo incantato" (11, v. 240). Questo poeta, però, per così dire, era determinato a dare per scontati la storia e i suoi meccanismi, sì da poter meglio esaminare i problemi di comportamento che si manifestavano, in particolare riguardo a Sir Gawain. Uno degli aspetti che più tratterà è il *lewté*, "il mantenere la parola data". È quindi molto importante considerare con precisione, sin dall'inizio, il rapporto tra il Cavaliere Verde e Gawain, e l'esatta natura del contratto tra loro stipulato, proprio come se si trattasse di un normale e possibile impegno tra due "gentiluomini". Così, il poeta si sforza, credo, di indicare che la "magia", sebbene essa possa essere temuta come una possibilità dallo sfidato, è celata dallo sfidante nella stesura dell'accordo. Il re prende la sfida nel suo valore nominale, una follia, cioè chiedere di essere ucciso sul posto; e più tardi, quando Gawain sta preparando il suo colpo:

"Abbi cura, nipote," disse il re, "di sferrare un sol colpo, di netto; e se una chiara lezione gl'impartisci, è mia certa credenza che tu sopporterai qualsiasi colpo egli ti renda più tardi."

(17, vv. 372-374)

E così, sebbene sia suggerita la buona fede di Gawain – e ciò dalle sue stesse parole: *quat-so bifallez after* – il suo avversario ha in realtà taciuto che egli non poteva essere ucciso in questo modo, essendo protetto dalla magia. E Gawain si è ora impegnato in una pericolosa ricerca e in un pericoloso viaggio, la cui sola e probabile fine sarà la morte. Perché egli non ha (per il momento) alcuna magia a proteggerlo; e, quando verrà il momento, dovrà partire quale liberatore del suo re e parente, e quale difensore dell'onore del suo ordine, mosso da un incrollabile coraggio e dal *lewté*, solo e senza protezione.

Il momento arriva, alfine, e Sir Gawain si prepara a partire alla ricerca del Cavaliere Verde e della Cappella Verde, là dove è stato fissato l'appuntamento. E poi, qualunque cosa pensiate del fatto che io inserisca considerazioni etiche nella prima parte, o della scena fiabesca della decapitazione, il poeta non lascia spazio a dubbi. Egli descrive l'armatura di Sir Gawain e, sebbene noi possiamo essere colpiti dal contrasto tra il suo brillante colore scarlatto e l'oro scintillante, e il verde dello sfidante, e riflettere sul suo possibile significato ereditato dalla tradizione, l'interesse del poeta non è in quest'aspetto. Egli, infatti, dedica solo poche righe a tutto l'apparecchio guerresco, e il colore rosso (*red* e *goulez*) è nominato solo due volte. Ciò che lo interessa veramente è lo scudo. Lo scudo di Gawain egli lo usa invero per mostrare la propria *forma mentis* e il proprio scopo, e a esso dedica tre stanze intere. Sullo scudo egli impone – e possiamo usare deliberatamente questa parola, perché qui, senza dubbio, abbiamo un'aggiunta personale – il simbolo del pentacolo, sostituendolo alle imprese araldiche che si trovano in altri romanzi, ossia leoni, aquile o grifoni. Non importa molto sapere quale significato o significati siano (o siano stati) altrove o prima attribuiti a questo simbolo.[1]

---

[1]   Questo nome, pentacolo, è attestato per la prima volta in una lingua volgare in questo poeta, il quale è, in effetti, l'unico a usarlo in medio inglese. Egli afferma però che gli inglesi lo chiamano ovunque il Nodo Infinito. Questo è tutto ciò che si può dire; che non sia attestato altrove deve essere un caso accidentale, poiché la forma che egli usa, *penta(u)ngel*,

Così come non importa molto sapere quali altri o più antichi significati fossero attribuiti al verde o al rosso, all'agrifoglio o alle asce. Perché il significato che il pentacolo deve avere in questo poema è chiarito – almeno in generale:[2] esso significa invero "perfezione", ma una perfezione nella religione (la fede cristiana), nella carità e nella moralità, e nella "cortesia" che da esse confluisce nelle relazioni umane; è la perfezione nei dettagli di ciascuno, e un legame perfetto e ininterrotto tra i piani superiore e inferiore. È con questo segno sullo scudo (e, come apprendiamo poi, anche ricamato sulla sua tunica), ivi imposto dal nostro poeta (poiché le ragioni che egli dà del suo uso sono, in sé e nello stile della loro enumerazione, indice di qualità che Gawain non possedeva ancora e che non avrebbe potuto esprimere nel momento in cui prende su di sé questa missione) – è con questo segno dunque che Sir Gawain si allontana da Camelot.

Il suo lungo e pericoloso viaggio alla ricerca della Cappella Verde è descritto brevemente e, in generale, in modo adeguato. In modo adeguato, certo, anche se, in alcuni passi, in modo un po' affrettato e, in altri, oscuro ai commentatori che non colgono appieno lo scopo del poeta; il quale, a questo punto, è ansioso di raggiungere il castello della tentazione. Non è necessario preoccuparci di altri aspetti del viaggio; attendiamo che il castello appaia alla vista. E quando ciò accadrà, ci occuperemo

mostra già tracce evidenti di un uso popolare, essendo un'alterazione dalla forma colta e corretta *pentaculum*, connessa ad "angolo". Inoltre, sebbene si mostri molto interessato al simbolismo, parla come se il suo pubblico fosse in grado di visualizzare la forma della figura.

[2] Il tentativo di descrivere questa figura complessa e il suo simbolismo era, in realtà, troppo anche per la notevole abilità del nostro poeta con il lungo verso allitterativo. In ogni caso, poiché parte del suo significato era l'interrelazione tra fede religiosa, carità e cortesia nei rapporti umani, il tentativo di enumerare le "virtù" fa emergere l'arbitrarietà della loro divisione e dei loro nomi individuali in qualsiasi momento, e il flusso costante del significato di questi nomi (come *pité* o *fraunchyse*) di epoca in epoca.

non tanto dei materiali, di significato completamente diverso, con cui si può pensare che egli abbia costruito l'episodio del castello, quanto del modo in cui l'autore li ha utilizzati.

Come riesce Gawain a trovare il castello? *In risposta alla preghiera.* Viaggia da solo dal giorno di Ognissanti. Ora è la vigilia di Natale, e lui si è smarrito in uno strano e selvaggio paese fatto di foreste intricate; ma la sua preoccupazione principale è di non saltare la Messa la mattina di Natale. Egli era

> turbato dal pensier di potersi, in quel tempo, rivelare un
> infingardo,
> inetto a servire il dolce Signore che, in quella stessa notte,
> uomo si fece, nascendo da una vergine, onde vincere il lutto
> nostro.
> E quindi, sospirando, disse: "Io t'imploro, oh Signore,
> e anche te, Maria, che la più dolce sei di tutte le madri,
> di condurmi a un rifugio ove io, con onore, possa domani
> ascoltare
> la Messa e il Mattutino. Questo umilmente io chiedo
> e per questo, prontamente, reciterò un Padre Nostro e un'Ave
> e un Credo."
> (32, vv. 750-758)

È dopo aver pregato così, dopo aver compiuto un atto di contrizione ed essersi per tre volte fatto il segno della croce che improvvisamente egli scorge, attraverso gli alberi, il bel castello bianco, e cavalca verso un cortese benvenuto e la risposta alla sua preghiera.

Da qualunque pietra più antica possa essere stata costruita la scintillante ma solida magnificenza di questo castello, qualunque piega possa prendere la storia, qualunque dettaglio possa essere scoperto che l'autore abbia ereditato e trascurato o non sia riuscito ad adattare al suo nuovo scopo, c'è qualcosa che è del tutto chiaro: il nostro poeta non sta portando Gawain in un covo di demoni, di nemici del genere umano, bensì in un palazzo cortese e cristiano. Là sono altamente rispettate la Corte di Artù e la Tavola Rotonda; e là le campane della cappella suonano per chiamare ai vespri, e soffia l'aria gentile della cristianità.

> Nel mattino in cui ognun di noi ricorda il tempo
> in cui nacque per morir, per la salvezza nostra, Nostro Signore,
> per amor Suo si desta in ogni casa della terra l'allegria.
> Così fu anche là, in quel giorno, con i piaceri più squisiti.
>
> (41, vv. 995-998)

Là Gawain doveva sentirsi ed essere "a casa" per un breve periodo, ritrovarsi inaspettatamente nel mezzo della vita e della società che più amava, e dove la sua stessa abilità e il suo piacere nel conversare cortese gli avrebbero assicurato il massimo onore.

Eppure, è iniziata la sua tentazione. Forse non la coglieremo appieno a una prima lettura ma ogni riconsiderazione ci rivelerà che questa strana storia, questo *mayn meruayle* (che ci crediamo oppure no), è stato accuratamente ridisegnato da una mano esperta, diretta da una mente saggia e nobile. È proprio nell'ambiente cui Gawain è abituato, e in cui ha finora raggiunto la più alta reputazione, che egli deve essere messo alla prova, ossia nell'ambito della cristianità e, quindi, come cristiano. Lui stesso e tutto ciò che egli rappresenta devono essere messi alla prova.

E se il pentacolo, che con il suo tocco di dotta pedanteria sembrava in contrasto con l'istinto artistico di un poeta narratore,[3] aveva potuto per un momento farci temere che avremmo perso il mondo magico (*faerie*) solo per avere un'allegoria formalizzata, ora siamo rapidamente rassicurati. A Gawain può esser stata data la "perfezione" come un modello per il

---

[3] E intendo dir, sebbene ciò raffreni la mia storia,
perché il pentacolo sia adatto a principe sì nobile.

(27, vv. 623-624)

quale lottare (perché mai egli avrebbe potuto raggiungere una quasi perfezione seguendo un ideale minore), ma lui stesso non è presentato come un'allegoria matematica, bensì come un uomo, come un essere umano individuale. La sua stessa "cortesia" non gli deriva solo dagli ideali, o dalle mode, del suo tempo (così com'esso era immaginato) ma dal suo stesso carattere. Egli gode intensamente della dolce compagnia delle cortesi dame, ed è immediatamente e profondamente toccato dalla bellezza. Ecco com'è descritto il suo primo incontro con la bella Dama del Castello. Gawain aveva assistito ai vespri nella cappella e, al termine di questi, la signora lascia la sua panca privata:

> e il proprio posto ella lasciò, con molte graziose damigelle.
> Ella era più leggiadra d'ogni altra donna, di viso, di carnagione
> e di pelle, di figura, d'incarnato e di portamento,
> e più bella di Ginevra a Gawain ella apparve.
> Traversò egli la cantoria onde render omaggio alla sua grazia.
> (39, vv. 942-946)

Segue poi una breve descrizione della sua bellezza, messa a contrasto con la brutta dama, tutta rugosa, che le era accanto:

> ché, se fresca di gioventù la giovane era, gialliccia era la vecchia;
> riccamente ammantata d'un roseo colore era la faccia dell'una,
> guance grinzose e avvizzite eran su quella dell'altra;
> sui veli dell'una erano sparse molteplici perle,
> e scoperti ella avea e il petto e la gola,
> belli più della neve che, bianca, cade sulle colline;
> l'altra portava un soggolo che le copriva interamente il collo,
> e avvolto era il suo mento nero in veli bianchi come il gesso.
> (39, vv. 951-958)

> Quando Gawain vide quella dama lieta, e di sì bell'aspetto,
> al signor chiese licenza e si accostò alle dame;
> la più anziana salutò, a lei inchinandosi con umiltà,

e la più leggiadra, con atto lieve, circondò con le braccia,
e la baciò in maniera cortese, con cortesia parlandole.

(40, vv. 970-974)

E, il giorno successivo, durante la cena del giorno di Natale,
egli viene fatto sedere alla tavola alta accanto a lei e, dell'allegrezza e dello splendore del banchetto, il poeta (è lui stesso
che lo dice) si preoccupa solo di descrivere il loro piacere.

> Penso però che Gawain e quella donna sì leggiadra,
> trovandosi insieme in compagnia, tanto piacer trassero
> da quella dolce vicinanza, dalle soavi parole che si dissero,
> dal cortese conversare, puro invero e privo d'ogni male,
> che il loro delizioso passatempo paragonar non si possa
>   ad alcuno svago d'un principe.
>   Battono i tamburi, squillano le trombe,
>   i flautisti suonano le arie loro,
>   ognun soddisfaceva i propri desideri,
>   e loro due soddisfacevano i propri.

(41, vv. 1010-1019)

Questa è l'ambientazione, ma la situazione non è stata
ancora preparata del tutto. Anche se Gawain si rilassa per un
po', non dimentica la ricerca. Per quattro giorni egli si gode i
divertimenti, ma la sera del quarto giorno, quando ormai ne
restano soltanto tre dell'anno vecchio prima del Capodanno
stabilito, egli chiede il permesso di partire l'indomani. Non
dice molto della propria missione, solo che è obbligato a
cercare e trovare un luogo chiamato Cappella Verde, e a
raggiungerlo la mattina di Capodanno. Allora, il signore gli
dice che si può riposare a proprio agio altri tre giorni, sì da
riprendersi completamente delle fatiche del viaggio, perché la
Cappella Verde è ad appena due miglia di distanza. La mattina
stessa gli sarà data una guida che lo conduca là.

A questo punto, l'autore, con molta abilità, combina, come
spesso fa, elementi di fiabe più antiche con il personaggio di

Gawain (come lo sta raffigurando) per delineare il meccanismo che regge la sua versione. In ciò che segue, intravediamo l'ospite periglioso che deve essere obbedito in ogni suo comando, per quanto sciocco o oltraggioso questo possa sembrare; ma vediamo anche il calore, si potrebbe quasi dire l'impetuoso eccesso di cortesia che caratterizza Gawain. Proprio come quando, stringendo il patto con il Cavaliere Verde, aveva pomposamente detto "accada ciò che accada", trovandosi in una situazione più grave di quanto si fosse aspettato, così ora, con gioia e gratitudine esclama:

> "Mille volte io vi ringrazio, per questo soprattutto!
> Or che compiuta è la mia inchiesta, come voi volete, qui
> dimorerò per qualche giorno, e ciò che comandate io farò."
> (44, vv. 1080-1082)

Il signore ne approfitta immediatamente e lo inchioda a ciò che ha detto: Gawain dovrà restarsene a letto fino a tardi, e poi passare le giornate con la dama, mentre il signore andrà a caccia. Viene poi proposto un patto apparentemente assurdo.

> "Una cosa ancora," disse il padrone, "un accordo stringeremo:
> qualunque cosa io vinca nel bosco subito sarà vostra,
> e qualunque guadagno voi facciate, a me in cambio lo darete.
> Così ci scambieremo, dolce uomo – ditemi che ne pensate! –
> ciò che la sorte a ciascuno darà, sia ciò poco ovvero molto."
> "In nome di Dio," disse il buon Gawain, "io son d'accordo,
> e piacevole mi pare ogni gioco che voi proponete."
> "L'affare è concluso! Chi ci porta ora da bere?"
> Disse così il signor di quella terra. E tutti risero;
> bevvero e si trastullarono e fecero ciò che loro piaceva,
> quei signori e quelle dame, per tutto il tempo che vollero;
> e poi, secondo l'uso di Francia, con molte espressioni cortesi,
> dolcemente dibatterono e discussero con molli parole,
> e amorevolmente si baciarono nel prendere congedo.
> Da servitori fedeli che avevan torce fiammeggianti
> furono poi condotti ai loro soffici letti,

dal primo all'ultimo.
Ma prima che andassero a letto,
egli spesso ricordò quel patto;
sapeva come si organizza un gioco
il vecchio reggitor di quel palazzo.

(45, vv. 1105-1125)

Così finisce la seconda parte e inizia la grande terza parte, sulla quale desidero soffermarmi in modo particolare. Dirò poco sulla sua mirabile costruzione, poiché essa è già stata spesso commentata. In effetti (una volta dato per scontato l'interesse per gli svaghi dell'epoca e i loro dettagli, o anche senza considerare ciò) la sua eccellenza è piuttosto evidente a qualsiasi lettore attento: il modo in cui le battute di caccia si "inseriscono" tra le tentazioni; il significativo *diminuendo* dai branchi di cerve (il che aveva un reale valore economico durante l'inverno) uccise durante la prima battuta di caccia sino alla "brutta pelliccia di volpe" dell'ultimo giorno, in contrasto con il *crescendo* del pericolo delle tentazioni; lo scopo drammatico delle battute di caccia, non solo nella loro successione temporale e nel loro tenere sulla scena, in due ambienti diversi, i tre attori principali, ma anche nell'allungare e rendere il più convincenti possibile i tre giorni vitali dell'intero anno in cui si svolge l'azione generale: tutto questo non ha bisogno di particolari analisi.[4] Ma le battute di caccia hanno anche

---

[4] Anche se credo che, in realtà, abbia avuto la tendenza a essere eccessivamente elaborato nelle sue analisi critiche. Un solo punto è stato trascurato, per quanto ne so: l'autore si è preoccupato di dimostrare che è stato il signore stesso, non l'insieme dei cacciatori, a uccidere e ottenere il *waith* che poi cede a Gawain. Questo è ovviamente chiaro nel caso del cinghiale e della volpe. Ma è segnalato anche nella prima battuta di caccia: "Quando il sole principiò a calare, un tal numero ucciso egli aveva / di daine e di cerbiatte che dubitar si potea ciò fosse vero" (53, vv. 1321-1322). Ma (poiché sembra che non ci fossero altre persone di rango alla caccia) il signore del castello è probabilmente il *migliore* del verso 1325, il quale sovrintende allo smembramento della propria "preda" prescelta. In questo caso, il *didden* del verso 1327 è uno dei tanti errori del manoscritto, con

un'altra funzione, essenziale a come il racconto è portato avanti in questa versione, e che è più legata a ciò che mi sono posto come scopo. Come ho già indicato, qualsiasi considerazione di "analogie", specie quelle meno cortesi, o addirittura un esame approfondito del nostro testo senza riferimento ad altri, suggerirà che il nostro poeta ha fatto del suo meglio per trasformare il luogo della tentazione in un autentico castello cavalleresco (e non in un miraggio incantato né in una dimora di esseri incantati), nel quale vigono le leggi della cortesia, dell'ospitalità e della moralità. Le battute di caccia giocano un ruolo importante in questo cambiamento d'atmosfera. Il signore si comporta come ci si potrebbe aspettare che un autentico e ricco nobiluomo si comporti durante quella stagione. Egli deve rimanere fuori dal castello, ma non restarsene misteriosamente in disparte o, semplicemente, svanire. La sua assenza e le opportunità della dama sono quindi spiegate in modo naturale; e questo aiuta a rendere anche più naturali le tentazioni e, quindi, a metterle su un normale piano morale.

Penso che chi legge o sente narrare questa storia per la prima volta[5] non avrebbe (e questa era l'intenzione dell'autore) alcun sospetto, come non ne aveva Gawain (e questo è mostrato chiaramente), che le tentazioni fossero tutte una "macchinazione" e che esse facessero parte dei pericoli e delle prove cui era stato indotto a sottoporsi alla corte di Artù, con lo

---

il plurale scritto al posto del singolare, probabilmente perché il contesto non era del tutto chiaro al copista. È stato il signore a scegliere le prede più grasse tra quelle che aveva catturato e a impartire gli ordini perché fossero adeguatamente preparate per esser presentate come *his venysoun* (v. 1375). Questo può sembrare un punto di ben poca rilevanza, e lontano da ciò che si sta considerando qui ma è, credo, legato al tema, che occorre esaminare, del *lewté* e del mantenimento della parola data.

[5] Non forse, però, per la mente di quanti hanno un'amplissima esperienza letteraria. Ma questi debbono rendersi conto che noi dobbiamo vedere le cose attraverso gli occhi di Gawain, e percepire l'atmosfera mediante i suoi sensi; e qui egli non ha, chiaramente, alcun sospetto.

scopo di distruggerlo o disonorarlo completamente. In effetti, è possibile chiedersi se l'autore non si sia spinto un po' troppo oltre. La sua invenzione non ha forse una grave debolezza? Tutto – a parte forse una magnificenza insolita ma non incredibile – tutto è così normale nel castello che, a pensarci bene, una domanda sorge spontanea: "Che cosa sarebbe successo, se Gawain non avesse superato la prova?" Perché alla fine veniamo a sapere che il signore e la dama erano conniventi; tuttavia, la prova doveva essere reale, per causare, se possibile, la caduta di Gawain e la disgrazia del suo "alto ordine". Il suo "amaro nemico" era invero la dama. Che cosa la proteggeva, se il suo signore era lontano, a cacciare e incitare i cani nella foresta? Non dà una risposta a questa domanda rivolgersi a usanze antiche e barbariche, o a racconti nei quali se ne conserva il ricordo. Perché noi non siamo in quel mondo e, se davvero l'autore ne sapeva qualcosa, egli l'ha completamente rifiutato. Ma non ha completamente rifiutato la "magia". E la risposta potrebbe essere che la "fiaba", sebbene nascosta, o data per scontata come parte del meccanismo degli eventi, è realmente parte integrante di questa parte della narrazione, tanto quanto lo è di quelle in cui è più evidente e inalterata, come l'incursione del Cavaliere Verde. Solo *fayryʒe* (v. 240) sarà sufficiente a rendere intelligibile e attuabile, nel mondo immaginario che l'autore ha creato, il complotto ordito dal signore e dalla dama. Dobbiamo supporre che, proprio come Sir Bertilak poteva tornare di colore verde e cambiar forma per l'appuntamento alla Cappella, così la dama avrebbe potuto proteggersi grazie a qualche mutamento improvviso, o qualche potere distruttivo, cui Sir Gawain sarebbe stato esposto cadendo in tentazione, anche solo nella volontà.[6] Se teniamo

---

[6] Voglio dire, se avessimo posto all'autore questa domanda, egli non avrebbe avuto alcuna risposta, perché aveva pensato a ogni dettaglio, specialmente a tutto ciò che aveva un aspetto morale; e penso che la sua risposta sarebbe stata, nell'idioma del suo tempo, quella che sto cercando di dare.

a mente questo, allora forse la "debolezza" diventa forza. La tentazione è reale ed estremamente pericolosa sul *piano morale* (poiché la visione che Gawain ha delle circostanze è tutto ciò che conta su quel piano);[7] eppure, sullo sfondo, per coloro che sono in grado di accettare l'atmosfera del "mondo magico" in un *romance*, è sospesa una terribile minaccia di disastro e distruzione. La lotta raggiunge un'intensità che difficilmente potrebbe raggiungere[8] la storia puramente realistica di un pio cavaliere che resiste (mentre è un ospite) alla tentazione dell'adulterio. È una delle proprietà delle favole, l'essere in grado di dilatare in questo modo la scena e gli attori; o meglio, è una delle proprietà che vengono distillate dall'alchimia letteraria quando storie con radici antiche sono rielaborate da un poeta autentico che possiede un'immaginazione sua peculiare.

Secondo me, quindi, le tentazioni di Sir Gawain, il suo comportamento quando vi è esposto, e le critiche al suo codice, erano, per il nostro autore, la sua vera storia, cui tutto il resto era subordinato. Non discuterò questo punto. Il peso, la lunghezza e l'elaborazione dettagliata della terza parte (e della fine della seconda, che delinea la situazione) sono, come ho detto, prove sufficienti per mostrare dove si concentrava l'attenzione primaria del poeta.

Passerò quindi ora alle scene delle tentazioni, specialmente ai punti che meglio esprimono, come credo, le opinioni e il fine dell'autore, là dove sono le chiavi alla domanda: "di cosa

---

[7]   La sua resistenza, quindi, in realtà torna ancor più a suo merito, poiché egli non è consapevole di alcun pericolo, tranne quello del "peccato", e resiste su semplici basi morali, senza l'aiuto che può fornire la paura dei poteri magici, o anche di scoprire qualcosa d'inaspettato.

[8]   Nel testo dattiloscritto si legge: "non potrebbe raggiungere. O non vorrebbe raggiungere. Perché questo [è] un modo per far sentire la vera tensione che si dovrebbe provare in un racconto basato sulla lotta morale". Quando "non potrebbe raggiungere" fu modificato in "difficilmente potrebbe raggiungere" la frase che segue fu messa tra parentesi, come per escluderla. [*N.d.C.*]

tratta veramente questo poema?" nel modo in cui egli lo costruisce. Per farlo, è necessario avere in mente le conversazioni tra Gawain e la Dama del Castello.

(A questo punto, le scene delle tentazioni furono lette ad alta voce in traduzione).[9]

Da queste scene selezionerò, per commentarli, alcuni punti. Il 29 dicembre, la dama si reca nella stanza di Gawain prima che questi sia del tutto sveglio, si siede sulla sponda del letto e, al suo risveglio, gli mette le braccia al collo (49, vv. 1224-1225). Gli dice che non vi è nulla da temere e sferra un assalto a tutto campo. Penso che sia importante dire qui che, sebbene alcuni critici abbiano ritenuto che questo fosse un errore da parte sua (il che, in realtà, può significare solo un errore da parte del poeta), sono loro a sbagliarsi. La dama è davvero molto bella, Gawain fin dal principio, come abbiamo visto, è molto attratto da lei, e non solo è severamente tentato in quest'occasione, ma lo è dalla dichiarazione della dama (49, vv. 1235-1240), tanto che *la tentazione rimane forte dall'inizio alla fine dei loro incontri*. Dopo quel momento, il loro conversare e tutti i loro discorsi scivolano continuamente verso l'adulterio.

Dopo la prima tentazione, non è riportato alcun colloquio privato tra Gawain e la dama (a eccezione di quelli nella stanza di lui) – egli si trova poi con entrambe le dame o, dopo il ritorno a casa del signore, in compagnia – tranne durante la serata che segue la seconda tentazione. E si può notare bene il cambiamento avvenuto se si contrappone la scena dopo la cena del 30 dicembre con l'atmosfera serena della cena del giorno di Natale (che ho già ricordato, p. 202):

Molta letizia, molta allegria principiò allora a sgorgare
attorno al fuoco del camino, liberamente e spesso,
a cena e pure dopo; molte piacevoli canzoni,
come i cantici di Natale e nuove carole di danza,

---

[9]   Questa frase è dell'autore. Sul tema si veda la Prefazione. [*N.d.C.*]

nell'allegrezza più composta che si possa immaginare;
e sempre presso la dama era il nostro cavaliere.
Tali sguardi ella gl'inviava del cortese suo favore,
lanciandogli occhiate furtive per ammaliar quel forte,
ch'egli n'era sommamente perplesso, e turbato nel cuore.
Restio era egli, però, per cortesia, a rifiutarla con freddezza,
e con grazia la intratteneva, quantunque a genio non gli
                                                    andasse
            quel gioco.
                                        (66, vv. 1652-1663)

Ritengo che questa sia una traduzione corretta di un passo
che contiene alcune difficoltà verbali e, anche, testuali; ma né
questa versione né l'originale debbono essere fraintese. Lo stato d'animo di Gawain non è quello di un uomo che sia stato
"turbato" o disgustato, ma di un uomo che non sa che cosa
fare. È in preda alla tentazione. L'educazione che ha ricevuto
lo costringe a stare al gioco ma la dama ha già messo in luce la
debolezza di una tale "educazione", ossia che essa è un'arma
pericolosa in una situazione del genere, pericolosa quanto
una manciata di graziosi razzi vicino a una polveriera. Subito
dopo, la paura o la prudenza suggeriscono la fuga, e Gawain
cerca di sottrarsi alla promessa di obbedire agli ordini del
signore, ossia di rimanere altre tre notti. Ma, una volta ancora,
è trattenuto dalla sua stessa cortesia. Non ha scuse migliori da
offrire se non dire che l'ora fissata per il suo appuntamento
è ormai molto prossima e che lui farebbe meglio a partire la
mattina successiva. Per il signore è facile controbattere: egli
finge di pensare che Gawain stia mettendo in dubbio la sua
parola, e di nuovo gli assicura che raggiungerà la Cappella
Verde in tempo utile. Che questo tentativo di fuga da parte
di Gawain sia dovuto alla prudenza morale (ossia alla paura
di se stesso) e non al disgusto è chiarito dal seguito.
    A parte quest'accenno, tuttavia, nelle prime due scene
l'autore si è limitato a riportare eventi e parole senza rivelare

i sentimenti di Gawain (o le proprie opinioni). Appena però arriviamo alla terza scena, il tono cambia. Finora Gawain è stato impegnato principalmente in un problema di "cortesia" e lo vediamo usare con grande abilità l'ingegno e le buone maniere per cui era famoso, e sempre, (almeno fino alla sera del 30 dicembre) con una certa sicurezza di sé. Ma con le stanze 70 e 71 (versi 1750 e ss.) arriviamo al "nocciolo" della vicenda. Gawain è ora in grande pericolo. La saggia scelta di fuggire si è rivelata impossibile senza infrangere la parola data e le regole di cortesia dovute al suo ospite.[10] Il suo sonno è stato oscuro e turbato dalla paura della morte. E quando la dama riappare, egli la accoglie con puro piacere, e con pura gioia per la sua bellezza. L'ultimo mattino dell'anno vecchio, ella torna nella sua stanza:

> con indosso un mantello vivace che misurava sino a terra
> ed era elegantemente foderato di pelliccia ben tagliata,
> e non portava in capo una bella cuffia ma solo chiare gemme
> che in una rete erano intrecciate venti a venti;
> scoperti erano la nobile faccia e il collo,
> una scollatura aveva sul petto e sulla schiena.
> Entrò per la porta della stanza e dietro sé la richiuse,
> spalancò una finestra e lo chiamò, per destarlo,
> allegramente salutandolo così, con cortesi parole,
>   e allegre:
>   "Ah, uomo, come dormir tu puoi,
>   è sì chiaro il mattino!"
>   Nel buio profondo egli giaceva
>   ma ora egli udì il richiamo di lei.

Nella fonda oscurità, sonnacchioso, mormorò parole come
                                                  in sogno,
come un uomo la cui mente fosse confusa da luttuosi pensieri,

---

[10]   Sul dattiloscritto, a matita, si legge: "un sacrificio che non è ancora disposto a fare" – da porre o alla fine della frase o dopo "senza infrangere la parola data." [*N.d.C.*]

su come il destino quel giorno portato gli avrebbe un nero fato,
quando, alla Cappella Verde, avrebbe incontrato il gigante,
costretto, egli, senza replicare, a sopportarne il colpo.
Ma quand'ella sì graziosamente venne, egli in sé ritornò,
via discacciò di sonno ogni traccia e rapido rispose.
La dama, in guisa amorosa, venne ridendo dolcemente,
sulla di lui cara faccia si chinò e prontamente lo baciò.
Con grazia egli la salutò, e con un lieto benvenuto,
vedendola sì splendida e in sì vivaci vesti,
sì perfetta di lineamenti e di pura bellezza,
che subito una calda gioia gli zampillò dal cuore.
Con dolci, con molli sorrisi essi subito si volsero all'allegria
e solo levità, sol gaudio là trascorse fra loro,
        ch'erano felici.
    Conversarono poi, cortesemente,
      e v'era in quel gioco un grande piacere;
    un grande periglio stava in mezzo a loro,
    se Maria pel cavaliere non pregava.
                  (69-70, vv. 1736-1769)

E, con ciò, assistiamo al ritorno, dalla prima volta dopo la presentazione del pentacolo e dello scudo di Gawain (cui si fa qui allusione), della *religione*, ossia di qualcosa che è più alto e che è oltre un codice di comportamento fatto di regole cortesi e raffinate, comportamento che si è rivelato (e che ancora si rivelerà) non solo un'arma inefficace cui far ricorso, ma un autentico pericolo, nel momento in cui è usato dal nemico.

Subito dopo, è introdotta la parola *synne*, per la prima e unica volta in questo poema d'alta moralità, e ciò ne accentua l'enfasi; e, in più, è introdotta una distinzione (e Gawain stesso è costretto a introdurla) tra "peccato" (ossia, la legge morale) e "cortesia".

Ché lei, sì regale e senza pari, tanto lo sollecitava,
tanto sino al punto estremo lo spingeva ch'egli, alfine, per forza,

dovuto avrebbe o rifiutarla e offenderla, o accettarne i favori.
Teneva egli alla propria cortesia, per non mostrarsi villano,[11]
ma più ancora, nel triste suo caso, temeva di commetter
peccato
ed essere sleale verso chi l'ospitava, al padrone di quella casa.
"M'aiuti Dio!" diceva. "Ciò accader non deve!"
(71, vv. 1770-1776)

La conclusione dell'ultima scena di tentazione, con il completo spostamento della lotta della dama, dopo la sua sconfitta finale, alla questione principale (o superiore, o solo reale), è, naturalmente, un'altra complessità di questo poema complesso, che andrà considerata a tempo debito. A questo punto, però, dobbiamo passare immediatamente alla scena che segue la tentazione: la confessione di Gawain (75, vv. 1874-1884).

A Gollancz va almeno riconosciuto il merito di aver attirato l'attenzione sulla confessione,[12] che, in precedenza, aveva ricevuto ben poca (o nessuna) attenzione. Egli, però, la interpretò in maniera erronea, in tutti i suoi aspetti. E sono questi aspetti che desidero ora esaminare in modo particolare. Non è un'esagerazione dire che l'intera interpretazione e valutazione di *Sir Gawain e il Cavaliere Verde* dipende da ciò che si pensa della trentesima stanza della terza parte [la stanza 75]. O il poeta sapeva che cosa stava facendo, e intendeva dire proprio quello che diceva, e collocò questa stanza proprio dove desiderava che fosse – nel qual caso dobbiamo rifletterci seriamente e considerare le sue intenzioni; oppure così non era, ed egli era semplicemente un pasticcione che accostava, l'una all'altra, delle scene convenzionali; e, in tal caso, la sua opera non merita una grande considerazione, se non, forse, come deposito di antiche storie e di antichi motivi, quasi

[11] Un mascalzone e un villano.

[12] Il riferimento è a *Sir Gawain and the Green Knight*, a cura di Sir Israel Gollancz, Early English Text Society 1940, p. 123, nota al verso 1880. [*N.d.C.*]

dimenticati e non ben compresi, giusto una favola per adulti – e neppure molto bella.

Gollancz, evidentemente, era della seconda opinione, poiché nelle note esprime la sorprendente osservazione che *sebbene il poeta non se ne accorga (!), Gawain si confessa in modo sacrilego, perché cela di aver accettato la cintura e l'intenzione che ha di tenerla.* Il che è un'enorme sciocchezza, e, come vedremo, non trova alcuna giustificazione nel testo stesso. Prima di tutto, però, è davvero incredibile che un poeta tanto serio,[13] il quale, con un esplicito intento morale, ha già inserito una lunga digressione sul pentacolo e sullo scudo di Sir Gawain, abbia introdotto in modo del tutto casuale un passo sulla *confessione* e l'*assoluzione* (che egli considerava con la massima solennità, qualunque opinione possano averne i critici di oggi) e che possa non essersi accorto di un punto così poco importante come il "sacrilegio". Se era davvero tanto sciocco, a che pro preoccuparsi di pubblicarne le opere?

Esaminiamo allora il testo. Primo: poiché l'autore non specifica che cosa Gawain ha invero confessato, non si può dire che cosa ha omesso, ed è quindi gratuitamente sciocco affermare che egli abbia nascosto qualcosa. Ci viene detto, però, che egli *schewed his mysdedez, di þe more and þe mynne*, cioè che confessò tutti i suoi peccati (ossia, tutto ciò che era necessario confessare), sia i grandi sia i piccoli. Se ciò non è sufficientemente chiaro, è esplicitamente detto che la confessione di Gawain è stata una buona confessione, non "sacrilega", e che l'assoluzione è stata efficace;[14] così si esprime il poeta:

---

[13] E uno, si può aggiungere, che, oltre ogni ragionevole dubbio, scrisse anche *Perla*, per non parlare di *Purezza* e *Pazienza*.

[14] Poiché l'efficacia della confessione dipende interamente dalla disposizione d'animo del penitente, e nessuna parola del sacerdote può porre rimedio alle cattive intenzioni, o all'occultamento intenzionale del peccato che si ricorda.

Compiutamente poi si confessò, elencando le proprie
                                        mancanze,
e le gravi e le lievi, e richiese misericordia,
e d'assolverlo da tutte egli implorò quel brav'uomo;
e questi l'assolse e lo rese sicuro e mondo,
quasi che l'indomani giunger dovesse il Giorno del Giudizio.
                                        (75, vv.1880-1884)

E, se neanche questo bastasse, il poeta prosegue descrivendo la conseguente leggerezza di cuore che Gawain prova.

Poi, fra le leggiadre dame egli allegria creò,
con cortesi danze e con carole, e con gioiosi svaghi,
più di quanti mai n'avesse fatti prima, fino a che buia fu la notte,
                    con pieno gaudio.
E ognun diceva: "Giuro
ch'egli per tutti è una delizia!
Da che qui arrivò insino a oggi
mai gaio egli fu a tal punto."
                                        (75, vv.1885-1892)

C'è bisogno che dica che un cuore leggero non è certo lo stato d'animo indotto da una cattiva confessione e da un volontario occultamento del peccato?

La confessione di Gawain, quindi, è rappresentata come una buona confessione. Eppure, egli tiene per sé la cintura. Ciò non può essere accidentale o involontario. Siamo quindi obbligati a fare i conti con la situazione deliberatamente creata dall'autore; siamo spinti a riflettere sul rapporto che esiste tra tutte le regole di comportamento, i giochi e le cortesie, e il *peccato*, la morale, la salvezza dell'anima, ossia quelli che l'autore avrebbe ritenuto valori eterni e universali. E questo è, sicuramente, il motivo per cui è introdotta, e proprio a questo punto, la confessione. Nel momento del massimo pericolo, Gawain era obbligato a strappare in due il suo "codice" e a distinguerne le componenti, le buone maniere e la buona morale. Dobbiamo ora considerare più a fondo queste questioni.

La prima implicazione della confessione pare suggerire che, per l'autore, tenere per sé la cintura non fosse un *misfatto* o un *peccato* sul piano morale. Perché vi sono due alternative soltanto: o (a) Gawain non ha menzionato affatto la cintura, essendo sufficientemente istruito per distinguere tra svaghi e cose serie; oppure (b) se l'ha menzionata, il suo confessore *learned hym better*. La prima è forse la meno probabile, poiché l'educazione di Gawain in questa direzione era, potremmo dire, appena iniziata; mentre ci viene detto che Gawain, prima di confessarsi, chiede consiglio al sacerdote.[15]

Siamo invero giunti al punto d'intersezione tra due piani differenti: il piano di un mondo di valori che è reale e permanente, e il piano di un mondo di valori che è irreale e passeggero; da una parte vi è *la morale* e, dall'altra, *un codice d'onore*, ovvero un gioco retto da regole. Il codice personale della maggior parte delle persone era (e di molte è ancora) pari a quello di Sir Gawain, un codice risultato di una stretta fusione dei due piani; e le violazioni in qualsiasi punto di quel codice personale hanno un sapore emotivo molto simile. Solo una crisi, o un pensiero serio senza una crisi (il che è una cosa rara) servirà a districare gli elementi; e il processo può essere doloroso, come Gawain ha scoperto.

Un "gioco retto da regole" può trattare, ovviamente, questioni banali oppure questioni più serie in scala crescente, come quando si passa da giochi facili con semplici tessere a giochi più complessi. Più si occupano o sono coinvolti in faccende e doveri reali, più peso morale essi avranno; le cose

---

[15] Non affermo, ovviamente, che un *vero patto*, anche nei giochi, non abbia mai risvolti morali, né comporti obblighi. Voglio dire, però, che, dal punto di vista dell'autore i "giochi di Natale" come quelli organizzati dal signore e da Gawain non appartengono a quell'ordine. Tornerò poi su questo punto.

"fatte" o "non fatte" avranno due facce: il rituale o le regole del gioco, e le regole eterne; e, quindi, vi saranno più occasioni per un *dilemma*, per un conflitto di regole. E più seriamente si prendono questi giochi, più grave e doloroso sarà il dilemma. Sir Gawain apparteneva (così come'è raffigurato) per classe, tradizione ed educazione a quanti prendono i giochi con grande serietà. La sua sofferenza era acuta. Egli fu, si potrebbe dire, scelto per questo motivo – da un autore che apparteneva alla stessa classe e tradizione e sapeva che cosa si provava perché l'aveva sperimentato lui stesso; ma che era anche interessato a problemi di comportamento, e su di essi aveva riflettuto.

In questo momento potrebbe essere giusto domandarsi: "Non è forse un difetto dell'artista, un errore poetico, permettere che una questione grave come una vera confessione e un'assoluzione sia inserita a questo punto? E portare con forza allo scoperto questa divergenza di valori, costringendo il lettore (che potrebbe anche non esserne molto interessato) a prestarvi attenzione? E far entrare, in un punto qualsiasi, tali questioni in una fiaba, e sottoporre a un esame serio cose assurde come lo scambio della cacciagione con un bacio?"

Non m'interessa molto, in questo momento, rispondere a una domanda del genere; poiché adesso sono principalmente ansioso di affermare e dimostrare (almeno lo spero) che questo è ciò che l'autore di *Sir Gawain e il Cavaliere Verde* ha effettivamente fatto, e che il modo in cui ha utilizzato il materiale a sua disposizione sarà incomprensibile o in gran parte frainteso se ciò non viene riconosciuto. Se la domanda, però, fosse formulata, risponderei: In questo poema vi sono una forza e una vitalità che sono quasi universalmente riconosciute. E se esso è sopravvissuto, lo si deve probabilmente alla serietà dell'autore. Ma molto dipende da cosa si vuole, o si pensa di volere. Si pretende forse che l'autore abbia gli obiettivi che ci si aspetterebbe avesse, oppure le opinioni che si preferirebbe che avesse? Che dovrebbe, per esempio, essere un autore con interessi antropologici riguardo i tempi antichi? Oppure che dovrebbe semplicemente dedicarsi a raccontare bene una fiaba emozionante, sì da creare una credibilità letteraria sufficiente per intrattenere? E come lo farà lui, nel proprio tempo e secondo la propria *forma mentis*? Sicuramente, se quel semplice obiettivo fosse il suo unico obiettivo (il che è abbastanza improbabile nel Trecento, secolo così complesso e didattico), nel processo di dar vita ad antiche leggende scivolerebbe egli forse, inevitabilmente, nella considerazione di problemi di comportamento a lui contemporanei, o costanti? È grazie a questa considerazione che egli ha vivificato i suoi personaggi e, con ciò, ha dato nuova vita a vecchi racconti – totalmente diversi dal significato che possedevano prima (e che probabilmente egli conosceva, e di cui si preoccupava, molto meno di alcuni uomini di oggi). Si tratta di versare vino nuovo in vecchie bottiglie, senza dubbio, e ci sono inevitabili crepe e perdite. In ogni caso, però, trovo che tale questione di etica sia più vivida, per la sua ambientazione curiosa e bizzarra, e di per sé più interessante di tutte le ipotesi su tempi più lontani. E poi, penso che il Trecento sia superiore ai tempi barbari, come la teologia e l'etica lo sono al folklore.

Non insisto, naturalmente, sul fatto che l'autore, quando ha iniziato a scrivere questa storia, abbia necessariamente avuto, come scopo cosciente, un obiettivo simile a quello di sondare la relazione tra regole di comportamento reali e artificiali. Immagino che questo poema abbia richiesto del tempo per essere scritto, che sia stato spesso modificato, ampliato in un certo punto e ridotto in un altro. Le questioni morali sono, però, ben presenti, inerenti al racconto, ed esse si mostreranno e si presenteranno all'attenzione del lettore nella misura in cui il racconto sarà condotto in maniera realistica, e nella misura in cui l'autore è un uomo di pensiero e d'intelligenza, qualcosa di più di un divulgatore di favole. In ogni caso è chiaro che, prima di raggiungere la sua versione finale, l'autore sia stato pienamente consapevole di ciò che stava facendo, ossia scrivere un poema "morale" e uno studio sulle virtù e i comportamenti di un cavaliere sotto pressione; motivo per cui ha dedicato due stanze ("sebbene ciò raffreni la mia storia", e anche se ciò adesso potrebbe non piacerci) al pentacolo, nel momento in cui faceva partire il suo cavaliere verso le prove che lo attendevano. E, prima di inserire il brano sulla confessione al termine della prova più grande, egli ha già richiamato la nostra attenzione sulla divergenza dei valori, esprimendone, nei versi 1773-1774, la netta distinzione, là dove la legge morale è posta al disopra delle leggi della "cortesia"; sono versi in cui si rifiuta esplicitamente, e si fa rifiutare a Gawain, *l'adulterio* come parte della cortesia possibile per un perfetto cavaliere. Un punto di vista molto contemporaneo e molto inglese![16]

Ma dall'aperto invito all'adulterio dei versi 1237-1240 (nella stanza 49 – e questo è senza dubbio uno dei motivi per cui è posto all'inizio) riusciamo a vedere la vacuità di tutte le cortesi schermaglie che seguono. Perché Gawain, da quel momento in poi, non può più avere alcun dubbio sull'obiettivo della dama: *to haf wonnen hym to woʒe* ("sì da sedurlo all'amore", 61, v. 1550). Egli è attaccato su due fronti e, invero, ha abbandonato fin dall'inizio il "servizio", ossia l'assoluta sottomissione del "vero servitore" alla volontà e ai desideri della dama, sebbene, continuamente, si sforzi di mantenerne almeno l'ombra verbale, la gentilezza del linguaggio e dei modi educati:

> lieto sarei, in nome di Dio, se a voi buono paresse
> ciò ch'io dir so, ovver ch'io offra qualche servizio
> al piacer dell'eccellenza vostra – ciò sarebbe a me pura delizia.
>
> (50, vv. 1245-1247)

---

[16] Che Gawain aggiunga a *synne* una considerazione che rende il peccato più atroce o odioso, il tradimento di un ospite nei confronti di chi gli dà ospitalità, è eticamente solido e appropriato al personaggio. È anche molto appropriato a questo poemetto, che tratta la *lealtà* su ogni piano. Qui troviamo Gawain che rifiuta una *slealtà* che sarebbe stata davvero peccaminosa, sì che possiamo vedere nella sua giusta misura la *mancanza di lealtà* di cui è accusato in seguito.

Ma fiero mi sento della lode che vi compiacete di rivolgermi
e, quale servo, con pieno fervore io tengo voi quale sovrana.

(51, vv. 1277-1278)

Ogni vostro volere eseguire intendo, per quanto ne sia capace,
ché in così alto onore sono tenuto, e, m'aiuti il Signore,
il desiderio mio è di restare vostro servitore.

(61, vv. 1546-1548)

Tutte queste espressioni sono diventate mere finzioni,
ridotte a un livello appena al disopra di quello dei giochi di
Natale, quando il *wylnyng* (v. 1546) della dama è stato ed è
costantemente respinto.

La pura pratica della cortesia nel gioco delle buone maniere
e l'abilità nel parlare consentono a Gawain di evitare di essere
apertamente *crapayn*, di rifuggire la "vileinye" nelle parole, cioè
espressioni che fossero rozze o brutalmente esplicite (giuste e
vere che fossero, o no).[17] Eppure, per quanto egli possa farlo
con grazia disarmante, la legge del "servizio" ai desideri della
dama è, invero, infranta. E il motivo dell'infrazione, di tutta la
sua abile difesa, non può che essere, fin dall'inizio, morale, sebbene ciò non sia dichiarato fino alla stanza 71, vv. 1773-1774.
Se non ci fosse stata un'altra via d'uscita, Gawain avrebbe
dovuto abbandonare anche la sua meccanica cortesia dei modi
e opporre un esplicito rifiuto (*lodly refuse*, v. 1772). Ma egli non
si è mai spinto più avanti del dire "no, non ho io un'amante,
né una ne avrò in questo tempo" (71, vv. 1790-1791), parole
che, nonostante il suo "dolce sorriso" sono sufficientemente
chiare, e *a worde þat worst is of alle* (72, v. 1792). E la dama
non lo spinge oltre, perché senza dubbio l'autore non voleva

[17]   Così scrive Chaucer del suo *perfit gentil knight*, che *he neuer yet
no vileinye ne sayde [...] unto no maner wight*; e, in seguito, si difende
capziosamente da un'accusa di *vileinye* (precisamente, "usare un linguaggio
basso e volgare") che potrebbe essere mossa contro i suoi ignobili racconti
e personaggi.

che la gentilezza di Gawain venisse meno. Approvava i modi gentili e l'assenza di "vileinye" quando questi sono alleati alla virtù, e fondati su di essa: la distillazione della cortesia nell'amore cortese senza adulterio.[18]

Dobbiamo quindi riconoscere che l'inserimento della confessione di Sir Gawain e la sua precisa collocazione nel poema sono stati intenzionali; e che ciò è un'indicazione dell'opinione dell'autore in merito, ossia che i giochi e le buone maniere non erano, in definitiva, importanti (per la salvezza, 75, v. 1879), ed erano, comunque, su un piano inferiore rispetto alla *virtù* reale, alla quale dovevano, in caso di conflitto, cedere. Anche il Cavaliere Verde riconosce questa distinzione e dichiara che Gawain è "il cavalier più nobile e senza macchia che mai il piede pose in terra!" (95, v. 2363) quanto alla più importante questione morale.

Ma non abbiamo ancora finito con le questioni minori che possono essere interessanti. Il Cavaliere Verde dice poi: *Bot here yow lakked a lyttel, sir, and lewté yow wonted* (95, v. 2366). Che cos'era questa *lewté*? Il termine non è ben tradotto con "lealtà", nonostante la parentela delle parole; poiché la "lealtà" è ora principalmente applicata all'onestà e alla fermezza in alcune importanti relazioni o in certi doveri personali o pubblici (come verso il re o il proprio paese, i parenti o gli amici più cari). "Legalità" sarebbe ugualmente affine e migliore; perché *lewté* potrebbe significare semplicemente "attenersi alle regole" di qualsiasi grado o misura. Così il nostro autore può chiamare le allitterazioni che si pongono in un verso, secondo regole meramente metriche, *lel lettres*, lettere scritte con verità (2, v. 35).

---

[18]   Se avrebbe chiamato una *vileinye* l'invito della dama, è una questione diversa. Le azioni del signore e della dama, in realtà, non vengono mai giudicate. È solo la condotta di Gawain, in quanto egli è il rappresentante della *Cortesia* e della *Carità*, che viene esaminata. I fatti e le parole degli altri sono usati principalmente solo per fornire le situazioni in cui saranno mostrati il suo carattere e il suo comportamento.

Allora, quali regole Gawain è accusato di aver violato quando accetta, tiene per sé e nasconde la cintura? Potrebbero essere tre: accettare un regalo senza dare qualcosa in cambio; non cederla come parte del "guadagno" del terzo giorno (secondo un patto scherzoso, sicuramente chiamato *layke* o gioco); usarla come protezione in occasione dell'appuntamento. È chiaro, credo, che il Cavaliere Verde consideri solo il *secondo* caso. Dice:

Chi è leale con lealtà ripagherà
e tremar non dovrà nel periglio.
Il terzo giorno tu fallisti, invece.

(94, vv. 2354-2356)

Perché è mio ciò che tu indossi, quella cintura intessuta.

(95, vv 2358)

È da uomo a uomo, come avversari in un gioco, che egli sta sfidando Gawain. E penso sia chiaro che, in questo, esprime il parere dell'autore.

Perché l'autore non era un uomo ingenuo. Coloro che hanno una precisa visione morale, severa e intransigente, non sono necessariamente degli ingenui. Egli poteva anche pensare che la questione principale fosse chiara in teoria; ma nulla, nel modo in cui costruisce il racconto, suggerisce che a suo parere la condotta morale fosse, nella pratica, qualcosa di semplice e indolore. E, comunque, egli era, si potrebbe dire, un gentiluomo e un giocatore corretto, ed era incuriosito dalla questione minore. In effetti, la *moralitas* del suo poema, seppur complicata, è tuttavia anche arricchita da questa esibizione di uno scontro di regole su un piano inferiore. Egli ha escogitato o proposto un problema molto interessante.

Gawain è costretto ad accettare un regalo d'addio dalla dama. Dalla colpa tecnica della "cupidigia" (ossia, prendere senza dare nulla in cambio) è stato esplicitamente assolto:

221

non aveva nulla da dare in cambio che non fosse offensivo per la sua disparità di valore (72, vv. 1798 e ss.); non pensava alla bellezza o al valore economico della cintura (81, vv. 2037-2040). Ma si trovava in una situazione che lo portava a non poter distogliere il pensiero dal fatto che essa avrebbe potuto salvargli la vita quando fosse arrivato all'appuntamento. L'autore non esamina in nessun passo l'etica del gioco della decapitazione; ma se lo facciamo noi, scopriremo che Gawain non ha invero infranto alcun articolo del suo patto indossando la cintura a quello scopo. Tutto ciò che aveva promesso di fare era di andare di persona, senza mandare un sostituto (il probabile significato di 17, v. 384: *wyth no wyʒ ellez on lyue*, "in tutto il mondo, a nessun altro se non a me"); di andare in una data prestabilita e, poi, di sopportare un colpo senza opporre resistenza. In questo, quindi, non gli occorre alcun difensore; certo, però, si potrebbe subito sottolineare come Gawain sia stato invero indotto con l'inganno ad accettare il patto, prima che il Cavaliere Verde rivelasse di disporre di una protezione magica; e la sua promessa potrebbe benissimo essere ritenuta eticamente nulla e, anche sul piano di un semplice "gioco", una piccola magia personale potrebbe essere considerata perfettamente giustificata. Ma l'autore non stava considerando questo caso, sebbene non fosse ignaro del punto, come vediamo nella protesta di Gawain:

Ma se la mia testa a terra ora cade,
recuperare non la potrò.

(91, vv. 2282-2283)

Qui stiamo trattando semplicemente degli eventi che si svolgono nel castello, e del patto cavalleresco con il signore. Gawain aveva accettato la cintura in dono a causa della sua paura di finir decapitato. Ma, ancora una volta, si era trovato in trappola. Il tempismo della dama era ben studiato. Ella gli offre con insistenza la cintura e, nel momento in cui egli è più debole, gliela porge, chiudendo così la trappola. Lo prega di non dirlo al marito. Lui acconsente. Non poteva fare altro; ma, con la sua caratteristica generosità, anzi l'impetuosità che abbiamo già notato, giura di non dirlo a nessun altro al mondo.[19] Naturalmente, egli desiderava la cintura, sperando (non pare che le abbia mai attribuito un valore più alto) che potesse salvarlo dalla morte; ma anche se non l'avesse fatto, si sarebbe trovato in un dilemma legato alla "cortesia". Non sarebbe stato "cortese" né rifiutare la cintura, una volta che l'aveva accettata, né rifiutare la richiesta. Non spettava a lui chiedere perché dovesse mantenere il segreto sulla cintura; presumibilmente, era per salvare la dama dall'imbarazzo, poiché non c'era motivo di supporre che la cintura non appartenesse a lei, e che lei non fosse libera di donarla. Ad ogni modo, essa le apparteneva quanto i baci che dava e, in questo, l'aveva già protetta dall'imbarazzo rifiutandosi di rivelare da chi li avesse ricevuti.[20] Non ci viene detto, nel momento in cui Gawain accetta il regalo e promette silenzio, che egli ricordasse il patto stabilito con il signore. Ma, riguardo a questo, non può essere del tutto scusato, perché non poteva rimanerne dimentico a lungo. Quando il signore torna a casa la sera, egli doveva ricordarsene. Cosa che fa. Non è detto esplicitamente, ma lo vediamo chiaramente nella stanza 77, ossia nella fretta che

---

[19]   Cosa che poi espierà, nello stesso spirito, dicendolo a tutti.

[20]   Anche se potremmo pensare (se fossimo disposti a sottoporre questo dettaglio fiabesco a un esame che esso non è in grado di sopportare) che un bacio non può essere ripagato, e comunque se la sua fonte non ne è nominata, allora la moglie non può giustamente dire che il bacio sia stato ceduto al marito. Ma anche questo punto non è stato ignorato dall'autore. I due finti colpi possono essere stati *boute scape* (94, v. 2353), per quanto riguarda la carne di Gawain, ma sono stati comunque dolorosi da sopportare. Il Cavaliere Verde (o Sir Bertìlak) non sembra aver ritenuto che ottener baci da sua moglie fosse una questione del tutto trascurabile, anche se il motivo della loro accettazione era stata la "cortesia".

Gawain mostra di chiudere la faccenda. "Stavolta il primo io sarò a rispettare il patto," esclama (andando, come al solito, oltre ciò che è necessario, sia nel fare che nel rompere una promessa), mentre va incontro al signore a metà strada (vv. 1932-1934).

È a questo punto, quindi, e solo a questo punto, che possiamo cogliere in fallo Gawain, come, in effetti, è. "Stavolta il primo io sarò a rispettare il patto che stringemmo", dice e, per quanto quel patto poteva valere, non lo fa. Non dice nulla della cintura. E si sente a disagio. "Ciò basta!" esclama, quando il signore (con un significato che ancora non può cogliere, come non lo possiamo cogliere noi, almeno finché non avremo letto la storia per intero) dice che una pelliccia di volpe è una ben povera cosa da dare in cambio di tre cose tanto preziose quanto i baci.

Eccoci al punto. *Þrid tyme þrowe best*, ma *at þe þrid þou fayled þore*. Non spetta a me sostenere che Gawain non abbia "fallito" in nessun modo, poiché nemmeno questa era la tesi dell'autore, ma voglio considerare in quale grado e su quale piano, per quanto si può discernere, egli abbia fallito secondo l'autore; perché tali punti gli interessavano particolarmente. Per lui vi erano, come mi sembra chiaro dal modo in cui svolge questo racconto, *tre* piani: semplici passatempi scherzosi, come quello tra Gawain e il signore del castello; "la cortesia",[21] come codice di comportamenti "gentili" o educati, che includeva

---

[21] Nel comune senso mondano. Se il nostro autore ha scritto anche *Perla* (come a me sembra certo), allora ha complicato le cose per quanti desiderino considerare la sua mentalità e le sue opinioni nel loro insieme; perché là egli usa la "cortesia" in un senso più elevato, secondo i comportamenti non delle corti terrene, bensì della Corte del Cielo; la Divina Generosità e Grazia, e la pura umiltà e carità dei beati; lo spirito, cioè, da cui anche la "cortesia" mondana deve discendere, se vuole essere viva e sincera, e anche pura. C'è probabilmente una traccia di questo da vedere nella congiunzione di *clannes* e *cortaysye* (28, v. 653) nei "quinti cinque" del pentacolo che riguarda la virtù nei rapporti umani.

uno speciale atteggiamento di deferenza nei confronti delle donne, e che si poteva ritenere includesse, come fa la dama, il più serio, e quindi più pericoloso, "gioco" dell'amor cortese, che potrebbe competere con le leggi morali; e, infine, la vera morale, le vere virtù e i veri peccati. Questi piani potrebbero competere tra loro. Se così fosse, la legge superiore deve essere rispettata. Dal momento in cui Sir Gawain arriva al castello, si stanno preparando situazioni in cui si verificheranno tali competizioni, con relativi dilemmi di comportamento. L'autore è principalmente interessato alla competizione tra "cortesia" e virtù (purezza e lealtà); egli ce ne mostra la crescente divergenza, e ci mostra Gawain che, nel pieno della crisi dovuta alla tentazione, riconosce tutto ciò e sceglie la virtù piuttosto che la cortesia, pur conservando una grazia di modi e una gentilezza di parola che appartengono al vero spirito della cortesia. Penso fosse sua intenzione anche mostrare, mediante la confessione, che il grado più basso, il "passatempo scherzoso", non era affatto una questione di sostanziale importanza; ma solo dopo essersi divertito, per così dire, a mostrare un dilemma che la cortesia artificiale poteva produrre anche a un livello inferiore. In questo caso, poiché non si ponevano questioni di peccato e di virtù, Gawain aveva posto più in alto le regole della cortesia e aveva obbedito alla dama, anche se ciò lo porta poi a rompere la parola data (anche se solo all'interno di un gioco non serio). Ma, ahimè! (come credo avrebbe detto il nostro autore), le regole della cortesia artificiale non potevano invero scusarlo, non possedendo una validità universale e primaria come invece quelle della moralità, nemmeno se la cortesia fosse stata il solo motivo per prendere la cintura. Ma non lo era. Egli non si sarebbe mai trovato nella posizione di esser tenuto alla segretezza, contrariamente al patto dei giochi, se non avesse voluto possedere la cintura per il possibile potere che essa possedeva; egli voleva salvarsi la vita, una ragione semplice e onesta, e con mezzi che non erano in alcun modo contrari al patto originale con il Cavaliere Verde, e ciò era in conflitto solo con l'apparentemente assurdo e puramente scherzoso patto con il signore del castello. È questa la sua unica colpa.

Si può osservare che ciascuno di questi "piani" ha il proprio tribunale. La legge morale si rivolge alla Chiesa. Il *lewté*, "lo stare ai patti", quando si tratta di un semplice gioco, da uomo a uomo, si rivolge al Cavaliere Verde, il quale, in effetti, parla della procedura in termini fintamente religiosi, sebbene (si può notare) li applichi solo al gioco: le questioni più serie sono già state giudicate, mediante la "confessione" e una "penitenza". La cortesia si rivolge alla corte suprema di tali faccende, la corte di re Artù di *kydde cortaysye*; e la causa contro l'imputato si risolve con una risata.

Vi è però un altro tribunale: lo stesso Sir Gawain e il suo giudizio. Diciamo subito che egli non è competente a giudicare questo caso in modo imparziale, e il suo giudizio non può essere ritenuto valido. Dapprima egli si trova (il che è naturale) in uno stato di grande turbamento d'animo, non solo perché ha visto crollare il suo "codice", ma anche perché ha ricevuto gravi ferite al suo orgoglio. Probabilmente, il primo grido di protesta che lancia contro se stesso è poco più di un'amara generalizzazione contro le donne.[22] È comunque

---

[22] Questo può sembrare, a prima vista, un difetto, anche se è l'unico grave difetto di questo poema. In effetti, penso, è messo in una forma poco adatta a Gawain, così che suona più come la sentenza di un *auctor*, una frase di pedanteria da chierico. Ma fondamentalmente è in tema, fedele al carattere di Gawain com'è raffigurato, e credibile nella sua "reazione" in quel momento particolare. Gawain tende sempre ad andare un po' più in là di quanto il caso richieda. Ha solo bisogno di dire: molti uomini più grandi di me sono stati ingannati dalle donne, quindi ho una scusante. Non ha bisogno di aggiungere che sarebbe enormemente vantaggioso per gli uomini se potessero amare le donne e tuttavia non fidarsi mai di loro. Ma lo fa. E questo non solo è molto conforme a questo Gawain, ma non è innaturale in nessun "cortigiano", la cui stessa cortesia (e l'orgoglio che prova per essa) sia stata resa il mezzo per esporlo alla vergogna. "Che sia un semplice gioco, una finzione, allora!" egli esclama – in quel momento.

molto interessante considerare ciò che ha da dire, perché è un personaggio disegnato a tutto tondo, non è un semplice veicolo di opinioni e di analisi. Questo poeta era molto abile nel disegnare i suoi personaggi. Sebbene la dama, quando le viene data la parola, abbia un ruolo di per sé semplice, e una sola linea di condotta da seguire (diretta da una non meglio spiegata "inimicizia"), ciò che dice ha un tono inconfondibilmente tutto suo. Meglio ancora è Sir Bertilak, e maggiore è l'abilità con cui l'autore lo fa comportarsi e parlare in modo credibile, sia come Cavaliere Verde che come Ospite, in modo che, se questi due uomini non fossero stati effettivamente un uomo solo, entrambi sarebbero stati adeguatamente disegnati come individui; eppure, alla fine, noi siamo in grado di credere di aver ascoltato lo stesso personaggio per tutto il tempo: è questo che fa accettare a un lettore – senza porsi troppe domande, proprio come Gawain – la loro identità senza (in questo poema) provare alcun disincanto o mutamento d'idee dopo la rivelazione. Entrambi questi attori, però, sono secondari e la loro funzione principale è quella di creare la situazione in cui Gawain è messo alla prova. Gawain ha piena realtà letteraria.

La sua "perfezione" è resa più umana e credibile, e quindi più apprezzabile come autentica nobiltà, dalla sua piccola pecca.[23] Secondo me, però, nulla lo fa "prendere vita" come un uomo reale quanto la rappresentazione delle sue "reazioni" davanti alla rivelazione: qui si può usare, in modo giustificato, la parola "reazione", spesso grossolanamente abusata, poiché le sue parole e il suo comportamento sono, in gran parte, legati all'istinto e all'emozione. Possiamo considerare il contrasto tra le stanze in cui le sue reazioni sono esposte e i versi in cui sono descritti i suoi viaggi perigliosi, versi insieme pittoreschi e superficiali. Questo poeta non era però

[23]   Sebbene si possa pensare che la sua quasi perfezione non sarebbe stata raggiunta se non avesse posto davanti a sé come ideale la perfezione assoluta o matematica simboleggiata dal pentacolo.

veramente interessato alle fiabe o alle atmosfere del *romance* fini a se stesse. È anche, credo, un ultimo colpo di genio, in un poema così concentrato sulla virtù e sui problemi di comportamento, che esso si concluda aprendo uno scorcio sulle "reazioni" di un uomo veramente "cortese", ma non profondamente riflessivo, verso una colpa che riguarda una parte del suo codice personale e che non è essenziale per un freddo giudice esterno; che si concluda, invero, aprendo uno scorcio sulla duplice bilancia usata dalle persone ragionevolmente caritatevoli, con misurazioni che sono più severe per se stessi, e più indulgenti per gli altri.[24] *Þe kyng confortez þe knyt* e *alle þe court als laʒen loude þerat.*

Che cosa prova e che cosa dice Gawain? Si accusa di *couardise* e di *couetyse*. Rimase a lungo "pensieroso":

> dolente, disgustato, con il cuor colmo d'orrore;
> dal petto il sangue gli salì sul volto, al rossore mescendosi,
> e, per l'onta che era in quel discorso, in sé ei si ritrasse.
> Le prime parole che, su quel campo, gli vennero alle labbra
> furono: "Maledette voi siate, Cupidigia e Codardia!
> Vi è viltà in voi, e vizio che distrugge la virtù."
> Poi prese quell'infido oggetto e, slegandone il nodo,
> la cintura gettò, con impeto, ai piedi del cavaliere:
> "Ecco ciò che falso m'ha reso, e atroce ne sia il destino!
> La Codardia, per tema del tuo colpo, mi condusse
> ad assentire alla Cupidigia e a rinnegare la mia vera natura,[25]
> ossia la generosità e la fedeltà alla parola data, virtù d'un
>   cavaliere.
> Ora io sono falso e imperfetto, io che sempre temetti
> d'essere traditore ed insincero: la mia maledizione ricevano

---

[24] Quanto più si è caritatevoli, tanto più ampia è spesso la divergenza, come si può vedere nei santi più inflessibili con se stessi.

[25] Con la parola *kynde* dell'originale l'autore può intendere il carattere naturale di Gawain; ma il senso meno introspettivo "il mio genere", ossia il comportamento corretto dei membri del suo ordine (i cavalieri), è forse migliore.

quelle due!

(95, vv. 2370-2384)

Più tardi, ritornato alla corte, egli narra le proprie avventure in quest'ordine:[26] le sue fatiche; il modo in cui sono andate le cose all'appuntamento, e il comportamento del Cavaliere Verde; l'amoreggiare con la dama; e (come ultima) la questione della cintura. Mostra poi la cicatrice sul collo, segno del rimprovero ricevuto per la sua *vnleuté*.

> Tormentoso fu dire il vero:
> sul volto il sangue gli avvampò
> per la pena gemette, e il rimorso,
> quando, a propria vergogna, la mostrò.

> "Ecco, signore," diss'egli alfine, e il laccio mostrò,
> "questa è la fascia! Con questa, sul collo io porto un rimprovero!
> Questa è la pena, è la vergogna che attrassi su me
> per la cupidigia e la codardia che mi vinsero, là!
> Questa è il segno ch'io ruppi la promessa, e ciò fu rivelato,
> e, sinché nel mondo vivrò, dovrò io portarla."

(100-101, vv. 2501-2510)

Seguono due versi, di cui il primo non è chiaro ma che, insieme (comunque li si interpretino o li si emendino) esprimono indubbiamente la sensazione di Gawain che nulla potrà mai cancellare questa macchia. Ciò si accorda con i suoi "eccessi" quando si fa trasportare; ma questo è vero anche per le emozioni di molti altri. Perché si può credere al perdono dei peccati (come fa lui), anche perdonare i propri a se stessi e dimenticarli, ma la puntura della vergogna a livelli moralmente meno importanti o insignificanti brucerà ancora dopo lunghi anni, come fosse stata appena ricevuta.

L'emozione di Sir Gawain è, quindi, una bruciante ver-

---

[26] L'ordine è probabilmente non rilevante (né strettamente possibile), salvo il tener per sé la cintura sino alla fine.

gogna; e il fardello dell'accusa che muove a se stesso sono la codardia e la cupidigia. La codardia è la principale, perché è a causa di essa che egli è caduto nella cupidigia. Ciò deve significare che, come cavaliere della Tavola Rotonda, Gawain non muove alcuna accusa contro il Cavaliere Verde per la scorrettezza insita nel patto della decapitazione (sebbene l'abbia osservata nei versi 2282-2283), si attiene alle sue stesse parole *quat-so bifallez after* (v. 382), e decide di affrontare la prova per il semplice motivo che questa era una prova del coraggio assoluto di un cavaliere del suo ordine: avendo dato la sua parola, era obbligato a mantenerla anche se la morte ne fosse stata la conseguenza, e ad affrontarla con un coraggio che è umano, schietto e incrollabile. Il caso l'aveva reso il rappresentante della Tavola Rotonda ed era suo dovere affrontare il tutto, senza aiuti.

Su questo livello semplice ma molto alto, egli prova vergogna e, di conseguenza, è emotivamente turbato. Chiama quindi "codardia" la sua riluttanza a buttar via la propria vita senza sferrare un colpo, o a cedere un talismano che avrebbe potuto salvarlo. Chiama "cupidigia" la sua accettazione di un dono da parte di una dama alla quale non avrebbe potuto dare nulla in cambio, almeno nell'immediato, sebbene esso gli fosse stato posto con insistenza tra le mani dopo averlo rifiutato per due volte, e nonostante egli non tenesse in alcun conto la sua preziosità. Si trattava infatti di "cupidigia" solo secondo i termini del gioco con il signore del castello: tenere per sé una qualche parte del *waith* perché (per un qualche motivo) la voleva per sé. Egli chiama "tradimento"[27] una violazione delle regole di un mero passatempo, che avrebbe anche potuto considerare solo da un'angolatura di scherzo o di capriccio

---

[27] La parola non ha sempre avuto la forza che ha oggi, quando l'associazione tra *treason* [tradimento] e *traitor* [traditore] – in origine parole non collegate l'una all'altra – l'ha ormai resa applicabile soltanto a casi di grande viltà e di offesa grave.

(qualunque cosa nascondesse chi quel gioco aveva proposto),
poiché, ovviamente, non poteva esserci uno scambio alla pari
tra i guadagni di un cacciatore e quelli di un uomo che se ne
resta inattivo a casa!

E così siamo giunti alla fine. Il nostro autore non ci porta
oltre. Abbiamo visto un nobile e cortese cavaliere imparare,
mediante un'amara esperienza, i pericoli della Cortesia e, in
ultima istanza, l'irrealtà di affermare d'esser al completo "servizio" di una dama, vista come una "sovrana" la cui volontà
è legge;[28] e, in quest'ultimo caso, lo abbiamo visto preferire
una legge superiore. Sebbene secondo quella legge superiore
egli si fosse dimostrato "senza macchia", la rivelazione di una
"cortesia" di questo tipo è andata oltre, ed egli ha dovuto subire
l'ultima mortificazione di scoprire che la volontà della dama era,
in realtà, il suo disonore, e che tutte le sue lusinghiere proteste
d'amore erano false. In un momento di amarezza, rifiuta tutta la
sua "cortaysye" e grida contro le donne, viste come ingannatrici:

> [...] gran guadagno sarebbe
> amarle, sì, ma non credere loro, se ciò fosse possibile a un
> uomo!
>
> (97, vv. 2420-2241)

Ma non è stata tutta qui la sua sofferenza come cavaliere:
egli è stato indotto con l'inganno a "non stare al gioco" e a
infrangere la propria parola in un semplice svago; e lo abbiamo visto attraversare un'agonia di vergogna emotiva per
questo fallimento su un piano inferiore, un fallimento che,
invero, s'accorda solo al fallimento su un piano superiore.
Tutto questo mi appare vividamente vero e credibile, e non
me ne sto prendendo gioco se affermo che, come spettacolo
finale, vediamo Gawain che si strappa l'emblema dal petto

---

[28] A meno che lei stessa non obbedisca a una legge superiore a lei,
oppure all'amore.

(sentendosi indegno di portarlo) e torna a casa con una piuma bianca infilata sul berretto, solo per vederla adottata come i colori dei Primi Undici, mentre la questione si conclude con le risate del Tribunale dell'Onore.

Infine, per il personaggio di Gawain, così com'è raffigurato, quanta realtà v'è in quest'eccesso di vergogna, in questo andare oltre tutto ciò che è necessario per adottare un simbolo di vergogna che tutti possano vedere, sempre, *in tokenyng he watz tane in tech of a faute* (100, v. 2488)! E quanta fedeltà v'è, anche, a tutto il tono e l'atmosfera di questo poema, tanto concentrato sulla "confessione" e la penitenza.

> Grace innogh þe mon may haue
> Þat synnez þenne new, ȝif him repente,
> Bot wyth sorȝ and syt he mot it craue,
> And byde þe payne þerto is bent

dice il poeta nella sua *Perla* (vv. 661-664).[29] Dopo la vergogna, il pentimento, e poi la confessione senza riserve, con dolore e penitenza, e, infine, non solo il perdono, ma la redenzione, così che il "male" che è non celato, e il rimprovero che è portato volontariamente, diventa una gloria, *euermore after*. E con ciò l'intera scena, che per un po' è stata così vivida, così presente, persino attuale, comincia a svanire nel passato. *Gawayn with his olde curteisye* torna nel mondo magico (*Fairye*).[30]

> com'è scritto nei migliori romanzi di cavalleria.
> Fu nei giorni di Artù che accadde quest'evento prodigioso,

[29] Nella traduzione di *Perla* fatta da mio padre, questi versi sono resi così: "Grazia a sufficienza può ricever l'uomo / che di nuovo pecca, se poi si pente; / ma, per volerlo, sospirar deve, e soffrire / e sopportar le pene che ne sono il frutto. [*N.d.C.*]

[30] Geoffrey Chaucer, *The Squire's Tale*, vv. 95-96. Il passo in cui ricorrono questi versi era (in parte) la base dell'opinione di mio padre, citata all'inizio di questa conferenza (p. 193), ossia che Chaucer conoscesse *Sir Gawain e il Cavaliere Verde*. [*N.d.C.*]

232

come ci testimonia il Libro di Brut;
da quando Bruto, il prode cavaliere, giunse in Britannia,
dopo che a Troia furon cessati e l'assedio e l'assalto,
io credo
che molte simili meraviglie
siano qui accadute prima d'ora.
Al suo gaudio ci guidi Colui che portò
sulla fronte la Corona di Spine!   AMEN
(101, vv. 2521-2530)

Post scriptum: versi 1885-1892.[*]

Nella discussione fin qui portata avanti, è stato detto
(pp. 213-214) che la leggerezza di cuore provata da Gawain
era una prova sufficiente del fatto che la sua fosse una "buona
confessione". Con ciò intendevo dire che l'allegria derivante
dalla "leggerezza di cuore" può essere, e spesso è, il risultato
d'essersi accostato nel modo migliore (e parlo di una persona pia) a un sacramento, lasciando da parte ogni altra pena
o preoccupazione, come, nel caso di Gawain, la paura del
colpo d'ascia o la paura della morte. Quest'idea può essere,
però, messa in discussione, e ciò è stato fatto. Qualcuno si è
chiesto: la sua allegria non è piuttosto dovuta all'avere con sé
la cintura e, quindi, al non aver più paura dell'appuntamento?
Oppure è stato suggerito che lo stato d'animo di Gawain sia
dovuto alla disperazione: lasciate che io mangi e sia allegro,
perché domani morirò!

Non abbiamo a che fare con un autore ingenuo, né con un
periodo ingenuo, e non è necessario presumere che sia possibile (e che lo fosse nella mente del poeta) una sola spiegazione
dello stato d'animo di Gawain. Egli è disegnato con piena
consapevolezza e sente, parla e si comporta come farebbe un

---

[*]   Citati *supra*, in traduzione, alla pagina 214.

uomo simile a lui che si trovasse nella medesima situazione: la consolazione della religione, la cintura magica (o, almeno, la convinzione che una cosa del genere fosse possibile), l'approssimarsi del pericolo mortale, e via dicendo. Penso, tuttavia, che la collocazione dei versi che descrivono il suo stato d'animo subito dopo l'assoluzione (*And sypen*, v. 1885), e l'uso delle parole *ioye* e *blys*, siano sufficienti a dimostrare che l'autore intendeva la confessione come la ragione principale dell'aumentata allegria di Gawain, e non pensasse affatto a una selvaggia allegria dovuta alla disperazione.

La cintura, però, richiede una maggiore attenzione. Penso sia rilevante che Gawain in nessun altro passo mostri fiducia nell'efficacia della cintura, e certo nemmeno la *speranza* riposta in essa è sufficiente a suscitare una gioia spensierata! In realtà, pare che la sua speranza in essa diminuisca di continuo dopo il momento della confessione. È vero che, quando egli l'accetta, e prima della sua visita al sacerdote, ringrazia mille volte, e di cuore, la dama (un uomo a tal punto cortese difficilmente avrebbe potuto fare di meno!); eppure, anche nel momento in cui l'idea di aver ricevuto un aiuto per sfuggire alla morte gli sorge per la prima volta nella mente (vv. 1855 ss.) e ha, prima che lui abbia avuto il tempo di riflettere, una forza maggiore, tutto ciò che il poeta ci dice sui pensieri di Gawain è: "Questa sì che sarebbe una cosa meravigliosa da avere nell'impresa disperata che mi è stata assegnata. Se, in qualche modo, potessi sfuggire alla morte, sarebbe uno splendido espediente." Queste parole non suonano abbastanza sicure, come spiegazione del suo essere quel giorno più allegro che mai. In ogni caso, quella notte dorme malissimo, e sente cantare ogni gallo, temendo l'ora dell'appuntamento. Nei versi 2075-2076 (stanza 83) leggiamo di *þat tene place þer þe ruful race he schulde resayue* ("quel luogo d'afflizione, dove d'uopo sarà ch'egli sopporti il doloroso colpo"), e questo è chiaramente inteso come riflessione di Gawain mentre lui e la sua guida si mettono in viaggio. Nei versi 2138-2139 (stanza 85), egli dichiara apertamente alla guida che la sua fiducia è riposta in Dio, di cui è servitore.[31] Allo stesso modo, nei versi 2158-2159 (stanza 86), con riferimento certamente alla sua confessione e preparazione alla morte, dice: *to Goddez wylle I am ful bayn, and to hym I haf me tone.* Di nuovo, nei versi 2208-2211 (stanza 88), supera la paura non pensando o nominando il "gioiello contro il pericolo", bensì con la sottomissione alla volontà di Dio. Nei versi 2255 e seguenti (stanza 90), ha una gran paura della morte imminente e si sforza di nasconderla, ma non ci riesce del tutto. Nei versi 2265-2267 (stanza 91), si aspetta il colpo che lo avrebbe ucciso. E, infine, nei versi 2307-2308 (stanza 92), leggiamo: *no meruayle þaʒ hym myslyke þat hoped of no rescowe.*

Ora, tutta questa paura e quest'appello ad aver abbastanza coraggio per affrontare la morte sono in perfetta armonia con la consolazione che dà la religione, e con uno stato d'animo di gioia dopo essere stato assolto, ma non s'armonizza per nulla con il possesso di un talismano *nel quale si crede* come a una protezione contro le ferite del corpo, secondo le parole della tentatrice:

> Ché chiunque si cinga di questa fascia verde
> e attorno alla vita ben stretta la tenga,
> nessun sì forte vi è sotto il cielo che possa ferirlo:
> nessuna destrezza di mano ucciderlo potrebbe, giammai.
>
> (74, vv. 1851-1854)

Possiamo giustamente affermare, quindi, che dal momento in cui egli l'accetta, e certo dal momento in cui è assolto, la cintura sembra non essere di alcun conforto per Gawain.[32] Se non

---

[31]   Anche se lo strumento di Dio potrebbe davvero essere la cintura, in un mondo in cui tali cose erano possibili e lecite.

[32]   È un punto interessante (e non può essere stato non intenzionale da parte del poeta), che la cintura per la quale Gawain ha infranto le regole del gioco, e che lo ha portato quindi a commettere quell'unica pecca nel suo comportamento, a tutti i livelli, non gli sia mai stata di qualche utilità,

fosse per i versi 2030-2040 (stanza 81), dove Gawain indossa la cintura *for gode of hymseluen*, avremmo potuto benissimo supporre che, dopo la confessione, egli avesse deciso di non usarla, sebbene ora non potesse più, per cortesia, restituirla o infrangere la promessa di segretezza. Dal momento in cui Gawain si mette in viaggio sino alla vergogna che prova quando il trucco della cintura è rivelato, il poeta ha ignorato la cintura, o ha rappresentato Gawain nell'atto di ignorarla. Il conforto e la forza che egli possiede oltre il suo naturale coraggio derivano solo dalla *religione*. È senza dubbio possibile non apprezzare questa visione morale e religiosa, ma è quella del poeta; e se qualcuno non lo riconosce (che gli piaccia o no), non potrà cogliere appieno il senso e il punto centrale del poema, ossia ciò che l'autore intendeva.

Si può, nondimeno, obiettare che io qui stia facendo dire al poeta più di quanto egli intendesse. Se Gawain non avesse mostrato alcuna paura, ma fosse stato allegramente fiducioso nella cintura magica (*no more mate ne dismayd for hys mayn dintez* di quanto il Cavaliere Verde era fiducioso nella magia della Fata Morgana), allora l'ultima scena, quella dell'appuntamento, avrebbe perso ogni sapore. Diamo pure per scontata la magia, e persino una generale fiducia nella possibilità di cinture incantate e simili oggetti, ma certo sarebbe stata necessaria una fede molto viva in questa particolare cintura perché un uomo che si deve recare a un appuntamento del genere non provi nemmeno un brivido lungo la schiena! Comunque, ammettiamolo pure. In realtà ciò non fa che rafforzare il senso che ho proposto. Gawain *non* è raffigurato come se avesse una fede molto viva nella cintura, anche se ciò è solo, o in parte, per mere ragioni narrative. Quindi, la "gioia" che prova a Capodanno non proviene da essa. Quindi, deve provenire dall'assoluzione, cui è connessa, e Gawain è mostrato come

nemmeno come speranza.

un uomo che ha una "coscienza pulita", e la sua confessione non è stata "sacrilega".

Ma, lasciando da parte la tecnica narrativa, il poeta intendeva evidentemente enfatizzare gli aspetti morali e (se si vuole) più elevati del personaggio di Gawain. Perché è questo ciò che fa, in modo semplice e costante, dall'inizio alla fine, adeguandosi più o meno completamente al materiale tradizionale della storia. E così, mentre Gawain non accetta la cintura per pura cortesia, ed è tentato dalla speranza di riceverne un aiuto magico, e non la dimentica nel momento in cui si arma, ma la indossa *for gode di hymseluen* e *to sauen hymself*, questo motivo è minimizzato, e Gawain non è rappresentato come se vi facesse affidamento quando arriva al momento cruciale – perché essa, non meno che l'orribile Cavaliere Verde, e la sua *potenza magica*, e tutte le *potenze magiche* sono, in definitiva, sotto il controllo di Dio. Una riflessione, questa, che fa sembrare la cintura magica piuttosto debole, come senza dubbio il poeta intendeva che dovesse essere.

Ci si aspetta da noi, quindi, che consideriamo Sir Gawain, dopo la sua confessione, come un uomo che possiede una coscienza limpida e che è capace, quanto qualsiasi altro uomo valoroso e pio (se non tanto quanto un santo), di sostenersi nell'attesa della morte con il pensiero della protezione ultima dei giusti da parte di Dio. Ciò implica non solo che egli è sopravvissuto alle tentazioni della dama, ma anche che la sua intera avventura e il suo appuntamento sono *per lui* giusti, o almeno giustificati e leciti. Siamo in grado ora di cogliere appieno la grande importanza della descrizione, nella prima parte, del modo in cui Sir Gawain si trova coinvolto in tutta questa faccenda, e lo scopo delle notevoli critiche mosse a re Artù a corte (nella seconda parte, stanza 29). Così, si mostra che Gawain è stato messo in pericolo non per *nobelay*, o per qualche strana usanza o per un qualche voto vanaglorioso, e neppure per orgoglio del proprio valore o perché si sentisse il miglior cavaliere del suo ordine – queste sono ragioni che, da un punto di vista morale, potrebbero rendere l'intera faccenda stolta o riprovevole per lui, un semplice rischio assunto per mero puntiglio, o lo spreco di una vita per motivi ben futili. Il puntiglio e l'orgoglio sono riversati sul re; Gawain è coinvolto per umiltà e per un senso di dovere nei confronti del suo re e parente.

Possiamo immaginare che l'autore abbia inserito questo curioso passo dopo attenta riflessione. Dopo aver fatto della condotta di Gawain, nel corso della sua avventura, un oggetto di analisi morale su un piano serio, egli avrebbe di certo visto che, in quel caso, l'avventura doveva essere per Gawain qualcosa che meritava lode, ed essere quindi giudicata sullo stesso piano. In effetti, l'autore ha preso questa storia (o questa mescolanza di storie) con tutti i suoi aspetti improbabili, la sua mancanza di movimenti razionali sicuri e la sua incoerenza, e ha cercato di farne il *meccanismo* attraverso il quale un uomo virtuoso è coinvolto in un pericolo mortale, un pericolo che è cosa nobile, o almeno corretta (e non sbagliata o stolta), da affrontare; e si trova così trascinato in una rete di tentazioni alle quali è esposto senza volerlo e senza averne coscienza. E, alla fine, sopravvive grazie a semplici armi morali. Si può quindi notare come il pentacolo sostituisca il grifone sullo scudo di Gawain come parte di un piano deliberato, dall'inizio alla fine – o almeno, dall'inizio alla fine della versione che ci è stata tramandata. Quel piano, e quella scelta e quell'enfasi, devono essere riconosciuti.

Se questo trattamento sia giustificato o artisticamente riuscito, è un'altra questione. Per quanto mi riguarda, direi che la critica ad Artù, e il fatto che Gawain sostituisca il re per motivi del tutto umili e disinteressati è, per questo poema,[33] necessaria, riuscita e realistica. Il pentacolo è giustificato, ma

[33] Potrebbe essere considerato deplorevole in un romanzo arturiano nel suo complesso. Personalmente non credo che sminuire il re (come il *sumquat childgered* e simili) serva a qualcosa.

(almeno per il mio gusto e per quello, suppongo, di molti miei contemporanei) non riuscito artisticamente perché è "pedante", molto trecentesco, quasi chauceriano proprio nella sua pedanteria, e l'autore vi si sofferma e lo elabora troppo a lungo, e (soprattutto) perché si è rivelato un oggetto troppo difficile perché l'abilità dell'autore riuscisse pienamente a esprimerlo mediante i versi allitterativi che usa. Il modo in cui la cintura è trattata, con oscillazioni tra il credere in essa e il disprezzarla, è abbastanza riuscito, se non si esamina la questione troppo da vicino. Occorre credere almeno un po' nei suoi poteri per capire l'ultima scena della tentazione; ed essa si rivela l'unica esca efficace che la dama ha per le sue trappole, portando così Gawain all'unica "pecca" (sul piano più basso del "giocare"), il che rende la condotta effettiva di Gawain e la sua quasi perfezione molto più credibile della perfezione matematica del pentacolo.

Ma questa fiducia, o speranza, dev'essere sminuita all'inizio dell'ultima parte, anche se si trattasse di un semplice *romance* che non si occupa di questioni morali, perché la fiducia nella cintura rovinerebbe, anche in quel tipo di narrazione, le scene finali. La debolezza della cintura come talismano in grado (o creduto in grado) di difendere un uomo dalle ferite è intrinseca. In realtà, questa debolezza è *meno* evidente di quanto potrebbe essere, proprio per la serietà dell'autore e per il senso di devozione che ha attribuito al suo modello di cavalieri; perché il disprezzo del talismano nel momento critico è più credibile in un personaggio come il Gawain di questo poema che in un semplice avventuriero. Eppure mi rammarico, non della pecca di Gawain, non che la dama abbia trovato una piccola esca per la sua vittima, ma che il poeta non abbia potuto pensare a nessun altro oggetto che Gawain avrebbe potuto accettare ed essere poi indotto a nascondere, e tuttavia un oggetto che non avrebbe influenzato il suo punto di vista sull'appuntamento periglioso. Non riesco però a pensare a nessun oggetto... e dunque questa critica, *kesing such cavillacioun*, è oziosa.

Sir Gawain e il Cavaliere Verde rimane il poema narrativo meglio concepito e modellato in inglese nel XIV secolo, anzi nel Medioevo, con una sola eccezione. Ha un rivale, un'opera che pretende di essere alla pari, non superiore: è il capolavoro di Chaucer *Troilo e Criseide*. Questo è più ampio, più lungo, più intricato e forse più sottile, sebbene non sia più saggio o più perspicace e sia, certamente, meno nobile. Ed entrambi questi poemi trattano, da diverse prospettive, problemi che occupavano molto le menti inglesi: la relazione tra Cortesia e Amore da un lato, e la moralità e i principi morali cristiani e la Legge Eterna dall'altro.

PERLA

Quando il poemetto *Perla* fu letto per la prima volta in tempi moderni, fu accettato per ciò che pare essere, ossia un'elegia sulla morte di una bambina, la figlia del poeta. Quest'interpretazione autobiografica fu messa in dubbio, per la prima volta, nel 1904 da W.H. Schofield, il quale sostenne che la fanciulla del poema era una figura allegorica, di un tipo diffuso nel genere letterario medievale della visione, un'astrazione che rappresenta la "purezza virginale". La sua opinione non fu generalmente accettata ma si rivelò il punto di partenza di un lungo dibattito tra i difensori della concezione più antica e gli esponenti di altre teorie, ossia che l'intero poemetto sia un'allegoria, sebbene ogni interprete le abbia attribuito un significato diverso; o che altro non sia se non un trattato teologico in versi. Occorrerebbe molto spazio per riportare, seppur brevemente, questo dibattito, e ciò non sarebbe di grande utilità; questo dibattito non è però stato tempo sprecato perché ha comportato ampie ricerche, e lo studio ha approfondito la comprensione del poemetto, mettendone in luce, in modo più chiaro, gli elementi allegorici e simbolici che certamente contiene.

Può essere difficile stabilire una chiara distinzione tra "allegoria" e "simbolismo" ma è corretto, o almeno utile, limitare l'allegoria alla narrazione, a un racconto (per quanto breve) di eventi; e il simbolismo all'uso di segni o cose visibili per rappresentare altre cose o idee. Le perle erano un simbolo di purezza che esercitava un grande fascino sull'immaginazione del Medioevo (e in particolare del XIV secolo); ma questo non fa di una persona che indossa perle, e nemmeno di una donna che si chiama Perla, o Margherita, una figura allegorica. Per essere un'allegoria, una poesia deve descrivere un qualche evento o processo *nella sua interezza*, e con piena coerenza, usando altri termini; l'intera narrazione e tutti i suoi dettagli significativi dovrebbero essere coesi e cooperare per raggiungere questo fine. Ci sono allegorie minori all'interno di *Perla*; la parabola degli operai della vigna (stanze 42-49) è un'allegoria a sé stante; e le strofe iniziali del poemetto, in cui la perla scivola dalla mano del poeta attraverso l'erba fino a cadere a terra, sono un'allegoria in miniatura della morte e della sepoltura della bambina. Una descrizione allegorica di un evento non rende però automaticamente allegorico quell'evento. E quest'uso iniziale è solo una delle tante applicazioni del simbolo della perla, intelligibile se il riferimento del poemetto è di natura autobiografica ma incoerente se vi si cerca un'allegoria totale. Perché vi sono, in *Perla*, un certo numero di dettagli precisi che non possono essere subordinati a nessuna interpretazione allegorica generale, e questi dettagli sono di particolare importanza poiché si riferiscono alla figura centrale, alla fanciulla della visione, nella quale (e dove, sennò?) l'allegoria dovrebbe essere concentrata, senza alcuna interferenza.

La critica, quindi, deve basarsi sui riferimenti alla bambina o fanciulla, e sui suoi rapporti con il sognatore; e non è mai stata trovata una buona ragione per considerarli nient'altro che affermazioni di "fatti": le esperienze reali che stanno alla base del poemetto.

Quando il sognatore vede per la prima volta la fanciulla nel giardino paradisiaco, dice (stanza 21):

Art þou my perle þat I haf playned,
Regretted by myn one on nyȝte?
Much longeyng haf I for þe layned
Syþen into gresse þou my aglyȝte.

Questo ci spiega l'allegoria minore delle strofe iniziali e rivela che la perla che egli ha perduto era una bambina che è morta. La vergine della visione accetta quest'identificazione, e lei stessa fa riferimento alla propria morte nella stanza 64. Nella stanza 35 ella dice che, in quel momento, era molto giovane, e lo stesso sognatore, nella stanza 41, ci dice che non aveva ancora due anni e non aveva ancora appreso il Credo o le preghiere. L'intero argomento teologico che segue presuppone che la bambina fosse invero piccola quando lasciò questo mondo.

L'effettiva relazione della bambina, quand'ella era in vita, con il sognatore è menzionata nella stanza 20: quando la vide per la prima volta nella sua visione, egli la riconobbe; la conosceva bene, l'aveva già vista prima (stanza 14); e così ora, vedendola apparire sull'altra sponda del fiume, lui è l'uomo più felice "da qui alla Grecia", perché

Ho watȝ me nerre þen aunte or nece.

"A me più prossima che zia ovver nipote." *Nerre*, nella lingua dell'epoca, può significare qui soltanto "più vicino in una relazione di parentela". In questo senso, la parola era usata comunemente e frequentemente. E sebbene sia vero che "a me più prossima che zia ovver nipote" potrebbe anche riferirsi a una sorella, la differenza d'età rende molto meno probabile l'ipotesi di questa relazione. La profondità del dolore qui descritto per una bambina così piccola appartiene piuttosto a un genitore. E sembra esserci un significato speciale nella situazione in cui la lezione dottrinale data dalla fanciulla celeste provenga da una persona priva di qualsiasi esperienza terrena e sia diretta a chi, secondo l'ordine naturale, dovrebbe essere il suo vero maestro e istruttore.

Un lettore moderno può essere pronto ad accettare la base personale del poemetto, e tuttavia può sentire che non c'è bisogno di presumere alcun fondamento immediato o particolare nell'autobiografia. Certamente, non è necessario per la visione, che è presentata chiaramente in termini letterari o scritturali; il lutto e il dolore possono anche essere finzioni letterarie, adottate proprio perché accrescono l'interesse della discussione teologica tra la fanciulla e il sognatore.

Ciò solleva una questione insieme difficile e importante per la storia della letteratura in generale, ossia se l'io puramente fittizio fosse già apparso nel XIV secolo, se già si usasse la prima persona fittizia di un narratore che non esisteva al di fuori dell'immaginazione dell'autore reale. Probabilmente no, almeno non nel tipo di letteratura di cui ci stiamo occupando: le visioni narrate da un sognatore. Il viaggiatore fittizio era già apparso nella figura di Sir John Mandeville, l'autore dei cui "viaggi" sembra non si chiamasse così e anzi, secondo la critica moderna, sembra non abbia mai viaggiato oltre i confini del suo studio; ed è difficile stabilire se si tratti di un caso di frode intesa a ingannare (come certamente accadde), o di un esempio di finzione in prosa (in senso letterario) che ancora indossa le vesti della verità secondo le convenzioni dell'epoca.

Questa convenzione era forte e non così "convenzionale" come potrebbe apparire ai lettori moderni. Sebbene da parte di quanti hanno una qualche esperienza letteraria potrebbe, ovviamente, essere usata come nient'altro che un espediente per garantire la credibilità letteraria (come accade spesso in Chaucer), essa rappresentava una *forma mentis* profondamente radicata ed era fortemente associata alla morale e allo spirito didattico dei tempi. I racconti del passato richiedevano una seria autorità, e i racconti di cose nuove richiedevano almeno un testimone oculare, ossia l'autore. Questo è stato uno dei motivi della popolarità delle visioni: esse permettevano di collocare cose miracolose nel mondo reale, collegandole a una persona, a un luogo, a un tempo, fornendo loro una spiegazione nelle immagini fantastiche del sonno, e una difesa contro i critici facendo appello alla notoria qualità ingannevole che è nei sogni. Quindi, anche l'allegoria esplicita era solitamente presentata come qualcosa visto durante il sonno. Fino a che punto una tale visione narrata, del tipo più serio, dovesse assomigliare a una vera esperienza onirica, è un'altra questione. Sarebbe davvero molto improbabile che un poeta moderno ci chiedesse di accettare la realtà di un sogno che, in qualche modo, somigli alla visione di *Perla*, anche qualora si tenesse conto delle convenzioni e della formalizzazione dell'arte consapevole. Ma noi stiamo trattando di un periodo in cui gli uomini, consapevoli dei capricci dei sogni, pensavano ancora che, in mezzo alle loro falsità, giungessero anche visioni della verità. E la loro immaginazione da desti era fortemente influenzata dai simboli e dalle figure allegoriche, e riempita vividamente con le immagini evocate dalle Scritture, o direttamente o attraverso la ricchezza dell'arte medievale. E pensavano che, a volte, secondo la volontà di Dio, ad alcune persone addormentate apparissero volti benedetti e parlassero voci profetiche. A loro potrebbe non sembrare così incredibile che il sogno di un poeta ferito da un grande lutto e turbato nello spirito potesse assomigliare alla visione di *Perla*.* Comunque sia, la visione narrata nelle opere più serie del Medioevo rappresentava, se non un sogno reale, almeno un autentico processo di pensiero che culminava in una qualche risoluzione o svolta della vita interiore – come in Dante, e in *Perla*. E in tutte le forme, più leggere o più solenni, l'io del sognatore restava il testimone oculare,

---

* "Ek oother seyn that thorugh impressiouns, / As if a wight hath faste a thyng in mynde, / That thereof comen swiche avysiouns." (*Troilo e Criseide*, vv. 372-374)

l'autore, e i fatti cui faceva riferimento al di fuori del sogno (soprattutto quelli che lo riguardavano) erano su un piano diverso, destinati a essere considerati letteralmente veri, e come tali sono considerati anche dai critici moderni. Si pensa che, nella *Divina Commedia*, la frase "Nel mezzo del cammin di nostra vita" del verso di apertura, o "la decenne sete" di *Purgatorio*, XXXII, siano riferiti a date ed eventi reali, il trentacinquesimo anno di vita di Dante nel 1300, e la morte di Beatrice Portinari nel 1290. Allo stesso modo, i riferimenti a Malvern nel Prologo e nel Passus VII di *Pietro l'aratore* e le numerose allusioni a Londra sono considerati come fatti nella vita di qualcuno, chiunque il critico possa pensare sia l'autore (o siano gli autori) del poema.

È vero che il "sognatore" può diventare una figura umbratile con ben poca sostanza biografica. Del Chaucer reale rimane ben poco nell'io che è il narratore del *Libro della duchessa*. Pochi si metteranno a discutere di quanti elementi autobiografici ci siano nella crisi d'insonnia che si fa occasione del poema. Eppure, questa visione fittizia e convenzionale si fonda su un evento reale: la morte di Blanche, moglie di Giovanni di Gaunt, nel 1369. Quello era il suo vero nome, White [Bianca] (come viene chiamata nel poemetto). Per quanto celebrativo possa essere il quadro che è stato dipinto circa la sua bellezza e bontà, la sua morte improvvisa fu un evento tristissimo. Certo, esso può aver toccato Chaucer molto meno profondamente della morte di una "a me più prossima che zia ovver nipote"; ma, anche così, è questa vivente goccia di realtà, questa eco di una morte e di una perdita improvvisa nel mondo, che conferisce al primo poemetto di Chaucer un tono e un sentimento che lo elevano al disopra delle tecniche letterarie con cui lo ha realizzato. Quindi, per quanto riguarda *Perla*, che è un testo poetico di maggior valore, è straordinariamente più probabile che anch'esso fosse fondato su un vero dolore e traesse la sua dolcezza da un'autentica amarezza.

Eppure, per la critica particolare del poemetto, prendere una decisione su questo punto non è di primaria importanza. Una finta elegia rimane un'elegia; e finta o vera che sia, essa deve resistere o cadere in virtù della sua arte. La realtà del lutto non salverà la poesia se questa è cattiva, né desterà alcun interesse se non in quanti sono invero interessati non tanto alla poesia quanto ai documenti, e la cui brama di sapere è volta alla storia o alla biografia, o anche ai semplici nomi. È per motivi generali, e considerando in particolare il periodo della sua composizione, che appare probabile una base "reale" o direttamente autobiografica per *Perla*, poiché questa è la spiegazione più plausibile della sua forma e della sua qualità poetica. E, quanto a quest'aspetto, la scoperta di dettagli biografici avrebbe ben poca importanza. Di tutto ciò che è stato fatto seguendo questa linea interpretativa, l'unico suggerimento di valore è stato avanzato da Sir Israel Gollancz,* ossia che la bambina potrebbe essere stata effettivamente battezzata col nome della perla, *Margarita* in latino, *Margery* in inglese. Era un nome comune all'epoca, e ciò era dovuto all'amore per le perle e per il loro simbolismo, ed era il nome di diverse sante. Se la bambina è stata davvero battezzata con il nome della perla, allora le molte perle infilate sui fili del poema con molteplici significati ricevono uno splendore aggiunto. È su tali accidenti della vita che si cristallizza la poesia:

E buona e bella era Bianca;
così si chiamava la mia signora,
lei ch'era bella e luminosa,
non certo sbagliato era il suo nome.
(*Libro della duchessa*, vv. 948-951)

---

* Edizione di *Perla*, p. xliii: "Forse egli chiamò la bambina 'Margery' o 'Marguerite'." La forma Marguerite non sarebbe stata usata, perché è una forma francese moderna.

'O perle', quod I, 'in perleȝ pyȝt,
Art þou my perle þat I haf playned?'[1]

È stato obiettato che la bambina vista in cielo non pare una bambina di due anni nell'aspetto, nella parola o nei modi: ella si rivolge formalmente al padre chiamandolo "signore" e non mostra alcun affetto filiale per lui. Ma questa è l'apparizione di uno spirito, di un'anima non ancora riunita al corpo dopo la risurrezione, e dunque non ci riguardano, qui, le teorie relative alla forma e all'età del corpo glorificato e risorto. E, in quanto spirito immortale, i rapporti della fanciulla con l'uomo terreno, il padre del suo corpo, sono alterati. Ella non nega la paternità di lui e, quando gli si rivolge chiamandolo "signore", usa solo la forma consueta per i bambini del Medioevo. Il suo ruolo è, invero, ricreato con aderenza al vero. La simpatia dei lettori può ora rivolgersi più prontamente al padre in lutto che alla figlia, ed essi possono percepire che questi viene trattato con una certa durezza. Questa è, però, la durezza della verità. Nei modi della fanciulla è rappresentato l'effetto che ha, su una chiara intelligenza, la persistente materialità della mente del padre; tutto gli è rivelato, egli ha gli occhi, ma non riesce a vedere. La fanciulla è ora ripiena dello spirito della carità celeste, e desidera solo il bene eterno del padre e la cura della sua cecità. Non spetta a lei addolcirlo con la commiserazione, o concedere a se stessa una gioia infantile nel momento del loro ricongiungimento. La definitiva consolazione del padre non era da ricercarsi nel ritrovamento di una figlia amata, come se la morte non fosse avvenuta o non avesse significato, ma nella consapevolezza che ella era stata redenta e salvata ed era diventata una regina nei cieli. Solo mediante la rassegnazione alla volontà di Dio, e mediante la morte, potrebbe ricongiungersi a lei.

[1] "Oh, Perla," dissi, "di perle abbigliata, / sei tu la perla mia, la cui perdita io piango?" (stanza 21). [N.d.T.]

Ed è questo il *fine* principale del poema, distinto dalla sua genesi o dalla sua forma letteraria: il tema dottrinale, sotto forma di una discussione sulla salvezza, mediante la quale il padre è, alla fine, convinto che la sua Perla, in quanto bambina battezzata e innocente, è senza dubbio salva e, il che è ancor più importante, è accolta nella schiera delle 144.000 anime beate che seguono l'Agnello. Ma il tema dottrinale è, invero, inseparabile dalla forma letteraria del poemetto e dalla sua occasione; poiché esso nasce direttamente dal dolore, che dona un sentimento profondo e un'urgenza all'intera discussione. Senza la sua base elegiaca e il senso di grande perdita personale che lo pervade, *Perla* sarebbe infatti un mero trattato teologico su uno specifico tema, ed è così che alcuni critici l'hanno definito. Senza il dibattito teologico, però, il dolore non sarebbe mai emerso. In senso drammatico, il dibattito rappresenta un lungo processo di pensiero e di conflitto interiore, un'esperienza reale come il primo cieco dolore dovuto a un lutto. Se il sognatore fosse rimasto bloccato nel suo iniziale stato d'animo, anche qualora gli fosse stata concessa una visione dei beati in Cielo, egli l'avrebbe accolta con un senso d'incredulità o di ribellione. E si sarebbe risvegliato presso il tumulo non in una condizione di rassegnazione tranquilla e serena, com'è presentato nell'ultima stanza, bensì come lo si vede per la prima volta, col capo volto soltanto all'indietro, con la mente colma dell'orrore della decadenza fisica, nell'atto di torcersi le mani, mentre il suo *wretched wylle in wo ay wrazte*.

PEARL

1   Pearl of delight that a prince doth please
     To grace in gold enclosed so clear,
     I vow that from over orient seas
     Never proved I any in price her peer.
     So round, so radiant ranged by these,
     So fine, so smooth did her sides appear
     That ever in judging gems that please
     Her only alone I deemed as dear.
     Alas! I lost her in garden near:
     Through grass to the ground from me it shot;
     I pine now oppressed by love-wound drear
     For that pearl, mine own, without a spot.

2   Since in that spot it sped from me,
     I have looked and longed for that precious thing
     That me once was wont from woe to free,
     to uplift my lot and healing bring,
     But my heart doth hurt now cruelly,
     My breast with burning torment sting.
     Yet in secret hour came soft to me
     The sweetest song I e'er heard sing;
     Yea, many a thought in mind did spring

PERLA

1 Perla squisita, a un principe delizia,
  più leggiadra se chiusa fosse in or che luce,
  giuro che mai, da oltre i mari dell'Oriente,
  una io ne trovai d'egual valore.
  Sì tonda, sì radiosa alle altre accanto,
  sì delicata e liscia appariva in ogni parte
  che, valutando ogni gemma che si ama,
  lei sola io stimai fosse a me cara.
  Ahimè! In un giardin qui presso io l'ho perduta:
  mi scivolò, ratta, di mano, e a terra rotolò tra l'erba;
  ora mi struggo, da molesta ferita d'amore oppresso,
  per quella perla ch'era mia, e senza macchia.

2 Da quando in quella macchia mi sfuggì,
  quella cosa preziosa io cerco, io bramo,
  ché essa liberarmi soleva da ogni duolo,
  alleviar la mia sorte e darmi cura,
  mentre ora crudelmente il cuor mi duole,
  e fiamma tormentosa al petto punge.
  Lieve a me giunse, poi, in ora segreta,
  il più soave canto che avessi udito mai;
  molti i pensieri che sorser nella mente,

To think that her radiance in clay should rot.
O mould! Thou marrest a lovely thing,
My pearl, mine own, without a spot.

3   In that spot must needs be spices spread
Where away such wealth to waste hath run;
Blossoms pale and blue and red
There shimmer shining in the sun;
No flower nor fruit their hue may shed
Where it down into darkling earth was done,
For all grass must grow from grains that are dead,
No wheat would else to barn be won.
From good all good is ever begun,
And fail so fair a seed could not,
So that sprang and sprouted spices none
From that precious pearl without a spot.

4   That spot whereof I speak I found
When I entered in that garden green,
As August's season high came round
When corn is cut with sickles keen.
There, where that pearl rolled down, a mound
With herbs was shadowed fair and sheen,
With gillyflower, ginger, and gromwell crowned,
And peonies powdered all between.
If sweet was all that there was seen,
Fair, too, a fragrance flowed I wot,
Where dwells that dearest, as I ween,
My precious pearl without a spot.

5   By that spot my hands I wrung dismayed;
For care full cold that had me caught
A hopeless grief on my heart was laid.
Though reason to reconcile me sought,

pensando al suo fulgor marcente nella terra.
Oh terra! Graziosa cosa tu sì guasti,
la mia perla, la mia, sì, che non ha macchia.

3   Spezie son certo sparse in quella macchia,
    là dove rovinando sé va tal ricchezza;
    pallidi fiori e azzurri e rossi
    al sol risplendono e rilucono;
    né fior né frutto mai può perder sua bellezza
    se generato fu in quella terra scura,
    ché da semi che morti sono cresce sempre l'erba,
    né il grano altrimenti raggiunge il granaio.
    Dal bene trae origine ogni bene
    e certo fallire non può sì nobil seme,
    sì che, germogliando là, non nascano spezie,
    da quella perla preziosa e senza macchia.

4   La macchia di cui parlo io la trovai
    in quel verde giardino entrando,
    mentr'era alta la stagione dell'agosto
    e il grano vien tagliato dalle falci acute.
    Là, dove la perla era rotolata, un poggio era,
    ombreggiato da erbe e lucenti e belle,
    e per corona avea garofani, zenzero e miglio selvatico,
    e peonie sparse tutt'intorno.
    Se tutto era dolce quanto si vedeva là,
    soave era anche, so, la fragranza che se n'effondeva,
    là dove dimora, come credo, la carissima ·
    e preziosa perla mia, ch'è senza macchia.

5   Appresso a quella macchia le mani mi torsi, sgomento;
    per un freddo pensiero che colto mi aveva
    mi si posò sul cuore disperata pena.
    Seppur cercasse ragion di darmi quiete,

For my pearl there prisoned a plaint I made,
In fierce debate unmoved I fought;
Be comforted Christ Himself me bade,
But in woe my will ever strove distraught.
On the flowery plot I fell, methought;
Such odour through my senses shot,
I slipped and to sudden sleep was brought,
O'er that precious pearl without a spot.

6   From that spot my spirit sprang apace,
On the turf my body abode in trance;
My soul was gone by God's own grace
Adventuring where marvels chance.
I knew not where in the world was that place
Save by cloven cliffs was set my stance;
And towards a forest I turned my face,
Where rocks in splendour met my glance;
From them did a glittering glory lance,
None could believe the light they lent;
Never webs were woven in mortal haunts
Of half such wealth and wonderment.

7   Wondrous was made each mountain-side
With crystal cliffs so clear of hue;
About them woodlands bright lay wide,
As Indian dye their boles were blue;
The leaves did as burnished silver slide
That thick upon twigs there trembling grew.
When glades let light upon them glide
They shone with a shimmer of dazzling hue.
The gravel on ground that I trod with shoe
Was of precious pearls of the Orient:
Sunbeams are blear and dark to view
Compared with that fair wonderment.

per la perla mia, prigioniera, un compianto levai,
e immoto combattei un dibattito feroce;
di consolarmi Cristo stesso m'ingiunse
ma, abbattuto, il voler mio nell'afflizion si dibatté.
Su quella macchia fiorita caddi, mi parve;
ratto un profumo mi percorse i sensi
e scivolai e colto fui da un improvviso sonno,
sopra quella perla preziosa e senza macchia.

6   Verso l'alto balzò il mio spirito, da quella macchia,
nel deliquio restò il mio corpo sopra l'erba;
l'anima mia, per grazia di Dio, andata n'era
alla ventura là ove accadere posson meraviglie.
Non sapevo dove, nel mondo, fosse quel luogo,
se non ch'io mi trovavo tra spaccate rupi;
e verso una foresta volsi il volto,
dove il mio sguardo incontrò splendide rocce;
emanava da loro un fulgore scintillante,
incredibile a dirsi era la luce loro;
mai furono intessute tele nelle dimore mortali
di tal ricchezza, di tal stupenda meraviglia.

7   Meraviglioso era reso il fianco di ogni monte
da rocce di cristallo di chiarissimo colore;
attorno a loro ampia si stendeva una boschiva terra,
e i tronchi avevano la tinta d'un azzurro indiano;
ne fremevano le foglie come brunito argento
e fitte esse crescevano, tremanti, su sottili rami.
Quando da uno sprazzo di cielo vi scivolava la luce,
rifulgevano esse col luccichio di un'abbagliante tinta.
I ciottoli sul terreno che calpestavo
eran di perle preziose dell'Oriente:
opachi e scuri sono, a vedersi, i raggi del sole
se paragonati a quella sì bella meraviglia.

8   In wonder at those fells so fair
     My sold all grief forgot let fall;
     Odours so fresh of fruits there were,
     I was fed as by food celestial.
     In the woods the birds did wing and pair,
     Of flaming hues, both great and small;
     But cithern-string and gittern-player
     Their merry mirth could ne'er recall,
     For when they beat their pinions all
     In harmony their voices blent:
     No delight more lovely could men enthrall
     Than behold and hear that wonderment.

9   Thus arrayed was all in wonderment
     That forest where forth my fortune led;
     No man its splendour to present
     With tongue could worthy words have said.
     I walked ever onward well-content;
     No hill was so tall that it stayed my tread;
     More fair the further afield I went
     Were plants, and fruits, and spices spread;
     Through hedge and mead lush waters led
     As in strands of gold there steeply pent.
     A river I reached in cloven bed:
     O Lord! the wealth of its wonderment!

10   The adornments of that wondrous deep
     Were beauteous banks of beryl bright:
     Swirling sweetly its waters sweep,
     Ever rippling on in murmurous flight.
     In the depths stood dazzling stones aheap
     As a glitter through glass that glowed with light,
     As streaming stars when on earth men sleep
     Stare in the welkin in winter night;

8   Piena di meraviglia per la beltà di quelle alture,
     l'anima mia obliosa abbandonò ogni pena;
     v'erano là fragranze sì fresche di frutta
     che mi parve d'esser nutrito di cibo celestiale.
     Volavano gli uccelli nei boschi, due a due,
     dai colori fiammanti, e piccoli e grandi;
     e non corda di cetra, e non citaredo
     riecheggiar mai potrebbe la lor lieta letizia,
     ché quando tutti battevan le ali
     in armonia si univano le voci:
     non v'è delizia che più soavemente incatenar potrebbe
     che il vedere e l'udire tale meraviglia.

9   Di tale meraviglia era rivestita
     la foresta ove mi condusse la fortuna;
     nessun uomo ridirne potrebbe lo splendore
     con lingua e con parole che ne fosser degne.
     Innanzi io mi spinsi con contentezza piena;
     non v'era colle sì alto da impedirmi l'andare;
     più belli, più innanzi m'inoltravo,
     erano i frutti, e le piante e le spezie là sparse;
     per siepi e per prati abbondanti correvano acque
     che in ripide sponde d'oro parevan chiuse.
     Raggiunsi un fiume e il suo letto scavato:
     Signore! Quale ricchezza, quale meraviglia!

10   L'ornamento di quel meraviglioso fiume
     erano sponde leggiadre di lucido berillo:
     con dolci vortici ne scorrevan le acque,
     sempre increspandosi in fuga mormorante.
     Sul fondo erano masse d'abbacinanti pietre,
     come il baluginio d'un vetro che la luce traversa,
     come stelle che, quando l'uomo dorme sulla terra,
     trascorrono brillando in cielo in una notte d'inverno;

For emerald, sapphire, or jewel bright
Was every pebble in pool there pent,
And the water was lit with rays of light,
Such wealth was in its wonderment.

11 The wondrous wealth of down and dales,
   of wood and water and lordly plain,
   My mirth makes mount: my mourning fails,
   My care is quelled and cured my pain.
   Then down a stream that strongly sails
   I blissful turn with teeming brain;
   The further I follow those flowing vales
   The more strength of joy my heart doth strain.
   As fortune fares where she doth deign,
   Whether gladness she gives or grieving sore,
   So he who may her graces gain,
   His hap is to have ever more and more.

12 There more was of such marvels thrice
   Than I could tell, though I long delayed;
   For earthly heart could not suffice
   For a tithe of the joyful joys displayed.
   Therefore I thought that Paradise
   Across those banks was yonder laid;
   I weened that the water by device
   As bounds between pleasances was made;
   Beyond that stream by steep or slade
   That city's walls I weened must soar;
   But the water was deep, I dared not wade,
   And ever I longed to, more and more.

13 More and more, and yet still more,
   I fain beyond the stream had scanned,
   For fair as was this hither shore,

ché uno smeraldo, uno zaffiro o una gemma lucente
era ogni ciottolo racchiuso in quel corso,
e illuminata n'era l'acqua da raggi di luce:
qual ricchezza era ciò, qual meraviglia!

11   La meravigliosa ricchezza di valli e di colline,
di boschi e d'acque, e di magnifiche pianure,
accresce la mia gioia: lenito è il duolo,
s'acquietano gli assilli, sanata è la mia pena.
Poi, lungo un torrente che con impeto scorre
rivolgo con gaudio i miei passi, con la mente in subbuglio;
più lungi mi spingo per quelle valli percorse da fiumi,
più si colma il mio cuore di forza e di gioia.
Come la fortuna si volge dov'essa volgere si degna,
sia che dia la letizia o un assillo che aspro morde,
così a colui che ne ottiene il favore,
capita d'averne di più, sempre di più.

12   Di tal meraviglie v'eran là tre volte di più
di quanto io dir potrei, per quanto mi dilungassi;
un cuore umano non ha in sé posto bastante
per un decimo delle gioiose gioie là dispensate.
Quindi io pensai che il Paradiso
fosse disteso là, oltre quelle sponde.
Pensai che, con artifici, quell'acqua
fosse fatta confine tra giardini di delizia;
oltre quel fiume, su un'altura o in una valle,
dovevano elevarsi, pensavo, le mura della città;
ma profonda era l'acqua, non osavo guadarla,
e più accesa si fece la brama, di più, sempre di più.

13   Di più, di più, sì, ancor di più
voluto avrei vedere oltre quel fiume,
perché, per quanto bella fosse la sponda ov'ero,

Far lovelier was the further land.
To find a ford I did then explore,
And round about did stare and stand;
But perils pressed in sooth more sore
The further I strode along the strand.
I should not, I thought, by fear be banned
From delights so lovely that lay in store;
But a happening new then came to hand
That moved my mind ever more and more.

14   A marvel more did my mind amaze:
I saw beyond that border bright
From a crystal cliff the lucent rays
And beams in splendour lift their light.
A child abode there at its base:
She wore a gown of glistening white,
A gentle maid of courtly grace;
Erewhile I had known her well by sight.
As shredded gold that glistered bright
She shone in beauty upon the shore;
Long did my glance on her alight,
And the longer I looked I knew her more.

15   The more I that face so fair surveyed,
When upon her gracious form I gazed,
Such gladdening glory upon me played
As my wont was seldom to see upraised.
Desire to call her then me swayed,
But dumb surprise my mind amazed;
In place so strange I saw that maid,
The blow might well my wits have crazed.
Her forehead fair then up she raised
That hue of polished ivory wore.

molto più bella era la terra che oltre si stendeva.
Mi mossi allor cercando un guado
e tutto attorno a me guardai, spesso sostando;
ma più io camminavo lungo quella proda,
più grandi pericoli mi si palesavano di vero.
Pensai che non dovesse bandirmi la paura
dagli amabili piaceri ch'erano in serbo là per me;
poi una cosa nuova mi si presentò
che la mente mi colpì di più, sempre di più.

14   Un miracolo nuovo m'abbagliò la mente:
io vidi, oltre il confine rilucente,
da cristallina roccia, di raggi sfolgoranti
e di splendenti guizzi venir la luce.
Una fanciulla rimaneva là, ai piedi della roccia:
indossava una veste di bianco lucente,
la nobile fanciulla piena di cortese grazia;
già il suo aspetto conoscevo, e bene.
Come lamina d'oro tagliata che riluce,
ella sulla riva splendeva di bellezza piena;
a lungo su lei indugiò il mio sguardo,
e più la guardavo, più la conoscevo.

15   Più io quel volto sì bello, oh, scrutavo,
fissando la sua forma ch'era di grazia piena,
un senso mi prese d'esultanza e gioia
che ben di rado, prima d'allora, in me s'era levata.
Mi colse il desiderio allora di chiamarla
ma una muta sorpresa mi stordì la mente;
in un luogo sì strano quella fanciulla vedevo
che mi parve un colpo m'avesse reso insensato.
Ella poi sollevò la bella fronte
che su sé portava un color di lucido avorio.

It smote my heart distraught and dazed,
And ever the longer, the more and more.

16   More than I would my dread did rise.
      I stood there still and dared not call
      With closed mouth and open eyes,
      I stood as tame as hawk in hall.
      A ghost was present, I did surmise,
      And feared for what might then befall,
      Lest she should flee before mine eyes
      Ere I to tryst could her recall.
      So smooth, so seemly, slight and small,
      That flawless fair and mirthful maid
      Arose in robes majestical,
      A precious gem in pearls arrayed.

17   There pearls arrayed and royally dight
      Might one have seen by fortune graced
      When fresh as flower-de-luces bright
      She down to the water swiftly paced
      In linen robe of glistening white,
      With open sides that seams enlaced
      With the merriest margery-pearls my sight
      Ever before, I vow, had traced.
      Her sleeves hung long below her waist
      Adorned with pearls in double braid;
      Her kirtle matched her mande chaste
      All about with precious pearls arrayed.

18   A crown arrayed too wore that girl
      Of margery-stones and others none,
      With pinnacles of pure white pearl
      That perfect flowers were figured on.
      On head nought else her hair did furl,

Il cuore mi colpì, già attonito e sconvolto,
e quanto più a lungo... di più, sì, di più.

16 Più di quanto volessi, aumentò il mio timore.
Restavo immobile, chiamare non osavo,
con chiusa la bocca, e spalancati gli occhi,
mansueto restavo come sta, in una sala, un falco.
D'uno spirito percepii la presenza,
e temetti ciò che accader poteva,
che lei potesse fuggirmi d'innanzi agli occhi,
prima che a chiamarla a un convegno io riuscissi.
Sì liscia, sì aggraziata, snella e pur minuta,
la bella fanciulla, lieta e senza difetti,
si levò in vesti maestose,
una gemma preziosa rivestita di perle.

17 Le perle, sistemate in ordine regale,
parea dalla fortuna vederle abbellite
a misura che ella, fresca come lucente giglio,
rapida n'andava lungo quell'acqua,
con un manto di lino ch'era splendente e bianco,
aperto ai lati e trapuntato agli orli
delle più ridenti perle che la vista mia
mai prima, mai avesse visto, qui lo giuro.
Ampie cadevano le maniche oltre la vita,
adorne di perle disposte in doppia treccia.
S'armonizzava la gonna al casto candore,
perché tutto intorno era di perle ornata.

18 Anche un'ornata corona indossava la fanciulla
solo di perle, e nessun'altra gemma,
con alte cuspidi di perle pure e bianche
sulle quali eran figurati fiori perfetti.
Null'altro a lei la chioma circondava,

And it framed, as it did round her run.
Her countenance grave for duke or earl,
And her hue as rewel ivory wan.
As shredded sheen of gold then shone
Her locks on shoulder loosely laid.
Her colour pure was surpassed by none
Of the pearls in purfling rare arrayed.

19 Arrayed was wristlet, and the hems were dight
At hands, at sides, at throat so fair
With no gem but the pearl all white
And burnished white her garments were;
But a wondrous pearl unstained and bright
She amidst her breast secure did bear;
Ere mind could fathom its worth and might
Man's reason thwarted would despair.
No tongue could in worthy words declare
The beauty that was there displayed,
It was so polished, pure, and fair,
That precious pearl on her arrayed.

20 In pearls arrayed that maiden free
Beyond the stream came down the strand.
From here to Greece none as glad could be
As I on shore to see her stand,
Than aunt or niece more near to me:
The more did joy my heart expand.
She deigned to speak, so sweet was she,
Bowed low as ladies' ways demand.
With her crown of countless worth in hand
A gracious welcome she me bade.
My birth I blessed, who on the strand
To my love replied in pearls arrayed.

chioma che al volto suo era cornice.
Grave la sua espressione, pari a quella di duca o conte,
e pallida come l'avorio era la carnagione.
Come rotto baluginio dorato sfavillavano
i suoi capelli, che sciolti sulla spalla le cadean.
Il suo puro incarnato non era superato da nessuna
delle perle che ne ornavano il contorno raro.

19 Ornato era il polsino e ornati erano gli orli
    finemente, alle mani, ai fianchi, alla gola,
    con gemme ch'eran solo perle, tutte bianche,
    e d'un bianco brunito eran le sue vesti.
    E una perla stupenda, lucente e senza pecca,
    ella salda portava in mezzo al petto;
    pria di sondarne il valore e la possanza
    disperava frustrata la ragione umana!
    Nessuna lingua dichiarar potrebbe, con parole degne,
    la bellezza che là era manifesta:
    essa era sì polita e pura e bella,
    quella perla preziosa che l'ornava.

20 Così di perle ornata, quella libera fanciulla
    lungo la riva discese, là oltre il fiume.
    Da qui sino alla Grecia nessuno esser potea più lieto
    di me, che sulla proda rimanere la vedevo,
    a me più prossima che zia ovver nipote:
    come di gioia mi s'espanse il cuore!
    Si degnò ella di parlar, tant'era dolce,
    e s'inchinò sì com'è l'uso delle dame.
    Tenendo in mano l'inestimabile corona
    ella cortesemente mi diede il benvenuto.
    Benedissi il mio dì natale, ché su quella proda
    al mio amor rispondere potevo, di perle lei ornata.

21   'Pearl!' said I, 'in pearls arrayed,
        Are you my pearl whose loss I mourn?
        Lament alone by night I made,
        Much longing I have hid for thee forlorn,
        Since to the grass you from me strayed.
        While I pensive waste by weeping worn,
        Your life of joy in the land is laid
        Of Paradise by strife untorn.
        What fate hath hither my jewel borne
        And made me mourning's prisoner?
        Since asunder we in twain were torn,
        I have been a joyless jeweller.'

22   That jewel in gems so excellent
        Lifted her glance with eyes of grey,
        Put on her crown of pearl-orient,
        And gravely then began to say:
        'Good sir, you have your speech mis-spent
        To say your pearl is all away
        That is in chest so choicely pent,
        Even in this gracious garden gay,
        Here always to linger and to play
        Where regret nor grief e'er trouble her.
        "Here is a casket safe" you would say,
        If you were a gentle jeweller.

23   But, jeweller gentle, if from you goes
        Your joy through a gem that you held lief,
        Methinks your mind toward madness flows
        And frets for a fleeting cause of grief.
        For what you lost was but a rose
        That by nature failed after flowering brief;
        Now the casket's virtues that it enclose
        Prove it a pearl of price in chief;

21 "Oh, Perla," dissi, "di perle abbigliata,
    sei tu la perla mia, la cui perdita io piango?
    Solitario lamento levai nella notte,
    gran nostalgia ho per te celato, per te smarrita,
    da quando via da me nell'erba rotolasti.
    Mentre, consunto dal pianto, pensoso mi struggo,
    la vita tua è posta in questa terra
    di Paradiso, non mai da lotte lacerata.
    Qual fato ha qui portato la mia gemma,
    del lutto me rendendo prigioniero?
    Da quando fummo noi strappati l'uno all'altra,
    io sono stato un gioielliere senza gioia."

22 Quell'eccelso, ingemmato gioiello
    levò lo sguardo dei suoi occhi grigi,
    si pose in capo la corona di perle dell'Oriente
    e a dire principiò, con tono grave:
    "Mio buon signore, malamente spendesti le parole,
    dicendo che altrove s'è smarrita la tua perla,
    ché essa è chiusa in un trascelto scrigno,
    ossia in questo giardino, ameno e allegro,
    dove per sempre permarrà giocando
    e dove non la turba o rimpianto o duolo.
    'Questo è uno scrigno ben sicuro,' diresti
    se fossi tu un cortese gioielliere.

23 Ma, gioiellier cortese, se, per una perla
    che ti era cara, da te gioia diparte,
    mi par si volga alla pazzia la mente tua,
    e s'agiti per una pena invero transeunte.
    Ché ciò che hai perso non era che una rosa,
    la quale, per natura, cadde dopo breve fioritura;
    le virtù dello scrigno ove ora essa è rinchiusa
    fanno di lei una perla di valore eccelso;

And yet you have called your fate a thief
That of naught to aught hath fashioned her,
You grudge the healing of your grief,
You are no grateful jeweller.'

24   Then a jewel methought had now come near,
And jewels the courteous speech she made.
'My blissful one,' quoth I, 'most dear,
My sorrows deep you have all allayed.
To pardon me I pray you here!
In the darkness I deemed my pearl was laid;
I have found it now, and shall make good cheer,
With it dwell in shining grove and glade,
And praise all the laws that my Lord hath made,
Who hath brought me near such bliss with her.
Now could I to reach you these waters wade,
I should be a joyful jeweller.'

25   'Jeweller', rejoined that jewel clean,
'Why jest ye men? How mad ye be!
Three things at once you have said, I ween:
Thoughtless, forsooth, were all the three.
You know not on earth what one doth mean;
Your words from your wits escaping flee:
You believe I live here on this green,
Because you can with eyes me see;
Again, you will in this land with me
Here dwell yourself, you now aver;
And thirdly, pass this water free:
That may no joyful jeweller.

26   I hold that jeweller worth little praise
Who well esteems what he sees with eye,
And much to blame his graceless ways

eppure tu chiamasti ladro il fato
che dal nulla la foggiò, dandole forma,
e del tuo duolo biasimi la cura:
no, tu non sei un gioielliere grato."

24   Allor mi parve che una gemma mi si fosse avvicinata,
e che gemme fosser le cortesi parole che lei disse.
"Oh mia beata," dissi, "a me carissima,
le mie profonde pene hai tu tutte alleviate.
Di perdonarmi io ti chiedo, qui!
Pensavo che nel buio fosse la mia perla;
ora l'ho ritrovata e l'animo si allieta
e con lei dimorerò in lucenti radure e in boschi
e loderò le leggi fatte dal Signore,
il quale al gaudio mi ha portato, presso a lei.
E se or potessi, per raggiungerti, guadare queste acque,
sarei un gioielliere ben felice."

25   "Gioielliere," ribatté la pura gemma,
"perché voi uomini sempre scherzate? Pazzi voi siete!
Tre cose hai detto, insieme, sì m'è parso,
e sconsiderate erano invero tutte e tre.
Il significato tu non ne conosci,
le parole ti sfuggono pria che tu pensi.
Credi ch'io viva qui, su questo prato,
perché con gli occhi tuoi mi vedi;
ancora, tu vuoi con me, in questa terra,
dimorare – lo hai appena ammesso;
e, terza cosa, vorresti, libero, quest'acqua passare:
ma ciò fare non può un gioiellier felice.

26   Degno di poca fede stimo il gioielliere
che dà valore a ciò che sol con gli occhi vede,
e molto biasimo do ai modi suoi, privi di grazia,

Who believes our Lord would speak a lie.
He promised faithfully your lives to raise
Though fate decreed your flesh should die;
His words as nonsense ye appraise
Who approve of naught not seen with eye;
And that presumption doth imply,
Which all good men doth ill beseem,
On tale as true ne'er to rely
Save private reason right it deem.

27   Do you deem that you yourself maintain
Such words as man to God should dare?
You will dwell, you say, in this domain:
'Twere best for leave first offer prayer,
And yet that grace you might not gain.
Now over this water you wish to fare:
By another course you must that attain;
Your flesh shall in clay find colder lair,
For our heedless father did of old prepare
Its doom by Eden's grove and stream;
Through dismal death must each man fare,
Ere o'er this deep him God redeem.'

28   'If my doom you deem it, maiden sweet,
To mourn once more, then I must pine.
Now my lost one found again I greet,
Must bereavement new till death be mine?
Why must I at once both part and meet?
My precious pearl doth my pain design!
What use hath treasure but tears to repeat,
When one at its loss must again repine?
Now I care not though my days decline
Outlawed afar o'er land and stream;

di lui che crede menzognero il Signor nostro.
Egli promise, con fede piena, di sollevar le nostre vite,
se pur decreta il fato la morte della carne;
come prive di senso le Sue parole stimate,
voi che vero credete solo ciò che vedon gli occhi;
e ben implica questa presunzione,
che mal si addice all'uomo che sia retto,
di por fiducia solo in quelle storie
che giuste reputa la ragione individuale.

27   Reputi forse d'aver pronunciato le parole
che un uomo deve usar quando a Dio si rivolge?
Vuoi dimorare, dici, in questa terra:
meglio prima pregare e chiederne licenza;
eppur tal grazia non ottener potresti.
E quest'acqua vorresti attraversare:
per altra via passar tu devi, invece;
la carne tua conoscerà, fredda, una tana d'argilla,
ché il nostro sciagurato padre preparò in antico
questo destino, presso gli edenici bosco e fiume;
per la morte tremenda ognun deve passare,
prima che Dio oltre questo fiume lo redima."

28   "Se reputi, dolce fanciulla, che il mio destino sia
di piangere ancora, allora languir io debbo.
Or che saluto lei che persi e ritrovai,
mio esser deve un lutto nuovo, sin che io muoio?
Perché debbo io insieme e incontrare e separarmi?
La perla mia preziosa m'impone di soffrire!
A che giova un tesoro che genera il pianto,
la cui perdita nuova il duolo già rinnova?
Or non m'importa se declinano i miei giorni,
scacciato lungi, per terre e per torrenti;

When in my pearl no part is mine,
Only endless dolour one that may deem.'

29   'But of woe, I deem, and deep distress
      You speak,' she said. 'Why do you so?
      Through loud lament when they lose the less
      Oft many men the more forgo.
      'Twere better with cross yourself to bless,
      Ever praising God in weal and woe;
      For resentment gains you not a cress:
      Who must needs endure, he may not say no!
      For though you dance as any doe,
      Rampant bray or raging scream,
      When escape you cannot, to nor fro,
      His doom you must abide, I deem.

30   Deem God unjust, the Lord indict,
      From his way a foot He will not wend;
      The relief amounts not to a mite,
      Though gladness your grief may never end.
      Cease then to wrangle, to speak in spite,
      And swiftly seek Him as your friend.
      Your prayer His pity may excite,
      So that Mercy shall her powers expend.
      To your languor He may comfort lend,
      And swiftly your griefs removed may seem;
      For lament or rave, to submit pretend,
      'Tis His to ordain what He right may deem.'

31   Then I said, I deem, to that damosel:
      'May I give no grievance to my Lord,
      Rash fool, though blundering tale I tell.
      My heart the pain of loss outpoured,
      Gushing as water springs from well.

se, della perla mia, mia non è una sola parte,
ciò dev'esser reputato un dolore eterno."

29   "Mi pare che di duolo e di profonda ambascia
parli," diss'ella. "Perché tu fai così?
Molti spesso lamentano a gran voce
la perdita del poco e rinunciano al molto.
Meglio per te sarebbe benedir la tua croce,
sempre lodando Dio e nel male e nel bene,
ché nulla porta a te il risentimento:
chi sopportare deve a forza, a ciò 'no' non può dire!
Tu puoi anche saltar come un cerbiatto,
con violenza gridando e impazzando,
ma né di qui né di là fuggire puoi,
e d'uopo t'è accettare, reputo, ciò che Lui vuole.

30   Reputa Dio ingiusto, accusa tu pure il Signore:
dalla Sua via Egli non devierà;
non d'un soldo aumenterà il tuo sollievo,
seppur mai gioia alcuna ponga fine al duolo.
Cessa allor di dibatterti, di parlar con dispetto,
e Lui ricerca, e presto, come amico.
Il tuo pregar può darsi susciti la Sua pietà,
sì che Misericordia dispieghi sua potenza.
Alla tua angustia Egli forse darà conforto
e forse le tue pene parranno svelte svanire;
lamenta, impazza, fingi accettazione:
solo a Lui spetta ordinar ciò che reputa giusto."

31   A quella damigella allor dissi, mi pare:
"Mai possa io arrecar pena al Signore,
io avventato, e sciocco, che con grave errore parlo.
Traboccò dal mio cuor della perdita il duolo,
zampillando sì come sgorga l'acqua dalla fonte.

I commit me ever to His mercy's ward.
Rebuke me not with words so fell,
Though I erring stray, my dear adored!
But your comfort kindly to me accord,
In pity bethinking you of this:
For partner you did me pain award
On whom was founded all my bliss.

32   Both bliss and grief you have been to me,
But of woe far greater hath been my share.
You were caught away from all perils free,
But my pearl was gone, I knew not where;
My sorrow is softened now I it see.
When we parted, too, at one we were;
Now God forbid that we angry be!
We meet on our roads by chance so rare.
Though your converse courtly is and fair,
I am but mould and good manners miss.
Christ's mercy, Mary and John: I dare
Only on these to found my bliss.

33   In bliss you abide and happiness,
And I with woe am worn and grey;
Oft searing sorrows I possess,
Yet little heed to that you pay.
But now I here yourself address,
Without reproach I would you pray
To deign in sober words express
What life you lead the livelong day.
For delighted I am that your lot, you say,
So glorious and so glad now is;
There finds my joy its foremost way,
On that is founded all my bliss.'

Sempre m'affido alla tutela della Sua pietà.
Non biasimarmi con sì aspri detti,
dolce, adorata, seppure io vada errando!
Accorda invece a me un gentil conforto,
e nella tua pietà questo rammenta:
a compagna m'hai dato l'afflizione,
tu, sì, su cui ogni mio gaudio si fonda.

32 Per me tu sei stata e gaudio e pena,
ma di duolo è la parte che mi hai dato.
Da ogni pericolo tu fosti tratta in libertà,
ma andata era la perla mia, io non sapevo dove;
s'è alleviato il dolore or che ti vedo.
Quando ci separammo un esser solo eravamo:
non voglia Dio che adesso l'astio ci separi!
Sì raro è il caso che le nostre vie fa incontrare.
Sebbene nobile e cortese sia il tuo dire,
polvere io sono e le buone maniere non conosco.
Pietosi siano Cristo e Maria e Giovanni: su loro
soli oso fondare io il mio gaudio.

33 Nel gaudio tu dimori, nella felicità,
e io grigio e consunto sono, per il duolo;
spesso posseggo assilli che mi bruciano,
ma a ciò tu poca attenzione presti.
Ma ora qui a te, a te io mi rivolgo
e senza che mi biasimi vorrei pregarti
d'esprimere, cortese, in semplici parole,
qual vita meni in questo giorno che non sa la fine.
Ché per me è inver delizia che il tuo fato, dici,
sia ora sì splendente e sì felice;
là trova la mia gioia la sua cima,
su ciò si fonda ogni mio gaudio."

34   'Now bliss you ever bless!' she cried,
       Lovely in limb, in hue so clear,
       'And welcome here to walk and bide;
       For now your words are to me dear.
       Masterful mood and haughty pride,
       I warn you, are bitterly hated here.
       It doth not delight my Lord to chide,
       For meek are all that dwell Him near.
       So, when in His place you must appear,
       Be devout in humble lowliness:
       To my Lord, the Lamb, such a mien is dear,
       On whom is founded all my bliss.

35   A blissful life you say is mine;
       You wish to know in what degree.
       Your pearl you know you did resign
       When in young and tender years was she;
       Yet my Lord, the Lamb, through power divine
       Myself He chose His bride to be,
       And crowned me queen in bliss to shine,
       While days shall endure eternally.
       Dowered with His heritage all is she
       That is His love. I am wholly His:
       On His glory, honour, and high degree
       Are built and founded all my bliss.'

36   'O Blissful!' said I, 'can this be true?
       Be not displeased if in speech I err!
       Are you the queen of heavens blue,
       Whom all must honour on earth that fare?
       We believe that our Grace of Mary grew,
       Who in virgin-bloom a babe did bear;
       And claim her crown: who could this do
       But once that surpassed her in favour fair?

34 "Ti benedica ora ogni gaudio," ella esclamò,
   aggraziata di forma, d'incarnato sì chiaro,
   "e benvenuto sii tu a qui camminare e dimorare;
   ché ora care a me sono le tue parole.
   L'arroganza e l'alterigia, te ne avverto,
   qui sono amaramente detestate.
   Rimproverar non ama il mio Signore,
   ché mite è ognuno che vive presso a Lui.
   Così, quando apparire innanzi a Lui dovrai,
   sii tu umile e semplice e devoto:
   all'Agnello ch'è mio Signore caro è tale atteggiamento,
   e su Lui si fonda ogni mio gaudio.

35 Tu dici essere la mia una vita di gaudio;
   e desideri sapere a quale grado.
   Alla tua perla, lo sai, dovesti rinunciare
   quand'era negli anni della tenera gioventù;
   eppur l'Agnello che è mio Signore, per la potenza Sua divina,
   trascelse me perché io fossi la Sua sposa
   e regina m'incoronò perché nel gaudio rilucessi,
   mentre in eterno dureranno i giorni.
   Come dote riceve la Sua eredità colei
   che è l'amore Suo. A Lui tutta appartengo:
   sulla Sua gloria, il Suo onore ed alto grado
   edificato è ogni mio gaudio."

36 "Oh tu gaudiosa," diss'io, "può essere vero questo?
   Non dispiacerti se erro nel parlare!
   Sei tu regina dell'azzurro cielo
   che onorar deve ognuno che cammina sulla terra?
   Crediam che nostra Grazia venne da Maria,
   la quale dal fior della verginità generò un bambino;
   ma reclamar la sua corona… chi mai farlo potrebbe
   se non chi l'avanzasse in nobile virtù?

And yet for unrivalled sweetness rare
We call her the Phoenix of Araby,
That her Maker let faultless wing the air,
Like to the Queen of Courtesy.'

37   'O courteous Queen', that damsel said.
Kneeling on earth with uplifted face,
'Mother immaculate, and fairest maid,
Blessed beginner of every grace!'
Uprising then her prayer she stayed,
And there she spoke to me a space:
'Here many the prize they have gained are paid,
But usurpers, sir, here have no place.
That empress' realm doth heaven embrace,
And earth and hell she holds in fee,
From their heritage yet will none displace,
For she is the Queen of Courtesy.

38   The court where the living God doth reign
Hath a virtue of its own being,
That each who may thereto attain
Of all the realm is queen or king,
Yet never shall other's right obtain,
But in other's good each glorying
And wishing each crown worth five again,
If amended might be so fair a thing.
But my Lady of whom did Jesu spring,
O'er us high she holds her empery,
And none that grieves of our following,
For she is the Queen of Courtesy.

39   In courtesy we are members all
Of Jesus Christ, Saint Paul doth write:
As head, arm, leg, and navel small

E per soavità che non ha rivali, tant'essa è rara,
noi la nomiam Fenice, lei, d'Arabia,
che il suo Fattor su ali senza macchia volar fece
per l'aria, lei di Cortesia Regina."

37 "Oh Regina cortese," disse quella fanciulla,
piegando a terra il ginocchio mentre levava il volto,
"madre immacolata e vergine leggiadra,
iniziatrice beata d'ogni grazia!"
Levando la preghiera sua ella ristette là
e a me così parlò un poco dopo:
"Qui la paga ricevon quanti il premio han guadagnato,
ma gli usurpatori qui, messer, non hanno luogo.
Il reame di quell'imperatrice abbraccia il cielo
ed ella terra e inferno tiene come feudi,
eppure dell'eredità ella non vuol privare nessuno,
perché ella è di Cortesia Regina.

38 La corte dove regna il Dio vivente
ha virtù che è innata alla sua essenza,
e chiunque ad attingere la riesca
re o regina diviene del reame intero,
eppure mai l'onor d'un altro a sé otterrà,
anzi si glorierà dell'altrui bene,
e vorrebbe che cinque valesse ogni corona,
se sì nobile cosa far si potesse.
Ma la Signora mia, da cui nacque Gesù,
alto il suo imperio su noi tiene,
e fra noi non v'è nessuno che di ciò si affligga,
perché ella è di Cortesia Regina.

39 Per cortesia noi siamo tutti membri
di Gesù Cristo, così scrive San Paolo:
e come testa, braccio, gamba e piccolo ombelico,

To their body doth loyalty true unite,
So as limbs to their Master mystical
All Christian souls belong by right.
Now among your limbs can you find at all
Any tie or bond of hate or spite?
Your head doth not feel affront or slight
On your arm or finger though ring it see;
So we all proceed in love's delight
To king and queen by courtesy.'

40   'Courtesy,' I said, 'I do believe
And charity great dwells you among,
But may my words no wise you grieve,

....

You in heaven too high yourself conceive
To make you a queen who were so young.
What honour more might he achieve
Who in strife on earth was ever strong,
And lived his life in penance long
With his body's pain to get bliss for fee?
What greater glory could to him belong
Than king to be crowned by courtesy?

41   That courtesy gives its gifts too free,
If it be sooth that you now say.
Two years you lived not on earth with me,
And God you could not please, nor pray
With Pater and Creed upon your knee –
And made a queen that very day!
I cannot believe, God helping me,
That God so far from right would stray.
Of a countess, damsel, I must say,
'Twere fair in heaven to find the grace,

al corpo loro s'uniscono in leal legame,
così, quali membra, al loro mistico Maestro
per diritto appartengono le anime cristiane.
Fra le tue membra puoi tu trovare invero
legame o unione che sia d'odio o dispetto?
La tua testa non prova astio o rancore
per il braccio o il dito, seppur in questo veda un anello;
così facciamo noi, in delizia d'amore,
verso il re e la regina, mossi da cortesia."

40   "La cortesia," io dissi, "credo invero
che tra voi qui dimori, assieme a grande carità.
Oh, non t'affliggano le mie parole
....
forse qui in cielo tu troppo alta ti vedi,
se ti reputi regina, tu che sì giovane eri.
Quale maggior onore ottener potrebbe
chi nella lotta sulla terra sempre fu forte
e visse la sua vita in lunga penitenza,
onde ottenere il gaudio a premio della pena del corpo?
Qual maggior gloria a lui potrebbe appartenere
se non ricever la corona di re, per cortesia?

41   Tal cortesia troppo liberamente dà i suoi doni,
se vero è ciò che ora tu dici.
Non due anni vivesti con me, là sulla terra,
e compiacer non potesti il Signore, non pregarlo
recitando in ginocchio il Padre Nostro e il Credo –
e in un sol giorno fosti fatta tu regina!
Io creder non posso, e Dio m'aiuti,
che Dio tanto dal giusto allontanarsi possa.
D'una contessa, mia fanciulla, ciò debbo dire,
giusto sarebbe in cielo ricoprire il ruolo,

Or of lady even of less array,
But a queen! It is too high a place.'

42   'Neither time nor place His grace confine',
Then said to me that maiden bright,
'For just is all that He doth assign,
And nothing can He work but right.
In God's true gospel, in words divine
That Matthew in your mass doth cite,
A tale he aptly doth design,
In parable saith of heaven's light:
"My realm on high I liken might
To a vineyard owner in this case.
The year had run to season right;
To dress the vines 'twas time and place.

43   All labourers know when that time is due.
The master up full early rose
To hire him vineyard workers new;
And some to suit his needs he chose.
Together they pledge agreement true
For a penny a day, and forth each goes,
Travails and toils to tie and hew,
Binds and prunes and in order stows.
In forenoon the master to market goes,
And there finds men that idle laze.
'Why stand ye idle?' he said to those.
'Do ye know not time of day nor place?'

44   'This place we reached betimes ere day',
This answer from all alike he drew,
'Since sunrise standing here we stay,
And no man offers us work to do.'
'Go to my vineyard! Do what ye may!'

oppur di dama invero d'alto rango...
ma una regina! Troppo alto è tal posto!"

42   "Non tempo e non luogo son confine alla Sua grazia,"
mi disse allor la fanciulla che luceva,
"ché retto è tutto ciò ch'Egli designa,
e nulla può Egli oprar che non sia giusto.
Nel verace Vangelo di Dio, con parole divine,
che nella messa riporta San Matteo,
egli abilmente dà forma a una storia,
narrando una parabola sulla luce del Cielo:
'Il mio regno, che in alto è posto, posso rassomigliarlo,
in questo caso, al padrone d'una vigna.
Raggiunto aveva l'anno la giusta stagione:
di sistemar le viti era il tempo ed il luogo.

43   Ben sanno i lavoranti quando quel tempo giunge.
Di buon mattino si levò il padrone
per assoldar nuovi operai per la sua vigna.
Alcuni ne trascelse, adatti allo scopo.
Prendono insieme accordi sinceri
per un soldo al dì, e ognuno va,
e lavora e fatica e lega e taglia,
annoda e pota e tutto pone in ordine.
Torna al mercato, verso mezzodì, il padrone
e uomini vi trova pigramente oziosi.
«Perché oziosi ve ne state?» disse loro.
«Non sapete che ora è, che luogo?»

44   «Questo luogo raggiungemmo che non era l'alba,»
fu l'uguale risposta che da tutti ottenne.
«Siam qui dal sorgere del sole
e nessuno ci ha offerto un lavoro.»
«Andate alla mia vigna! Ciò che potete, fate!»

Said the lord, and made a bargain true:
'In deed and intent I to you will pay
What hire may justly by night accrue.'
They went to his vines and laboured too,
But the lord all day that way did pace,
And brought to his vineyard workers new,
Till daytime almost passed that place.

45   In that place at time of evensong,
One hour before the set of sun,
He saw there idle labourers strong
And thus his earnest words did run:
'Why stand ye idle all day long?'
They said they chance of hire had none.
'Go to my vineyard, yeomen young,
And work and do what may be done!'
The hour grew late and sank the sun,
Dusk came o'er the world apace;
He called them to claim the wage they had won,
For time of day had passed that place.

46   The time in that place he well did know;
He called: 'Sir steward, the people pay!
Give them the hire that I them owe.
Moreover, that none reproach me may,
Set them all in a single row,
And to each alike give a penny a day;
Begin at the last that stands below,
Till to the first you make your way.'
Then the first began to complain and say
That they had laboured long and sore:
'These but one hour in stress did stay;
It seems to us we should get more.

286

disse il padrone, ed un accordo strinse:
«Secondo il vostro fare, e il come, vi pagherò
la paga ch'entro sera vi sarete guadagnati.»
Alle sue viti andarono e faticarono
e intanto, tutto il dì, ripercorse il padrone quella via
e alla vigna portò nuovi operai,
sinché in quel luogo quasi a fine giunse il giorno.

45   In quel luogo, nell'ora del vespro,
un'ora prima che calasse il sole,
vide forti lavoranti oziare là
e così corsero le severe sue parole:
«Perché a oziare tutto il giorno ve ne state?»
Dissero che nessuno li aveva presi a giornata.
«Andate alla mia vigna, giovani operai,
e del lavoro fate la parte che potete.»
Si fece tarda l'ora e il sole tramontò,
e rapido scese il crepuscolo sul mondo.
Ei li chiamò a reclamar la paga pattuita,
ché in quel luogo il dì era ormai trascorso.

46   Egli conobbe che ora fosse in quel luogo;
«Mastro,» chiamò, «a questi consegna la paga!
A ognuno da' la somma che gli spetta.
E ché nessuno possa muovere rampogna,
tutti sistemali in ordinata fila
e, per questa giornata, da' a ciascuno un soldo,
cominciando dall'ultimo che in fondo si sta,
e poi, scalando, ai primi arriva.»
Allora i primi presero a lagnarsi, dicendo
che a lungo, e duramente, avevan faticato:
«Questi un'ora soltanto si sono impegnati;
ci pare che di più dobbiam ricever noi.

47   More have we earned, we think it true,
       Who have borne the daylong heat indeed,
       Than these who hours have worked not two,
       And yet you our equals have decreed.'
       One such the lord then turned him to:
       'My friend, I will not curtail your meed.
       Go now and take what is your due!
       For a penny I hired you as agreed,
       Why now to wrangle do you proceed?
       Was it not a penny you bargained for?
       To surpass his bargain may no man plead.
       Why then will you ask for more?

48   Nay, more – am I not allowed in gift
       To dispose of mine as I please to do?
       Or your eye to evil, maybe, you lift,
       For I none betray and I am true?'
       "Thus I", said Christ, "shall the order shift:
       The last shall come first to take his due,
       And the first come last, be he never so swift;
       For many are called, but the favourites few."
       Thus the poor get ever their portion too,
       Though late they came and little bore;
       And though to their labour little accrue,
       The mercy of God is much the more.

49   More is my joy and bliss herein,
       The flower of my life, my lady's height,
       Than all the folk in the world might win,
       Did they seek award on ground of right.
       Though 'twas but now that I entered in,
       And came to the vineyard by evening's light.
       First with my hire did my Lord begin;
       I was paid at once to the furthest mite.

47 Di più, così pensiamo, abbiamo guadagnato,
    ché il caldo sopportammo tutto il dì,
    di questi che nemmeno due ore han lavorato,
    e che tu reputi invece pari a noi.»
    A costui il padrone si rivolse allora:
    «Amico, la tua paga io certo non riduco.
    Va', e ciò che t'è dovuto prendi!
    Per un soldo, e tu fosti d'accordo, io ti assunsi,
    e perché ti metti adesso a protestare?
    Non è forse un soldo che hai pattuito?
    Nessuno può pretendere d'aver di più.
    E perché di più dunque ora tu chiedi?

48 E inoltre, non mi è lecito donare,
    far di ciò ch'è mio come meglio mi piace?
    O forse tu con gli occhi vuoi vedere solo il male,
    mentr'io nessun tradisco e son sincero?»'
    'E io così,' disse il Cristo, 'quest'ordine seguirò:
    primo l'ultimo verrà a ricever sua mercede,
    e, per quanto sia veloce, il primo per ultimo verrà.
    Perché molti sono i chiamati ma pochi son gli eletti.'
    Così anche i miseri otterranno la lor parte,
    seppure giungan tardi e poco abbian patito;
    e pur se a poco ammonta la fatica loro,
    maggiore ancora è la misericordia di Dio.

49 Maggiori sono qui e la mia gioia e il gaudio,
    la pienezza di mia vita, la mia maestà,
    di quanto ottener potrebbe chiunque viva
    se il premio ricercasse per voce di diritto.
    Sebben da poco io qui sia entrata
    e alla vigna sia venuta ch'era quasi sera.
    Il mio Signore principiò col mio compenso;
    subito fui pagata sino all'ultimo soldo.

Yet others in toil without respite
That had laboured and sweated long of yore,
He did not yet with hire requite,
Nor will, perchance, for years yet more.'

50   Then more I said and spoke out plain:
'Unreasonable is what you say.
Ever ready God's justice on high doth reign,
Or a fable doth Holy Writ purvey.
The Psalms a cogent verse contain,
Which puts a point that one must weigh:
"High King, who all dost foreordain,
His deserts Thou dost to each repay."
Now if daylong one did steadfast stay,
And you to payment came him before,
Then lesser work can earn more pay;
And the longer you reckon, the less hath more.'

51   'Of more and less in God's domains
No question arises', said that maid,
'For equal hire there each one gains,
Be guerdon great or small him paid.
No churl is our Chieftain that in bounty reigns,
Be soft or hard by Him purveyed;
As water of dike His gifts He drains,
Or streams from a deep by drought unstayed.
Free is the pardon to him conveyed
Who in fear to the Saviour in sin did bow;
No bars from bliss will for such be made,
For the grace of God is great enow.

52   But now to defeat me you debate
That wrongly my penny I have taken here;
You say that I who came too late

Eppure, altri che faticarono e non ebber soste,
che a lungo, un tempo, lavorarono sudando,
ancora Egli non li ha ricompensati,
né, forse, lo farà per molti e molti anni."

50   Allora io altro dissi, e lo dissi chiaramente:
      "Irragionevole è ciò che dici.
      O sempre pronta nell'alto regna la giustizia di Dio,
      oppure la Scrittura solo una favola rinarra.
      Vi è nei Salmi un versetto ben forte,
      che pone un punto su cui rifletter bene:
      'Oh, alto Re, che tutto hai già preordinato,
      ognuno Tu secondo i meriti ripaghi.'
      Ora, se saldo tutto il giorno uno è rimasto
      e tu l'hai preceduto quanto al pagamento,
      allora un minimo lavoro ricever può più alta paga;
      e più tu conti su una cosa, meno l'ottieni."

51   "Del più e del meno nei domini di Dio
      non è questione," disse la fanciulla,
      "ché ognun riceve là la stessa paga,
      sia che piccola o grande riceva sua mercede.
      Non imbroglia il nostro Capitano che, generoso, regna,
      distribuisca Egli con durezza o dolcezza;
      scorrono i Suoi doni come acqua da una diga,
      o da rivi ch'escono da inesausta fonte.
      Gratuito è il perdono accordato a lui il quale,
      dopo il peccato, al Salvator che teme chinò il capo;
      ostacoli al gaudio non vi saran per gente come lui,
      ché la grazia di Dio è grande a sufficienza.

52   Ora, però, per vincermi, tu affermi
      che a torto ricevetti io qui il mio soldo;
      e dici che, essendo io giunta qui sì tardi,

Deserve not hire at price so dear.
Where heard you ever of man relate
Who, pious in prayer from year to year,
Did not somehow forfeit the guerdon great
Sometime of Heaven's glory clear?
Nay, wrong men work, from right they veer,
And ever the ofter the older, I trow.
Mercy and grace must then them steer,
For the grace of God is great enow.

53   But enow have the innocent of grace.
As soon as born, in lawful line
Baptismal waters them embrace;
Then they are brought unto the vine.
Anon the day with darkened face
Doth toward the night of death decline.
They wrought no wrong while in that place,
And his workmen then pays the Lord divine.
They were there; they worked at his design;
Why should He not their toil allow,
Yea, first to them their hire assign?
For the grace of God is great enow.

54   Enow 'tis known that Man's high kind
At first for perfect bliss was bred.
Our eldest father that grace resigned
Through an apple upon which he fed.
We were all damned, for that food assigned
To die in grief, all joy to shed,
And after in flames of hell confined
To dwell for ever unréspited.
But soon a healing hither sped:
Rich blood ran on rough rood-bough,

non merito una mercede tanto alta.
Non hai tu forse mai in qualche luogo udito
d'un uomo che, pio e orante d'anno in anno,
perdette poi il grande guiderdone
che è la gloria chiara del Paradiso?
Ché il male oprano gli uomini, e dal ben deviano,
e credo che più spesso accada ciò quando si è vecchi.
Misericordia e grazia debbono sempre esser la guida,
perché la grazia di Dio è grande a sufficienza.

53   Ma grazia a sufficienza hanno gli innocenti.
Appena nascono, in ordine legittimo,
sono abbracciati dall'acqua del battesimo;
e alla vigna sono poi essi condotti.
Indi la giornata, presto, con oscurato volto,
declina verso la notte della morte.
Mentr'erano in quel luogo, in nulla errarono
e il Signor divino allora paga i suoi operai.
Là furon essi; secondo l'ordine suo essi operarono;
perché non dovrebbe Egli riconoscer la fatica loro,
e prima a loro non assegnar mercede?
Perché la grazia di Dio è grande a sufficienza.

54   A sufficienza si sa che l'alta specie umana
subito fu creata per avere il gaudio eterno.
Il nostro primo padre rinunciò a quella grazia,
a causa di un pomo del quale si nutrì.
Dannati fummo tutti, condannati, per quel cibo,
a morir nella pena, a perdere ogni gioia,
e poi, confinati tra le fiamme dell'inferno,
là a vivere per sempre, senza tregua alcuna.
Presto però si presentò la cura:
un ricco sangue scorse sull'aspro ramo della croce,

And water fair. In that hour of dread
The grace of God grew great enow.

55   Enow there went forth from that well
Water and blood from wounds so wide:
The blood redeemed us from pains of hell,
Of the second death the bond untied;
The water is baptism, truth to tell,
That the spear so grimly ground let glide.
It washes away the trespass fell
By which Adam drowned us in deathly tide.
No bars in the world us from Bliss divide
In blessed hour restored, I trow,
Save those that He hath drawn aside;
And the grace of God is great enow.

56   Grace enow may the man receive
Who sins anew, if he repent;
But craving it he must sigh and grieve
And abide what pains are consequent.
But reason that right can never leave
Evermore preserves the innocent;
'Tis a judgement God did never give
That the guiltless should ever have punishment.
The guilty, contrite and penitent,
Through mercy may to grace take flight;
But he that to treachery never bent
In innocence is saved by right.

57   It is right thus by reason, as in this case
I learn, to save these two from ill;
The righteous man shall see His face,
Come unto him the harmless will.
This point the Psalms in a passage raise:

e acqua pura. In quell'ora di terrore
sufficiente si fece, e grande, la grazia divina.

55   A sufficienza sgorgarono, da quella fonte,
da ferite sì ampie, e acqua e sangue:
ci redense il sangue dalle pene dell'inferno,
della morte seconda il nodo esso sciolse;
l'acqua è il battesimo, in verità,
che la crudel lancia acuminata scorrer fece.
Essa dilava via l'orrendo errore
col quale Adamo ci affogò nell'onda della morte.
Ostacolo al mondo non v'è che dal Gaudio ci separi
nell'ora benedetta e rinnovata, credo,
se non quello che Lui ha trascinato via;
e la grazia di Dio è grande a sufficienza.

56   Grazia a sufficienza può ricever l'uomo
che di nuovo pecca, se poi si pente;
ma, per volerlo, sospirar deve, e soffrire
e sopportar le pene che ne sono il frutto.
Ma la ragione, che mai dal giusto si distacca,
sempre preserva l'innocente;
Mai diede Dio a regola e giudizio
che punito esser debba chi è senza colpa.
Il colpevole, contrito e penitente,
alla grazia può volare per misericordia;
ma chi mai si piegò al tradimento
per giustizia è salvato, per la sua innocenza.

57   E, come nel caso che or dico, è giusto,
secondo ragione, che due uomini dal male sian salvati:
l'uomo retto, che vedrà il Suo volto,
e il mansueto, che a Lui n'andrà.
È chiaro questo punto in un passo dei Salmi:

'Who, Lord, shall climb Thy lofty hill,
Or rest within Thy holy place?"
He doth the answer swift fulfil:
"Who wrought with hands no harm nor ill,
Who is of heart both clean and bright,
His steps shall there be steadfast still":
The innocent ever is saved by right.

58 The righteous too, one many maintain,
He shall to that noble tower repair,
Who leads not his life in folly vain,
Nor guilefully doth to neighbour swear.
That Wisdom did honour once obtain
For such doth Solomon declare:
She pressed him on by ways made plain
And showed him afar God's kingdom fair,
As if saying: "That lovely island there
That mayst thou win, be thou brave in fight."
But to say this doubtless one may dare:
The innocent ever is saved by right.

59 To righteous men – have you seen it there? –
In the Psalter David a verse applied:
"Do not, Lord, Thy servant to judgement bear;
For to Thee none living is justified."
So when to that Court you must repair
Where all our cases shall be tried,
If on right you stand, lest you trip beware,
Warned by these words that I espied.
But He on rood that bleeding died,
Whose hands the nails did harshly smite,
Grant you may pass, when you are tried,
By innocence and not by right.

'Chi, Signore, salirà sul Tuo alto monte,
o dimorerà nel Tuo luogo santo?'
Ed Egli presto dà la Sua risposta:
'Chi con la mano non compì alcun male,
chi il cuore ha mondo e rilucente,
là camminerà e saldo, sempre, resterà':
per giustizia è sempre salvato l'innocente.

58   E anche il giusto, così molti sostengono,
      troverà riparo in quella nobile torre,
      lui che la vita non vive tra vane follie,
      né con inganno giura al suo vicino.
      Quella Sapienza ottenne onore un tempo,
      perché così dichiara Salomone:
      ella, sollecita, lo condusse per vie piane
      e di lontano gli mostrò il bel regno di Dio,
      quasi dicesse: 'Quell'isola amena
      a te puoi vincere, se ardito sei nella lotta.'
      E affermar questo non è troppo osare:
      per giustizia è sempre salvato l'innocente.

59   Agli uomini giusti – l'hai tu là visto? –
      Davide nel Salterio dedica un versetto:
      'Non portare, Signore, in giudizio il Tuo servo;
      ché innanzi a Te giustificato non è alcun che viva.'
      Così, quando dovrai presentarti al Tribunale
      dove saranno esaminati i nostri casi,
      se insisterai di essere nel giusto, attento a non cadere,
      e sii avvisato dalle parole che ti ho riportato.
      Ma Colui che morì sulla croce, sanguinando,
      le cui mani furon dai chiodi aspramente colpite,
      ti conceda di passare, quando sarai giudicato,
      per innocenza, non per diritto di giustizia.

60   Let him that can rightly read in lore,
       Look in the Book and learn thereby
       How Jesus walked the world of yore,
       And people pressed their babes Him nigh,
       For joy and health from Him did pour.
       "Our children touch!" they humbly cry.
       "Let be!" his disciples rebuked them sore,
       And to many would approach deny.
       Then Jesus sweetly did reply:
       "Nay! let children by me alight;
       For such is heaven prepared on high!"
       The innocent ever is saved by right.

61   Then Jesus summoned his servants mild,
       And said His realm no man might win,
       Unless he came there as a child;
       Else never should he come therein.
       Harmless, true, and undefiled,
       Without mark or mar of soiling sin,
       When such knock at those portals piled,
       Quick for them men will the gate unpin.
       That bliss unending dwells therein
       That the jeweller sought, above gems did rate,
       And sold all he had to clothe him in,
       To purchase a pearl immaculate.

62   This pearl immaculate purchased dear
       The jeweller gave all his goods to gain
       Is like the realm of heaven's sphere:
       So said the Lord of land and main;
       For it is flawless, clean and clear,
       Endlessly round, doth joy contain,
       And is shared by all the righteous here.
       Lo! amid my breast it doth remain;

60 Lascia che chi legger giustamente sa
    nella tradizione, legga nel Libro e ne apprenda
    come Gesù per il mondo un tempo camminò,
    e come la gente Gli avvicinò i bambini,
    ché da Lui sgorgavano e salute e gioia.
    'Tocca i nostri figli!' gridavano con umiltà,
    'Andatevene!' aspri li rimproveravano gli apostoli
    e a molti volevano impedire d'accostarsi.
    Allora con dolcezza rispose Gesù:
    'No! Lasciate che i bambini vengano a me;
    per loro è preparato, in alto, il paradiso!'
    Per giustizia è sempre salvato l'innocente.

61 Gesù poi richiamò i Suoi miti servitori
    e disse che nessuno potea vincere il Suo regno
    se non vi si recava come un bimbo;
    mai vi sarebbe altrimenti entrato.
    Agli innocenti, ai fedeli e ai puri, a chi
    è senza macchia o segno del lercio peccato,
    quand'essi alle porte forte busseranno,
    celermente i battenti si apriranno.
    Dimora il gaudio, là, che non conosce fine,
    quello che il gioielliere ricercò, che valutò più delle perle;
    tanto ch'egli vendette ciò che aveva per vestirsi,
    onde acquistare una perla immacolata.

62 Questa perla immacolata, a caro prezzo acquistata,
    tanto che per averla i beni suoi vendette il gioielliere,
    è come il reame della celeste sfera:
    sì disse il Signore della terra e del mare;
    perché essa è perfetta e monda e chiara,
    tonda senza fine, e in essa è la gioia
    che dai giusti che sono qui è condivisa.
    Ecco! Nel mezzo del mio petto essa rimane;

There my Lord, the Lamb that was bleeding slain,
In token of peace it placed in state.
I bid you the wayward world disdain
And procure your pearl immaculate!'

63 'Immaculate Pearl in pearls unstained,
Who bear of precious pearls the prize,
Your figure fair for you who feigned?
Who wrought your robe, he was full wise!
Your beauty was never from nature gained;
Pygmalion did ne'er your face devise;
In Aristotle's learning is contained
Of these properties' nature no surmise;
Your hue the flower-de-luce defies,
Your angel-bearing is of grace so great.
What office, purest, me apprise
Doth bear this pearl immaculate?'

64 'My immaculate Lamb, my final end
Beloved, Who all can heal', said she,
'Chose me as spouse, did to bridal bend
That once would have seemed unmeet to be.
From your weeping world when I did wend
He called me to his felicity:
"Come hither to me, sweetest friend,
For no blot nor spot is found in thee!"
Power and beauty he gave to me;
In his blood he washed my weeds in state,
Crowned me clean in virginity,
And arrayed me in pearls immaculate.'

65 'Why, immaculate bride of brightest flame,
Who royalty have so rich and rare,
Of what kind can He be, the Lamb you name,

là il Signor mio, l'Agnello che nel sangue fu ucciso,
solennemente la pose come pegno di pace.
T'invito a disdegnare il volubile mondo
e procurarti la tua perla immacolata!"

63 "Perla immacolata fra perle senza macchia,
che l'eccelsa porti tra le preziose perle,
chi mai foggiò per te la tua bella figura?
Sapiente fu chi la tua veste creò!
Non da natura viene tua beltà;
non fu Pigmalione a disegnare il tuo volto;
traccia non v'è, nella speculazione d'Aristotele,
della natura di queste alte virtù;
sfida il tuo color quello del giglio,
nel tuo portamento angelico è pienezza di grazia.
Insegnami, oh purissima, quale ufficio
porta su sé questa perla immacolata!"

64 "L'Agnello mio, immacolato, che è il mio fine
amato, Lui che tutti può sanare," diss'ella,
"mi scelse quale sposa, a nozze mi condusse
che insensate un tempo mi sarebbero apparse.
Quand'io lasciai il vostro mondo, che di pianto è fatto,
alla Sua felicità Egli mi chiamò:
'A me qui vieni, dolcissima amica,
ché non si trova in te né pecca né macchia!'
Egli mi diede potenza e bellezza;
nel sangue suo, solennemente, le mie vesti dilavò,
monda m'incoronò in verginità,
e mi rivestì di perle immacolate."

65 "Oh, sposa immacolata di vivissima fiamma,
tu che hai regalità sì ricca e sì rara,
di qual natura può esser mai l'Agnello di cui parli,

Who would you His wedded wife declare?
Over others all hath climbed your fame,
In lady's life with Him to fare.
For Christ have lived in care and blame
Many comely maids with comb in hair;
Yet the prize from all those brave you bear,
And all debar from bridal state,
All save yourself so proud and fair,
A matchless maid immaculate.'

66   'Immaculate, without a stain,
Flawless I am', said that fair queen;
'And that I may with grace maintain,
But "matchless" I said not nor do mean.
As brides of the Lamb in bliss we reign,
Twelve times twelve thousand strong, I ween,
As Apocalypse reveals it plain:
In a throng they there by John were seen;
On Zion's hill, that mount serene,
The apostle had dream divine of them
On that summit for marriage robed all clean
In the city of New Jerusalem.

67   Of Jerusalem my tale doth tell,
If you will know what His nature be,
My Lamb, my Lord, my dear Jewel,
My Joy, my Bliss, my Truelove free.
Isaiah the prophet once said well
In pity for His humility:
"That glorious Guiltless they did fell
Without cause or charge of felony,
As sheep to the slaughter led was He,
And as lamb the shearer in hand doth hem
His mouth he closed without plaint or plea,
When the Jews Him judged in Jerusalem.

che te volle dichiarar Sua sposa?
La fama tua ha avanzato quella d'ogni altra,
perché tu andassi presso Lui quale signora.
Per Cristo hanno vissuto, in angustia e in pena,
molte vergini belle e dignitose;
eppur sei tu che a tutte hai tolto il premio
e sei a loro ostacolo al maritale stato,
che solo è tuo, bella tu e orgogliosa,
vergine impareggiabile e immacolata."

66   "Immacolata, senza macchia,
integra sono," disse la bella regina;
"e ciò io posso per grazia sostenere,
ma 'impareggiabile' io non dissi mai.
Spose noi dell'Agnello, regniamo in pieno gaudio,
dodici volte dodicimila, così credo,
come chiaramente rivela l'Apocalisse:
da Giovanni là furon viste in folla grande;
sul monte di Sion, che sereno s'innalza,
di loro ebbe l'apostolo un sogno divino,
su quella vetta tutte vestite da bianche spose,
nella città della Gerusalemme Nuova.

67   Di Gerusalemme deve narrare il mio racconto,
se tu sapere vuoi qual è la Sua natura,
dell'Agnello mio, e Signore, e mia cara Gemma,
mia Gioia, mio Gaudio, mio gratuito Amore.
Ben disse un tempo Isaia, il profeta,
con tono di pietà per l'umiltà ch'è Sua:
'Quell'innocente pieno di gloria essi abbatterono
senza motivo e senza accusa di fellonia,
Ei fu condotto quale pecora al macello,
e, come l'agnello che il tosatore stretto tiene,
la bocca Egli chiusa tenne, senza supplica o lamento,
quando i Giudei Lo giudicarono a Gerusalemme.

68   In Jerusalem was my Truelove slain,
On the rood by ruffians fierce was rent;
Willing to suffer all our pain
To Himself our sorrows sad He lent.
With cruel blows His face was flain
That was to behold so excellent:
He for sin to be set at naught did deign,
Who of sin Himself was innocent.
Beneath the scourge and thorns He bent,
And stretched on a cross's brutal stem
As meek as lamb made no lament,
And died for us in Jerusalem.

69   In Jerusalem, Jordan, and Galilee,
As there baptized the good Saint John,
With Isaiah well did his words agree.
When to meet him once had Jesus gone
He spake of Him this prophecy:
"Lo, the Lamb of God whom our trust is on!
From the grievous sins He sets us free
That all this world hath daily done."
He wrought himself yet never one,
Though He smirched himself with all of them.
Who can tell the Fathering of that Son
That died for us in Jerusalem?

70   In Jerusalem as lamb they knew
And twice thus took my Truelove dear,
As in prophets both is record true,
For His meekness and His gentle cheer.
The third time well is matched thereto,
In Apocalypse 'tis written clear:
Where sat the saints, Him clear to view
Amidst the throne the Apostle dear

68   A Gerusalemme fu ucciso il mio Amato,
lacerato fu, ferocemente, da furfanti, sulla croce;
volendo Ei sopportare ogni dolor che è nostro,
Egli su Sé prese tutti i nostri amari duoli.
Guastato da colpi crudeli fu il Suo volto,
che da vedere era opera eccelsa:
Egli s'abbassò a esser ucciso per i peccati nostri,
Lui che d'ogni peccato era innocente.
Si piegò sotto la sferza e le spine
e, steso sul palo crudele di una croce,
come un agnello mite non emise lamento,
e per noi morì a Gerusalemme.

69   A Gerusalemme, sul Giordano e in Galilea,
là dove battezzava il buon san Giovanni,
con quelle d'Isaia collimarono le sue parole.
Quando, per incontrarlo, là Gesù un tempo andò,
per Lui egli pronunciò una profezia:
'Ecco l'Agnello del Signore, nel quale confidiamo.
Egli ci libera dai nostri penosi peccati,
che, di giorno in giorno, ha commesso il mondo.'
Egli mai neppure uno ne commise, no,
eppure di tutti Egli si macchiò.
Chi può ridire la Generazione di quel Figlio
che per noi morì a Gerusalemme?

70   A Gerusalemme quale Agnello lo riconobbero
e per due volte accolsero il mio Beneamato,
come con verità è scritto nei due profeti,
ché mite Egli era e gentile il suo modo.
A ciò s'accorda poi la terza volta,
come chiaramente è scritto nell'Apocalisse:
Là dove sedevano i santi, il caro apostolo
chiaramente Lo vide, sul trono,

Saw loose the leaves of the book and shear
The seven signets sewn on them.
At that sight all folk there bowed in fear
In hell, in earth, and Jerusalem.

71 Jerusalem's Lamb had never stain
Of other hue than whiteness fair;
There blot nor blemish could remain,
So white the wool, so rich and rare.
Thus every soul that no soil did gain
His comely wife doth the Lamb declare;
Though each day He a host obtain,
No grudge nor grievance do we bear,
But for each one five we wish there were.
The more the merrier, so God me bless!
Our love doth thrive where many fare
In honour more and never less.

72 To less of bliss may none us bring
Who bear this pearl upon each breast,
For ne'er could they think of quarrelling
Of spotless pearls who bear the crest.
Though the clods may to our corses cling,
And for woe ye wail bereaved of rest,
From one death all our trust doth spring
In knowledge complete by us possessed.
The Lamb us gladdens, and, our grief redressed,
Doth at every Mass with joy us bless.
Here each hath bliss supreme and best,
Yet no one's honour is ever the less.

73 Lest less to trust my tale you hold,
In Apocalypse 'tis writ somewhere:
"The Lamb", saith John, "I could behold

mentre scioglieva le pagine del libro e rompeva
i sette sigilli che le tenevano legate.
A quella vista tutti s'inchinarono, atterriti,
nell'inferno, sulla terra, e a Gerusalemme.

71   L'Agnello di Gerusalemme mai ebbe macchia
d'altro color che non fosse il puro bianco;
non macchia, non pecca là indugiar poteva,
tanto bianca era la lana, e ricca e rara.
Così, ogni anima che non ha in sé sozzura
l'Agnello la dichiara sua leggiadra sposa;
e sebbene ogni giorno Egli una folla ne riceva,
non malanimo, non rancore noi sentiamo,
anzi desideriamo che per ognuna cinque ve ne fossero.
Più si è, più grande è la letizia, mi benedica Dio!
Prospera il nostro amore là dove molti stanno
con più onore, e mai con meno.

72   Nessuno a noi può portar meno gaudio,
a noi che sul petto portiamo questa perla,
ché mai non pensa a sollevar contesa alcuna
chi su sé porta la corona di perle immacolate.
Seppur la terra possa rinchiudere il nostro corpo
e voi, senza sosta, vi lagniate nella pena,
da un'unica morte sgorga la nostra fede,
ché perfetta conoscenza noi possediamo.
Ci rallegra l'Agnello e, sanato il nostro duolo,
a ogni Messa Egli ci benedice nella gioia.
Ognuno ha qui eccelso gaudio, e supremo,
e mai di meno è l'onor di qualcuno.

73   Per tema che meno tu confidi nelle mie parole,
in un passo dell'Apocalisse è scritto:
'L'Agnello,' dice Giovanni, 'osservar potei

On Zion standing proud and fair;
With him maidens a hundred-thousand fold,
And four and forty thousand were,
Who all upon their brows inscrolled
The Lamb's name and His Father's bare.
A shout then I heard from heaven there,
Like many floods met in pouring press;
And as thunder in darkling tors doth blare,
That noise, I believe, was nowise less.

74   But nonetheless, though it harshly roared,
And echo loud though it was to hear,
I heard them note then new record,
A delight as lovely to listening ear
As harpers harping on harps afford.
This new song now they sang full clear,
With resounding notes in noble accord
Making in choir their musics dear.
Before God's very throne drawn near
And the Beasts to Him bowed in lowliness
And the ancient Elders grave of cheer
They sang their song there, nonetheless.

75   Yet nonetheless were none so wise
For all the arts that they ever knew
Of that song who could a phrase devise,
Save those of the Lamb's fair retinue;
For redeemed and removed from earthly eyes,
As firstling fruits that to God are due,
To the noble Lamb they are allies,
Being like to Him in mien and hue;
For no lying word nor tale untrue
Ever touched their tongues despite duress.

mentre su Sion restava, leggiadro e fiero;
eran con lui centinaia di migliaia di fanciulle
e ancora quattro volte quarantamila,
e sulla fronte ognuna recava incisi
il nome dell'Agnello e quello del Padre.
Là io udii poi, dal cielo, un grido,
come di molte acque che si scontrano furiose,
che come tuono risonò sugli alti colli oscuri,
e quel rumore, credo, certo non era da meno.

74   Ma, nondimeno, sebbene aspro mugghiasse,
e sebbene alta un'eco fosse ad udire,
note io vi udii che erano nuove,
ch'erano soave delizia all'orecchio in ascolto,
pari a quella d'arpisti che pizzicano l'arpa.
Ora quel nuovo canto chiaramente cantarono,
e le note vi risonavano in nobile accordo,
un coro rendendo quella musica dolce.
Tratti dinanzi al trono di Dio,
gli Animali a Lui umilmente chinati,
gli antichi Anziani col volto severo,
nondimeno cantarono là essi il loro canto.

75   Ma, nondimeno, mai vi fu alcun tanto sapiente,
per quante scienze egli conoscere potesse,
che fosse in grado di cantare una parola di quel canto,
se non quanti erano nel bel corteggio dell'Agnello;
perché, redenti e ritolti dagli occhi terreni,
quali primizie che a Dio sono dovute,
essi sono alleati del nobile Agnello,
essendo simili a Lui in forma e aspetto;
ché non parola menzognera né racconto falso
mai toccò le lor lingue, a dispetto d'ogni costrizione.

Ever close that company pure shall sue
That Master immaculate, and never less."'

76 'My thanks may none the less you find,
My Pearl', quoth I, 'though I question pose.
I should not try your lofty mind,
Whom Christ to bridal chamber chose.
I am but dirt and dust in kind,
And you a rich and radiant rose
Here by this blissful bank reclined
Where life's delight unfading grows.
Now, Lady, your heart sincere enclose,
And I would ask one thing express,
And though it clown uncouth me shows,
My prayer disdain not, nevertheless.

77 I nonetheless my appeal declare,
If you to do this may well deign,
Deny you not my piteous prayer,
As you are glorious without a stain.
No home in castle-wall do ye share,
No mansion to meet in, no domain?
Of Jerusalem you speak the royal and fair,
Where David on regal throne did reign;
It abides not here on hill nor plain,
But in Judah is that noble plot.
As under moon ye have no stain
Your home should be without a spot.

78 This spotless troop of which you tell,
This thronging press many-thousandfold,
Ye doubtless a mighty citadel
Must have your number great to hold:
For jewels so lovely 'twould not be well

Sempre quella pura compagnia seguirà
quel Maestro immacolato, e mai vorrà di meno.'"

76 "Tu il mio ringraziamento nondimeno avrai,
mia Perla," dissi, "sebbene ti ponga domande.
Tentare non vorrei l'eccelsa tua mente,
ché Cristo t'ha trascelto per la camera nuziale.
La mia natura è polvere, è argilla,
e tu sei una rosa, ricca e radiosa,
che qui ti rimani su questa sponda gaudiosa
dove cresce, e non avvizzisce, la delizia della vita.
Ora, Signora, che nel cuore sincerità soltanto hai,
chiederti vorrei, direttamente, una cosa,
e sebbene ciò mi mostri quale zotico buffone,
non disprezzar la mia preghiera, nondimeno.

77 La mia richiesta io pronuncio, nondimeno,
e, se di far questo, oh, tu ti degni,
non allontanar la mia pietosa preghiera,
perché tu sei gloriosa, e senza macchia.
Tra le mura d'un castello non avete voi dimore,
non magioni dove incontrarvi, non terreni?
Di Gerusalemme tu parli, la regale, la bella,
dove Davide regnò sul trono suo di re;
non è essa qui, su monte o su pianura,
ma in Giudea è quel nobile luogo.
Come, sotto la luna, pecca voi non avete,
senza macchia esser dovrebbe la vostra casa.

78 Quella moltitudine senza macchia di cui parli,
quella folla che raccoglie in sé molte migliaia…
senza dubbio una possente cittadella
dovete voi aver, per contenere un numero sì grande:
ché, essendo gemme sì preziose, non sarebbe cosa buona

311

That flock so fair should have no fold!
Yet by these banks where a while I dwell
I nowhere about any house behold.
To gaze on this glorious stream you strolled
And linger alone now, do you not?
If elsewhere you have stout stronghold,
Now guide me to that goodly spot!'

79   'That spot', that peerless maid replied,
'In Judah's land of which you spake,
Is the city to which the Lamb did ride,
To suffer sore there for Man's sake.
The Old Jerusalem is implied,
For old sin's bond He there let break.
But the New, that God sent down to glide,
The Apocalypse in account doth take.
The Lamb that no blot ever black shall make
Doth there His lovely throng allot,
And as His flock all stains forsake
So His mansion is unmarred by spot.

80   There are two spots. To speak of these:
They both the name "Jerusalem" share;
"The City of God" or "Sight of Peace",
These meanings only doth that bear.
In the first it once the Lamb did please
Our peace by His suffering to repair;
In the other naught is found but peace
That shall last for ever without impair.
To that high city we swiftly fare
As soon as our flesh is laid to rot;
Ever grow shall the bliss and glory there
For the host within that hath no spot.'

che un sì nobile gregge non avesse il proprio ovile!
Eppure, presso queste prode dove un poco m'indugio,
in nessun luogo posso scorgere una casa.
Per osservar questo splendido fiume qui tu venisti
e qui ti trattieni, sola, non è forse così?
Se altrove voi avete una salda fortezza,
guidami ora a quello splendido luogo!"

79 "Quel luogo," rispose l'impareggiabile fanciulla,
"nella terra di Giudea della quale parlasti,
è la città alla quale andò l'Agnello,
onde là aspri tormenti soffrire per amor dell'uomo.
La Vecchia Gerusalemme intendo,
dov'Egli spezzò il legame del peccato antico.
Ma della Nuova, che Dio dal ciel fece discendere,
narra diffusamente l'Apocalisse.
L'Agnello che macchia alcuna mai nero renderà,
fa dimorar là la folla ch'Egli ama
e, come il suo gregge s'allontana da ogni pecca,
così la Sua magione da macchia alcuna è guastata.

80 Due luoghi vi sono. E se parlarne debbo,
essi hanno lo stesso nome, ossia 'Gerusalemme',
'la Città di Dio' ovvero 'la Visione della Pace',
questi sono i significati che quel nome porta;
nel primo, un tempo sì all'Agnello piacque
di procurare a noi la pace con il Suo soffrire;
nell'altro nulla si trova se non pace
che, sempre intatta, per sempre durerà.
A quell'alta città noi rapidi ne andiamo
appena la carne nostra a marcire è posta;
sempre là cresceranno e la gloria e il gaudio
per la schiera che è là e non ha macchia."

81 'O spotless maiden kind!' I cried
    To that lovely flower, 'O lead me there,
    To see where blissful you abide,
    To that goodly place let me repair!'
    'God will forbid that', she replied,
    'His tower to enter you may not dare.
    But the Lamb hath leave to me supplied
    For a sight thereof by favour rare:
    From without on that precinct pure to stare,
    But foot within to venture not;
    In the street you have no strength to fare,
    Unless clean you be without a spot.

82 If I this spot shall to you unhide,
    Turn up towards this water's head,
    While I escort you on this side,
    Until your ways to a hill have led.'
    No longer would I then abide,
    But shrouded by leafy boughs did tread,
    Until from a hill I there espied
    A glimpse of that city, as forth I sped.
    Beyond the river below me spread
    Brighter than sun with beams it shone;
    In the Apocalypse may its form be read,
    As it describes the apostle John.

83 As John the apostle it did view,
    I saw that city of great renown,
    Jerusalem royally arrayed and new,
    As it was drawn from heaven down.
    Of gold refined in fire to hue
    Of glittering glass was that shining town;
    Fair gems beneath were joined as due
    In courses twelve, on the base laid down

81   "Oh fanciulla senza macchia!" gridai
a quell'amabile fiore. "Oh, conducimi là,
per mostrarmi dove tu nel gaudio vivi,
lascia ch'io mi rifugi in quel superbo luogo!"
"Dio te lo impedirà," ella rispose,
"osare non puoi, tu, entrar nella Sua torre.
Ma l'Agnello m'ha concesso licenza,
e il favor raro, di darti libertà di riguardarla:
di osservare, da fuori, quei puri edifici,
senza però pensar di porvi il piede;
tu non hai forza di percorrer quella via
se tu mondo non sei, e senza macchia.

82   Questo luogo a te io svelerò;
i passi volgi verso dove l'acqua viene
e io ti scorterò sull'altra riva,
sinché raggiunto non avrai una collina."
Indugiar più a lungo non potei
e, sotto l'ombra di frondosi rami, mi avviai,
sinché non colsi, dall'alto d'una collina,
mentre avanzavo, uno scorcio di quella città.
Oltre il fiume che ai miei piedi si stendea,
essa di raggi sfavillava, più lucente del sole;
la sua forma letta può esser nell'Apocalisse,
sì come la descrive l'apostolo Giovanni.

83   Come la vide l'apostolo Giovanni,
vidi io quella città di grande rinomanza,
Gerusalemme, regalmente ornata, e nuova,
quasi dal cielo l'avessero tolta.
D'oro nel fuoco raffinato, sì che il colore avesse
di vetro scintillante, era la città rilucente;
belle gemme v'erano ai piedi, in ordine, congiunte,
poste su dodici basamenti,

That with tenoned tables twelve they crown:
A single stone was each tier thereon,
As well describes this wondrous town
In apocalypse the apostle John.

84   These stones doth John in Writ disclose;
I knew their names as he doth tell:
As jewel first the jasper rose,
And first at the base I saw it well,
On the lowest course it greenly glows;
On the second stage doth sapphire dwell;
Chalcedony on the third tier shows,
A flawless, pure, and pale jewel;
The emerald fourth so green of shell;
The sardonyx, the fifth it shone,
The ruby sixth: he saw it well
In the Apocalypse, the apostle John.

85   To them John then joined the chrysolite,
The seventh gem in the ascent;
The eighth the beryl clear and white;
The twin-hued topaz as ninth was pent;
Tenth the chrysoprase formed the flight;
Eleventh was jacinth excellent;
The twelfth, most trusty in every plight,
The amethyst blue with purple blent.
Sheer from those tiers the wall then went
Of jasper like glass that glistening shone;
I knew it, for thus did it present
In the Apocalypse the apostle John.

86   As John described, I broad and sheer
These twelve degrees saw rising there;
Above the city square did rear

che, con dodici lastre unite, esse incoronano,
e ogni scaglione era d'una singola pietra,
come ben descrive questa città meravigliosa,
nell'Apocalisse, l'apostolo Giovanni.

84   Queste pietre Giovanni le enumera nelle Scritture;
i nomi ne sapevo, com'egli là li dice:
v'era, quale gemma prima, il diaspro,
e ben lo vidi, come primo, alla base:
sul grado più basso esso balugina verde;
dimora lo zaffiro sul secondo piano;
mostra sé il calcedonio sul terzo strato,
gemma pallida e pura e priva di pecche;
quarto era lo smeraldo, di verde aspetto;
brillava come quinta la sardonice,
come sesta la cornalina; egli bene le vide,
nell'Apocalisse, l'apostolo Giovanni.

85   A esse aggiunse poi Giovanni il crisolito,
la settima gemma a mano a mano che si sale;
ottavo era il berillo, chiaro e bianco;
come nono era posto il topazio dal duplice colore;
il crisoprasio formava il decimo gradino;
undicesimo era l'eccelso giacinto;
dodicesimo, affidabile in ogni avversità,
era l'ametista azzurra, con riflessi di viola.
Da questi basamenti s'innalzava l'alto muro,
ch'era di diaspro, simile a vetro che riluca e scintilli;
lo sapevo, perché così lo presentava,
nell'Apocalisse, l'apostolo Giovanni.

86   Come Giovanni li descrisse, io ampi ed erti
vidi in alto levarsi quei dodici basamenti;
e, sopra, s'innalzava la città, quadrata

(Its length with breadth and height compare);
The streets of gold as glass all clear,
The wall of jasper that gleamed like glair;
With all precious stones that might there appear
Adorned within the dwellings were.
Of that domain each side all square
Twelve thousand furlongs held then on,
As in height and breadth, in length did fare,
For it measured saw the apostle John.

87 As John hath writ, I saw yet more:
Each quadrate wall there had three gates,
So in compass there were three times four,
The portals o'erlaid with richest plates;
A single pearl was every door,
A pearl whose perfection ne'er abates;
And each inscribed a name there bore
Of Israel's children by their dates:
Their times of birth each allocates,
Ever first the eldest thereon is hewn.
Such light every street illuminates
They have need of neither sun nor moon.

88 Of sun nor moon they had no need,
For God Himself was their sunlight;
The Lamb their lantern was indeed
And through Him blazed that city bright
That unearthly clear did no light impede;
Through wall and hall thus passed my sight.
The Throne on high there might one heed,
With all its rich adornment dight,
As John in chosen words did write.
High God Himself sat on that throne,

(equivalenti ne sono lunghezza, ampiezza e altezza);
d'oro n'erano le strade, chiare come vetro,
le mura di diaspro che come albume riluce;
ogni pietra ch'è preziosa là appariva
e adornava ogni dimora;
quadrato era ogni lato di quel maniero,
e misurava ognuno dodicimila stadi
in lunghezza, sì come in altezza e in ampiezza,
come misurati li vide l'apostolo Giovanni.

87 Come scrisse Giovanni, ecco che altro vidi:
in ogni muro quadrato v'erano tre porte,
sì che là ve n'erano in tutto tre volte per quattro,
e i portali eran rivestiti di ricche formelle;
ogni porta era una singola perla,
una perla la cui perfezione mai vien meno;
e in ognuna era inscritto un nome,
quelli dei figli d'Israele, secondo gli anni:
ognuna riporta il tempo della nascita loro,
e inciso v'è sempre per primo il più anziano.
Una luce tale illumina ogni strada
che là non v'è bisogno o di sole o di luna.

88 Di sole o di luna là non v'è bisogno,
perché luce del sole era Dio stesso;
lanterna, invero, era là l'Agnello
e per Lui sfavillava quella città lucente
e quel celestial chiarore non era ostacolo alla luce,
sì che attraverso pareti e sale trascorreva il mio sguardo.
Là notar si poteva, in alto, il Trono,
rivestito di ben ricchi ornamenti,
sì come, con trascelte parole, scrisse Giovanni.
L'alto Dio stesso sedeva su quel trono,

Whence forth a river ran with light
Outshining both the sun and moon.

89   Neither sun nor moon ever shone so sweet
As the pouring flood from that court that flowed;
Swiftly it swept through every street,
And no filth nor soil nor slime it showed.
No church was there the sight to greet,
Nor chapel nor temple there ever abode:
The Almighty was their minster meet;
Refreshment the Victim Lamb bestowed.
The gates ever open to every road
Were never yet shut from noon to noon;
There enters none to find abode
Who bears any spot beneath the moon.

90   The moon therefrom may gain no might,
Too spotty is she, of form too hoar;
Moreover there comes never night:
Why should the moon in circle soar
And compare her with that peerless light
That shines upon that water's shore?
The planets are in too poor a plight,
Yea, the sun himself too pale and frore.
On shining trees where those waters pour
Twelve fruits of life there ripen soon;
Twelve times a year they bear a store,
And renew them anew in every moon.

91   Such marvels as neath the moon upraised
A fleshly heart could not endure
I saw, who on that castle gazed;
Such wonders did its frame immure,
I stood there still as quail all dazed;

dal quale sgorgava un fiume di luce
che avanzava in splendore e il sole e la luna.

89   Mai il sole, mai la luna brillarono con tal soavità
come il fiume copioso che da quella corte scorreva;
rapido esso fluiva lungo ogni via
e non vi era lordura o sporcizia ovvero melma;
non v'erano chiese a salutare gli occhi,
mai furon là o cappella oppure tempio:
l'Onnipotente era là, per loro, cattedrale;
l'Agnello Sacrificale donava rigenerazione.
Lungo ogni strada erano aperte le porte,
mai le chiudevano durante il giorno;
nessuno là entra a cercar rifugio
che rechi su sé una macchia sotto la luna.

90   Non possanza per sé può trarne la luna,
ché troppo macchiata essa è, troppo opaca n'è la forma;
là, inoltre, mai viene la notte.
Perché mai dovrebbe la luna percorrer la sua orbita
e sé paragonare a quella luce che pari non ha,
e che sfavilla sulla proda di quelle acque?
In ben misero stato sono i pianeti,
e anche il sole è pallido, troppo, e gelato.
Sui rilucenti alberi su cui si riversano quelle acque
presto maturano dodici frutti di vita;
dodici volte l'anno essi ne producono, tanti,
e di nuovo li rinnovano a ogni luna.

91   Meraviglie tali che, se sotto la luna mostrate,
un cuore mortale sopportar non potrebbe,
io vidi, io che guardavo qual castello;
tali miracoli racchiudeva la sua struttura
che, pari a quaglia, abbacinato restavo;

Its wondrous form did me allure,
That rest nor toil I felt, amazed,
And ravished by that radiance pure.
For with conscience clear I you assure,
If man embodied had gained that boon,
Though sages all assayed his cure,
His life had been lost beneath the moon.

92 As doth the moon in might arise,
Ere down must daylight leave the air,
So, suddenly, in a wondrous wise,
Of procession long I was aware.
Unheralded to my surprise
That city of royal renown so fair
Was with virgins filled in the very guise
Of my blissful one with crown on hair.
All crowned in manner like they were,
In pearls appointed, and weeds of white,
And bound on breast did each one bear
The blissful pearl with great delight.

93 With great delight in line they strolled
On golden ways that gleamed like glass;
A hundred thousands were there, I hold,
And all to match their livery was;
The gladdest face could none have told.
The Lamb before did proudly pass
With seven horns of clear red gold;
As pearls of price His raiment was.
To the Throne now drawn they pacing pass:
No crowding, though great their host in white,
But gentle as modest maids at Mass,
So lead they on with great delight.

mi attraeva la meravigliosa sua forma,
tanto che, strabiliato, non sentivo riposo né fatica,
e da quel puro fulgore ero rapito.
Con pura coscienza posso affermare
che se un uomo, col corpo, avesse raggiunto quel gaudio,
seppur tutti i savi ne avesser tentato la cura,
perso avrebbe egli la vita sotto la luna.

92   Sì come la luna con maestà si leva
prima che la luce del giorno l'aria abbandoni,
d'improvviso, meravigliosamente,
m'accorsi di una lunga processione.
Senza avviso alcuno, per mia piena sorpresa,
quella città, tanto bella per fama regale,
di vergini fu colma, le quali, nella stessa guisa
della mia beata, avevano sul capo una corona.
Un'eguale corona portavano esse,
di perle adorna, e candide vesti,
e, al petto fissata, ognuna di loro portava,
con delizia grande, quella perla gaudiosa.

93   Con delizia grande, procedevano in fila,
lungo strade dorate che come vetro brillavano;
centomila ve n'erano, penso,
e vesti uguali esse indossavano;
nessuno dir potrebbe chi più lieto volto avesse.
Con fierezza, innanzi a loro andava l'Agnello,
con sette corni di chiaro oro rosso;
come perle preziose era il Suo vestimento.
Verso il Trono attratte esse andavano, piano,
senza accalcarsi, seppur grande fosse quella bianca schiera,
ma tranquille come modeste fanciulle durante la Messa,
esse innanzi andavano con grande delizia.

94   The delight too great were to recall
       That at His coming forth did swell.
       When He approached those elders all
       On their faces at His feet they fell;
       There summoned hosts angelical
       An incense cast of sweetest smell:
       New glory and joy then forth did fall,
       All sang to praise that fair Jewel.
       The strain could strike through earth to hell
       That the Virtues of heaven in joy endite.
       With His host to laud the Lamb as well
       Indeed I found a great delight.

95   Delight the Lamb to behold with eyes
       Then moved my mind with wonder more:
       The best was He, blithest, most dear to prize
       Of whom I e'er heard tales of yore;
       So wondrous white was all His guise,
       So noble Himself He so meekly bore.
       But by His heart a wound my eyes
       Saw wide and wet; the fleece it tore,
       From His white side His blood did pour.
       Alas! thought I, who did that spite?
       His breast should have burned with anguish sore,
       Ere in that deed one took delight.

96   The Lamb's delight to doubt, I ween,
       None wished; though wound He sore displayed,
       In His face no sign thereof was seen,
       In His glance such glorious gladness played.
       I marked among His host serene,
       How life in full on each was laid –
       Then saw I there my little queen
       That I thought stood by me in the glade!

94   Difficile troppo sarebbe ridir la delizia
che al Suo arrivo si effuse.
Quand'Egli agli anziani si accostò,
ai suoi piedi essi si prostrarono, con la faccia a terra.
Erano là raccolte angeliche schiere
che spargevano incenso di soave profumo:
ed ecco allora nuova gloria, nuova gioia,
tutti cantavano per lodar quella Gemma sì bella.
Trapassare potea per la terra e per l'inferno la melodia
che con gioia celebrava le virtù del paradiso.
Nel lodare l'Agnello assieme alla Sua schiera
anch'io provai una delizia invero grande.

95   Osservando con gli occhi l'Agnello, delizia
mi mosse la mente e più alto stupore provai:
Egli era il migliore, il più lieto, il più degno di lode,
fra quanti avevo io udito narrare in antico;
meravigliosamente bianche erano le sue vesti,
tanto nobile Lui, eppure di modi sì miti.
Presso il Suo cuore, però, una ferita videro
i miei occhi, umida e aperta; lacerava la pelle,
dal bianco Suo fianco il sangue sgorgava.
Ahimè, pensai, chi commise quest'atto sì atroce?
A chi lo fece, arder dovrebbe il petto d'aspra angoscia,
prima di trarre delizia da quell'azione.

96   Di metter in dubbio la delizia dell'Agnello, io credo,
nessuno avea voglia; sebbene mostrasse quella cruda ferita,
non v'era segno di ciò sul Suo volto;
nel Suo sguardo giocava gloriosa letizia.
E in quella schiera sì serena m'accorsi
di come una vita piena fosse in ognuno –
e vidi poi là la mia piccola regina,
che pensavo ancor mi fosse accanto nella valle!

Lord! great was the merriment she made,
Among her peers who was so white.
That vision made me think to wade
For love-longing in great delight.

97 Delight there pierced my eye and ear,
In my mortal mind a madness reigned;
When I saw her beauty I would be near,
Though beyond the stream she was retained.
I thought that naught could interfere,
Could strike me back to halt constrained,
From plunge in stream would none me steer,
Though I died ere I swam o'er what remained.
But as wild in the water to start I strained,
On my intent did quaking seize;
From that aim recalled I was detained:
It was not as my Prince did please.

98 It pleased Him not that I leapt o'er
Those marvellous bounds by madness swayed.
Though headlong haste me heedless bore,
Yet swift arrest was on me made,
For right as I rushed then to the shore
That fury made my dream to fade.
I woke in that garden as before,
My head upon that mound was laid
Where once to earth my pearl had strayed.
I stretched, and fell in great unease,
And sighing to myself I prayed:
'Now all be as that Prince may please.'

99 It pleased me ill outcast to be
So suddenly from that region fair
Where living beauty I could see.

Signore! Come lieta ella si mostrava,
lei così bianca, fra le sue pari.
Quella visone mi fece pensar di guadare,
spinto io da brama d'amore, in grande delizia.

97   La delizia mi punse gli occhi e gli orecchi,
nella mia mente mortale regnò la pazzia;
vedendo la bellezza di lei, volli esserle accanto,
sebbene ella fosse sull'altra sponda del fiume.
Pensai che nulla mi si potesse opporre,
o potesse trattenermi e indietro trarmi,
che nessuno m'impedisse di gettarmi nel fiume,
dovessi io morir attraversandolo a nuoto.
Ma mentre, forsennato, mi apprestavo in acqua a gettarmi,
un tremore s'afferrò al mio intento;
fui trattenuto da quell'atto e richiamato indietro:
al mio Principe non era ciò cosa gradita.

98   Non era a Lui gradito ch'io balzassi,
spinto dalla pazzia, oltre quei meravigliosi confini.
Sebbene innanzi mi spingesse una fretta avventata
e incurante, fui costretto a fermarmi, di colpo,
sicché, mentre verso la proda mi precipitavo,
quella furia fece svanire il mio sogno.
Mi destai nel giardino ove prima io ero,
col capo appoggiato sul poggio,
là dove un tempo a terra smarrita s'era la mia perla.
Mi sollevai e ricaddi con sgomento grande
e, sospirando, a me stesso dissi, pregando:
"Sia tutto come al Principe è gradito."

99   Ben poco gradii, così d'improvviso,
d'esser scacciato da quella bella regione,
dove veder potei la vivente beltà.

A swoon of longing smote me there,
And I cried aloud then piteously:
'O Pearl, renowned beyond compare!
How dear was all that you said to me,
That vision true while I did share.
If it be true and sooth to swear
That in garland gay you are set at ease,
Then happy I, though chained in care,
That you that Prince indeed do please.'

100   To please that Prince had I always bent,
Desired no more than was my share,
And loyally been obedient,
As the Pearl me prayed so debonair,
I before God's face might have been sent,
In his mysteries further maybe to fare.
But with fortune no man is content
That rightly he may claim and bear;
So robbed of realms immortally fair
Too soon my joy did sorrow seize.
Lord! mad are they who against
Thee dare Or purpose what Thee may displease!

101   To please that Prince, or be pardon shown,
May Christian good with ease design;
For day and night I have him known
A God, a Lord, a Friend divine.
This chance I met on mound where prone
In grief for my pearl I would repine;
With Christ's sweet blessing and mine own
I then to God it did resign.
May He that in form of bread and wine
By priest upheld each day one sees,
Us inmates of His house divine
Make precious pearls Himself to please.   *Amen Amen*

Un deliquio di desiderio mi colse
e pietosamente a gran voce gridai:
"Oh Perla, famosa tu oltre ogni paragone!
Quanta dolcezza in ciò che a me dicesti,
mentre condividevo quell'autentica visione.
Se è vero e d'ogni fede degno
che lieta tu sei posta in una serena ghirlanda,
allora, sebbene il duolo m'incateni, sono felice,
che al tuo Principe tu sia sì gradita."

100 Se sempre avessi io teso ad essere a quel Principe gradito,
se più non avessi desiderato di ciò che mi spetta,
e fossi stato obbediente e leale,
come mi pregava, sollecita, la Perla,
sarei forse stato condotto al cospetto di Dio,
onde penetrar, forse, più a fondo nei misteri Suoi.
Ma nessun uomo è contento, mai, della fortuna
ch'egli, per giustizia, può reclamare e sopportare;
privato così dei reami belli e immortali
troppo presto il dolore arraffò la mia gioia.
Signore! Pazzo è chi contro di Te osa
o pensa di far ciò che a Te non è gradito!

101 Rendersi a quel Principe gradito, o ottenerne il perdono,
può ogni buon cristiano facilmente avere come meta;
poiché e notte e giorno io lo conobbi
qual Dio, quale Signore, qual divino Amico.
Quest'opportunità l'ebbi sul poggio dove, prono
al dolore per la mia perla, io languivo;
con la benedizione di Cristo, dolce, e con la mia,
a Dio io l'affidai allora.
E possa Egli, che sotto la specie del pane e del vino
ognuno vede ogni dì sollevato dal sacerdote,
renderci ospiti della casa Sua divina,
e farci perle preziose che a Lui siano gradite. *Amen Amen*

SIR ORFEO

Sir Orfeo è trasmesso da tre manoscritti, tra i quali è il più antico a fornire il testo di gran lunga migliore; si tratta del manoscritto Auchinleck, una grande miscellanea realizzata intorno al 1330, probabilmente a Londra, e conservata ora nella Advocates' Library di Edimburgo. Gli altri manoscritti, risalenti entrambi al XIV secolo, offrono versioni molto corrotte del poemetto; anche il testo Auchinleck, però, ha sofferto danni dovuti all'errore e all'oblio, anche se in misura molto minore rispetto agli altri. La traduzione segue il testo Auchinleck (con alcune correzioni), tranne che all'inizio, poiché un foglio del manoscritto è andato perduto. Il testo Auchinleck inizia con *Fu Sir Orfeo un re* (verso 25 della traduzione); mentre il manoscritto Harley 3810 fa precedere a questo verso il prologo di 24 versi che è qui tradotto. Questo prologo appare, di nuovo in uno stato molto corrotto, nel terzo manoscritto, Ashmole 61; e, cosa assai notevole, anche in un altro punto del manoscritto Auchinleck, come prologo di un altro poema, *Lay le Freyne*, che si ritiene opera dello stesso autore. Inoltre, i versi 33-46 della traduzione sono tratti dal manoscritto Harley; tutti i critici concordano che siano versi autentici dell'originale. Così come tutti concordano che i riferimenti all'Inghilterra (verso 26) e a Winchester (versi

49-50 e 478), che sono peculiari della versione Auchinleck, non siano autentici.

Non si può affermare dove o quando *Sir Orfeo* sia stato composto; probabilmente, lo fu nella parte sudorientale dell'Inghilterra nell'ultima parte del XIII secolo, o all'inizio del XIV; e pare del tutto probabile che sia stato tradotto da un testo originale francese.

SIR ORFEO

We often read and written find,
as learned men do us remind,
that lays that now the harpers sing
are wrought of many a marvellous thing.
Some are of weal, and some of woe,
and some do joy and gladness know;
in some are guile and treachery told,
in some the deeds that chanced of old;
some are of jests and ribaldry,
10 and some are tales of Faërie.
Of all the things that men may heed
'tis most of love they sing indeed.

In Britain all these lays are writ,
there issued first in rhyming fit,
concerning adventures in those days
whereof the Britons made their lays;
for when they heard men anywhere
tell of adventures that there were,
they took their harps in their delight
20 and made a lay and named it right.

Of adventures that did once befall
some can I tell you, but not all.
Listen now, lordings good and true,

SIR ORFEO

Spesso leggiamo in fogli scritti,
come rammentano a noi i dotti,
che i lai cantati adesso dagli arpisti
di grandi meraviglie sono fatti.
Dicono alcuni il duolo, altri la pena,
altri sanno la gioia e la letizia;
altri dicono inganno e tradimento,
narrano alcuni di antiche gesta,
altri di lazzi e di ribalderie,
10   rinarrano altri del Magico Mondo.
Fra tutto ciò che l'uomo ama ascoltare,
d'amor cantano essi soprattutto.
    In Britannia son scritti questi lai,
di là venuti in ben rimati versi;
narrano avventure di quei giorni
e da essi traevano i Britanni i lai;
ché quanto in qualche luogo udivan dire
d'avventure che altrove erano occorse,
prendevano essi l'arpa con piacere
20   e un lai creavano, e gli davan nome.
    Delle avventure che furono un tempo,
qualcuna posso dirne ma non tutte.
Ora ascoltate, miei buoni signori,

and 'Orfeo' I will sing to you.
  Sir Orfeo was a king of old,
in England lordship high did hold;
valour he had and hardihood,
a courteous king whose gifts were good.
His father from King Pluto came,
30 his mother from Juno, king of fame,
who once of old as gods were named
for mighty deeds they did and claimed.
Sir Orfeo, too, all things beyond
of harping's sweet delight was fond,
and sure were all good harpers there
of him to earn them honour fair;
himself he loved to touch the harp
and pluck the strings with fingers sharp.
He played so well, beneath the sun
40 a better harper was there none;
no man hath in this world been born
who would not, hearing him, have sworn
that as before him Orfeo played
to joy of Paradise he had strayed
and sound of harpers heavenly,
such joy was there and melody.
This king abode in Tracience,
a city proud of stout defence;
for Winchester, 'tis certain, then
50 as Tracience was known to men.
There dwelt his queen in fairest bliss,
whom men called Lady Heurodis,
of ladies then the one most fair
who ever flesh and blood did wear;
in her did grace and goodness dwell,
but none her loveliness can tell.

ché io vi canterò d'Orfeo.

    Fu Sir Orfeo un re nel tempo andato,
che dominava sopra l'Inghilterra;
egli era ardito ed era valoroso,
e ricchi doni dava, come re cortese.
Veniva il padre da Plutone re,
30   la madre sua da Giuno, re famoso,
che in antico furon detti dèi
per le possenti gesta fatte e proclamate.
E Sir Orfeo, infra le cose tutte,
dell'arpa amava invero il piacer dolce,
ed era certo ogni buon arpista
di ricever da lui un giusto onore;
e anche lui amava prender l'arpa
e pizzicar le corde con sue lunghe dita.
Sonava egli sì bene che miglior arpista
40   non v'era certamente in quella terra;
e mai un uomo in questo mondo nacque
ch'udendolo giurato non avrebbe
che, mentre innanzi a lui Orfeo sonava,
alla gioia del cielo fosse giunto,
agli arpisti sonanti in paradiso,
tanta gioia vi era, e melodia.
A Tracience dimorava il re,
città orgogliosa, molto ben difesa;
perché Winchester, com'è ben certo, allora
50   a tutti era nota come Tracience.
Nel gaudio là viveva la regina,
Lady Heurodis da tutti chiamata.
Fra le donne era allora la più bella
di quante mai nel mondo ebbero un corpo;
bontà e grazia dimorava in lei,
ma la sua venustà nessun può dire.

*

It so did chance in early May,
when glad and warm doth shine the day,
and gone are bitter winter showers,
60   and every field is filled with flowers,
on every branch the blossom blows,
in glory and in gladness grows,
the lady Heurodis, the queen,
two maidens fair to garden green
with her she took at drowsy tide
of noon to stroll by orchard-side,
to see the flowers there spread and spring
and hear the birds on branches sing.
    There down in shade they sat all three
70   beneath a fair young grafted tree;
and soon it chanced the gentle queen
fell there asleep upon the green.
Her maidens durst her not awake,
but let her lie, her rest to take;
and so she slept, till midday soon
was passed, and come was afternoon.
Then suddenly they heard her wake,
and cry, and grievous clamour make;
she writhed with limb, her hands she wrung,
80   she tore her face till blood there sprung,
her raiment rich in pieces rent;
thus sudden out of mind she went.
    Her maidens two then by her side
no longer durst with her abide,
but to the palace swiftly ran
and told there knight and squire and man
their queen, it seemed, was sudden mad;
'Go and restrain her,' they them bade.

All'inizio di maggio questo fu,
quando il giorno risplende lieto e caldo
e andate son le piogge dell'inverno,
60   e ricolmo di fiori è ogni prato
e i bocci s'apron sopra i rami,
e tutto cresce risplendente e lieto;
con sé Lady Heurodis, ch'è la regina,
in un verde giardino due fanciulle belle
portò nell'ora sonnolenta del meriggio,
per passeggiare in quel verziere
e i fior veder che spuntan numerosi
e udir gli uccelli che cantan sui rami.
    All'ombra là sedetter quelle tre
70   d'un giovane e bell'albero da frutto;
e alla gentil regina presto accadde
d'addormentarsi là, sull'erba.
Non osaron destarla le fanciulle
e la lasciaron riposar tranquilla;
ed ella là dormì ed il meriggio
presto passò e il pomeriggio venne.
Di colpo allor l'udirono destarsi
e strepitare con clamor ch'era di duolo;
ella tremava tutta e si torcea le mani,
80   la faccia si graffiava, e ne usciva sangue,
e lacerava la sua ricca veste:
di colpo fu così lei forsennata.
    Al fianco suo allor le damigelle
più a lungo non osarono restare,
e corsero ben ratte là, al castello,
e ai cavalieri dissero, e agli scudieri,
che impazzita pareva la regina.
"A placarla n'andate!" fu il lor dire.

Both knights and ladies thither sped,
90   and more than sixty damsels fled;
to the orchard to the queen they went,
with arms to lift her down they bent,
and brought her to her bed at last,
and raving there they held her fast;
but ceaselessly she still would cry,
and ever strove to rise and fly.

    When Orfeo heard these tidings sad,
more grief than ever in life he had;
and swiftly with ten knights he sped
100 to bower, and stood before her bed,
and looking on her ruefully,
'Dear life,' he said, 'what troubles thee,
who ever quiet hast been and sweet,
why dost thou now so shrilly greet?
Thy body that peerless white was born
is now by cruel nails all torn.
Alas! thy cheeks that were so red
are now as wan as thou wert dead;
thy fingers too, so small and slim,
110 are stained with blood, their hue is dim.
Alas! thy lovely eyes in woe
now stare on me as on a foe.
A! lady, mercy I implore.
These piteous cries, come, cry no more,
but tell me what thee grieves, and how,
and say what may thee comfort now.'

    Then, lo! at last she lay there still,
and many bitter tears did spill,
and thus unto the king she spake:
120 'Alas! my lord, my heart will break.
Since first together came our life,
between us ne'er was wrath nor strife,

E s'affrettaron là e dame e cavalieri,
90   e corsero sessanta damigelle, e più;
alla regina andaron, nel giardino,
la sollevaron, chini, con le braccia,
e alfine la portarono al suo letto,
e la tennero ferma mentre delirava;
ma senza sosta ella ancor gridava,
si dimenava per levarsi e per fuggire.

Udendo Orfeo queste tristi nuove,
provò una pena mai provata prima;
con dieci cavalieri rapido n'andò
100   nella stanza di lei e stette innanzi al letto,
e riguardandola con mesti occhi:
"Oh vita mia," disse, "che cosa mai ti turba?
Tu fosti sempre dolce, e sì tranquilla:
che mai ti fa ora pianger sì acutamente?
Il corpo ch'era nato e puro e bianco
dalle unghie crudeli è lacerato.
Ahimè, le gote tue, che erano sì rosse,
sono ora esangui, quasi fossi morta,
e le affusolate tue piccole dita
110   macchiate son di sangue e spento n'è il colore.
Gli amabili tuoi occhi, ahi, per il duolo
mi fissan quasi fossi io un nemico.
Ahimè, mia dama, mostra tu mercede.
Non levar più queste pietose grida
e dimmi ciò che l'animo t'affligge,
e di' ciò che ti può recar conforto."

Ed ecco ch'ella giacque là tranquilla
e mentre amaro pianto le bagnava gli occhi,
al re così parlò: "Ahimè,
120   che mi si spezza il cuore, mio signore.
Da quando una furon nostre vite,
non vi fu ira o screzio fra di noi,

but I have ever so loved thee
as very life, and so thou me.
Yet now we must be torn in twain,
and go I must, for all thy pain.'
      'Alas!' said he, 'then dark my doom.
Where wilt thou go, and go to whom?
But where thou goest, I come with thee,
130 and where I go, thou shalt with me.'
      'Nay, nay, sir, words avail thee naught.
I will tell thee how this woe was wrought:
as I lay in the quiet noontide
and slept beneath our orchard-side,
there came two noble knights to me
arrayed in armour gallantly.
"We come", they said, "thee swift to bring
to meeting with our lord and king."
Then answered I both bold and true
140 that dared I not, and would not do.
They spurred then back on swiftest steed;
then came their king himself with speed;
a hundred knights with him and more,
and damsels, too, were many a score,
all riding there on snow-white steeds,
and white as milk were all their weeds;
I saw not ever anywhere
a folk so peerless and so fair.
The king was crowned with crown of light,
150 not of red gold nor silver white,
but of one single gem 'twas hewn
that shone as bright as sun at noon.
And coming, straightway he me sought,
and would I or no, he up me caught,
and made me by him swiftly ride
upon a palfrey at his side;

ma come la mia vita sempre
io t'ho amato, e così tu me.
Ora però dobbiam strapparci l'un dall'altro
e, per quanto tu soffra, io debbo andare."
      "Ahimè," disse'egli, "cupa è la mia sorte.
Dove n'andrai, da chi tu andrai?
Ovunque vada tu, con te io vengo,
130 e ovunque io vada tu sarai con me."
      "No, no, signor, non valgon le parole.
Or ti dirò il principio del mio male:
mentr'io giacevo nel meriggio calmo
e dormivo nell'ombra del verziere,
giunser da me due fini cavalieri,
di nobile armatura rivestiti.
'Veniamo,' disser, 'per portarti in fretta
ad incontrare il nostro re, e signore.'
E io risposi, con ardire e verità,
140 che non osavo farlo, né fatto l'avrei.
Ratti n'andar, spronando i lor destrieri;
poi venne il re in persona, a gran carriera,
con cento cavalieri, e forse più,
e damigelle, pure, in folla grande,
in sella a destrieri bianchi come neve,
con vesti ch'eran bianche come il latte;
in altro luogo io mai vidi
gente sì nobile e sì leggiadra.
Aveva il re di luce la corona,
150 non d'oro rosso o bianco argento:
da una singola gemma essa era tratta,
la qual luceva pari a luna o sole.
Giungendo, verso me ei si diresse
e, ch'io volessi o no, ei mi afferrò
e rapida mi fece cavalcare
su un palafreno che gli andava a fianco;

and to his palace thus me brought,
a dwelling fair and wondrous wrought.
He castles showed me there and towers,
160 Water and wild, and woods, and flowers,
and pastures rich upon the plain;
and then he brought me home again,
and to our orchard he me led,
and then at parting this he said:
"See, lady, tomorrow thou must be
right here beneath this grafted tree,
and then beside us thou shalt ride,
and with us evermore abide.
If let or hindrance thou dost make,
170 where'er thou be, we shall thee take,
and all thy limbs shall rend and tear –
no aid of man shall help thee there;
and even so, all rent and torn,
thou shalt away with us be borne."'

When all those tidings Orfeo heard,
then spake he many a bitter word:
'Alas! I had liever lose my life
than lose thee thus, my queen and wife!'
He counsel sought of every man,
180 but none could find him help or plan.
On the morrow, when the noon drew near,
in arms did Orfeo appear,
and full ten hundred knights with him,
all stoutly armed, all stern and grim;
and with their queen now went that band
beneath the grafted tree to stand.
A serried rank on every side
they made, and vowed there to abide,
and die there sooner for her sake

e al suo palazzo egli mi portò,
dimora splendida d'architettura.
Là egli mi mostrò castelli e torri,
160 acque e terreni incolti, e boschi e fiori,
e ricchi pascoli nella vallata;
a casa egli poi mi riportò
e sì mi ricondusse al verzier nostro
e, congedandosi, così mi disse:
'Domani, dama, tu esser dovrai,
proprio sotto quest'albero da frutto,
e poi cavalcherai accanto a noi
e per sempre con noi dimorerai.
Se poni ostacolo o impedimento,
170 ovunque tu sarai ti prenderemo,
facendo scempio delle membra tue –
e nessun uomo potrà darti aiuto;
e pur così, con le scempiate membra,
con noi sarai portata via.'"

Quando queste notizie Orfeo udì,
ei pronunciò parole ben amare:
"Ahimè, io perderei più volentier la vita,
che perder te così, regina mia, e sposa!"
Da ognuno egli cercò allor consiglio,
180 ma niuno aveva aiuto, o stratagemma.
E quando il mattino s'appressò al meriggio,
Orfeo apparve armato a tutto punto,
e con lui eran mille cavalieri,
solidi e armati, e severi e cupi;
e quella schiera andò con la regina
e stette ferma sotto l'albero da frutto.
Ad ogni lato, a ranghi ben serrati,
essi giuraron di restar là saldi
e per amor di lei là di morire,

190 than let men thence their lady take.
And yet from midst of that array
the queen was sudden snatched away;
by magic was she from them caught,
and none knew whither she was brought.

Then was there wailing, tears, and woe;
the king did to his chamber go,
and oft he swooned on floor of stone,
and such lament he made and moan
that nigh his life then came to end;
200 and nothing could his grief amend.
His barons he summoned to his board,
each mighty earl and famous lord,
and when they all together came,
'My lords,' he said, 'I here do name
my steward high before you all
to keep my realm, whate'er befall,
to hold my place instead of me
and keep my lands where'er they be.
For now that I have lost my queen,
210 the fairest lady men have seen,
I wish not woman more to see.
Into the wilderness I will flee,
and there will live for evermore
with the wild beasts in forests hoar.
But when ye learn my days are spent,
then summon ye a parliament,
and choose ye there a king anew.
With all I have now deal ye true.'

Then weeping was there in the hall,
220 and great lament there made they all,
and hardly there might old or young
for weeping utter word with tongue.
They knelt them down in company,

190 piuttosto che lasciar rapire la regina.
   Eppur, dal mezzo dello schieramento,
   la regina fu tratta via di colpo;
   fu per magia ch'ella fu lor sottratta
   e niuno seppe mai dov'ella fu portata.

   E furon pianti e gemiti, e dolore grande;
   il re n'andò nella sua stanza
   e cadde in deliquio sulla pietra nuda
   e tanto lamentò e gemette
   che della vita quasi giunse al fine;
200 e nulla v'era ad alleviar sua pena.
   Ei convocò innanzi a sé i baroni,
   ogni conte possente e celebre signore,
   e quando tutti fûr riuniti insieme,
   "Signori," disse, "il maggiordomo io qui
   pongo al disopra di voi tutti,
   perché, accada ciò che accada, regga il regno
   e tenga il posto che ora tengo io,
   e mie terre governi in ogni luogo.
   Poiché, ora che ho perso la regina,
210 la dama più leggiadra che si vide mai,
   nessuna donna più voglio io vedere.
   In desolate terre fuggirò,
   per viver là ancora e sempre,
   nelle antiche foreste, tra selvagge bestie.
   E quand'udrete che mia vita è spenta,
   un parlamento convocate allora
   e un nuovo re a voi scegliete.
   Con fedeltà trattate ciò che m'appartiene."
   E fu gran pianto allora nella sala
220 e tutti lamentarono a gran voce,
   e niuno, foss'ei giovane oppur vecchio,
   poté dire parola per il pianto.
   Tutti piegarono il ginocchio, poi,

and prayed, if so his will might be,
that never should he from them go.
'Have done!' said he. 'It must be so.'

    Now all his kingdom he forsook.
Only a beggar's cloak he took;
he had no kirtle and no hood,
230 no shirt, nor other raiment good.
His harp yet bore he even so,
and barefoot from the gate did go;
no man might keep him on the way.
    A me! the weeping woe that day,
when he that had been king with crown
went thus beggarly out of town!
Through wood and over moorland bleak
he now the wilderness doth seek,
and nothing finds to make him glad,
240 but ever liveth lone and sad.
He once had ermine worn and vair,
on bed had purple linen fair,
now on the heather hard doth lie,
in leaves is wrapped and grasses dry.
He once had castles owned and towers,
water and wild, and woods, and flowers,
now though it turn to frost or snow,
this king with moss his bed must strow.
He once had many a noble knight
250 before him kneeling, ladies bright,
now nought to please him doth he keep;
only wild serpents by him creep.
He that once had in plenty sweet
all dainties for his drink and meat,
now he must grub and dig all day,
with roots his hunger to allay.

e lo pregaron non volesse lui
da loro allontanarsi mai.
Ma lui: "Tacete," disse. "È d'uopo sia così."

Ed ecco che abbandona ora il regno.
Con sé egli porta solo manto di mendico;
tunica non aveva, e non cappuccio,
230 né camicia né altro buon vestito.
Egli con sé portò però la sua arpa
e scalzo s'avviò oltre il portone;
e nessuno poteva proteggerlo per via.
Ahimè, il pianto e il duolo di quel giorno,
quand'egli, ch'era stato re con la corona,
come mendico uscì dalla città!
Per boschi e per brughiere desolate
egli ora cerca luoghi solitari,
e nulla trova che gli dia letizia,
240 e solingo egli vive, e con mestizia.
Indossava egli un tempo ermellino e vaio,
lenzuola avea nel letto viola e fini,
ora su dura erica si stende,
e in foglie egli s'involge, ed erba secca.
Castelli e torri un tempo possedeva,
acque e terreni e fiori e boschi,
e ora, quando nevica e poi gela,
il re copre di muschio il suo giaciglio.
Nobili cavalieri un tempo avea
250 che a lui piegavano il ginocchio, e belle dame,
ma ora nulla è là per compiacerlo;
soltanto serpi a lui strisciano accanto.
Egli che un tempo aveva in abbondanza
ogni prelibatezza da mangiare e bere,
ora deve scavar cercando tutto il dì,
onde placar la fame con radici.

In summer on wildwood fruit he feeds,
or berries poor to serve his needs;
in winter nothing can he find
260   save roots and herbs and bitter rind.
All his body was wasted thin
by hardship, and all cracked his skin.
A Lord! who can recount the woe
for ten long years that king did know?
His hair and beard all black and rank
down to his waist hung long and lank.
His harp wherein was his delight
in hollow tree he hid from sight;
when weather clear was in the land
270   his harp he took then in his hand
and harped thereon at his sweet will.
Through all the wood the sound did thrill,
and all the wild beasts that there are
in joy approached him from afar;
and all the birds that might be found
there perched on bough and bramble round
to hear his harping to the end,
such melodies he there did blend;
and when he laid his harp aside,
280   no bird or beast would near him bide.

There often by him would he see,
when noon was hot on leaf and tree,
the king of Faërie with his rout
came hunting in the woods about
with blowing far and crying dim,
and barking hounds that were with him;
yet never a beast they took nor slew,
and where they went he never knew.
At other times he would descry

Di frutti egli si nutre nell'estate,
povere bacche bastano al bisogno;
nulla in inverno egli può trovare
260 se non radici ed erbe, e corteccia amara.
Guasto si fece il corpo suo, tutto smagrito,
gli si crepò la pelle per gli stenti.
Ahimè, chi può ridir, Signore, quelle pene
che il re conobbe in dieci lunghi anni?
Barba e capelli, neri ed abbondanti,
incolti e lunghi gli cadean fino alla vita.
E l'arpa, ch'era inver la sua delizia,
in un albero cavo celò alla vista;
e quando mite il tempo era sulla terra,
270 in mano lui prendeva la sua arpa
e la sonava a proprio piacimento.
Vibrava per il bosco allora il suono
e tutti gli animali ch'eran là
da lungi a lui venivano con gioia,
e ogni uccello che là si vedea,
sui rami appollaiandosi e sui rovi,
sino alla fine ascoltava il suon dell'arpa:
oh soave n'era la mista melodia!
E quando l'arpa poi ei deponeva,
280 accanto a lui non v'era più bestia, o uccello.

Egli spesso là vedea, quando il meriggio
era caldo su albero e su foglia,
venire a caccia per i boschi il re
del Mondo Magico, con la sua gente:
lontani i corni e le lor grida,
e l'abbaiar dei cani ch'erano con lui;
mai catturavano o uccidevan bestia,
e dove andasser poi ei non sapeva.
Altre volte di scorger gli parea

290   a mighty host, it seemed, go by,
        ten hundred knights all fair arrayed
        with many a banner proud displayed.
        Each face and mien was fierce and bold,
        each knight a drawn sword there did hold,
        and all were armed in harness fair
        and marching on he knew not where.
        Or a sight more strange would meet his eye:
        knights and ladies came dancing by
        in rich array and raiment meet,
300   softly stepping with skilful feet;
        tabour and trumpet went along,
        and marvellous minstrelsy and song.

        And one fair day he at his side
        saw sixty ladies on horses ride,
        each fair and free as bird on spray,
        and never a man with them that day.
        There each on hand a falcon bore,
        riding a-hawking by river-shore.
        Those haunts with game in plenty teem,
310   cormorant, heron, and duck in stream;
        there off the water fowl arise,
        and every falcon them descries;
        each falcon stooping slew his prey,
        and Orfeo laughing loud did say:
        'Behold, in faith, this sport is fair!
        Fore Heaven, I will betake me there!
        I once was wont to see such play.'
        He rose and thither made his way,
        and to a lady came with speed,
320   and looked at her, and took good heed,
        and saw as sure as once in life
        'twas Heurodis, his queen and wife.

290   passare un esercito possente,
      ben mille cavalieri tutti in armi,
      con gli stendardi fieramente al vento.
      Feroce e ardito era ogni volto,
      i cavalieri sguainata avean la spada,
      e indossava ognuno splendida armatura,
      marciando verso un luogo a lui ignoto.
      E scena ancor più strana l'occhio suo coglieva:
      venivano danzando cavalieri e dame,
      con ricche vesti e abbigliamento fine,
300   che con abilità moveano i piedi;
      li accompagnavan tamburelli e trombe,
      e il canto incantevole dei menestrelli.

         E un bel giorno egli, accanto a sé,
      sessanta dame vide cavalcare,
      libere e belle quali uccelli tra le fronde,
      e nessun uomo era con lor quel giorno.
      E sulla mano ognuna aveva un falco,
      poiché lungo il fiume erano a caccia.
      Era in quei luoghi preda abbondante,
310   cormorani e aironi e anatre nell'acqua;
      si levano in volo quegli uccelli
      e i falchi subito li avvistan
      e giù calando uccidono la preda.
      Disse allora Orfeo, ridendo forte:
      "In fede mia, mi piace quello svago!
      Voglio recarmi là, il Cielo lo conceda!
      Solevo un tempo osservar tal gioco."
      Ei si levò e verso là camminò
      appressandosi a una dama in tutta fretta
320   e la guardò con attenzione grande
      e fu sicuro, come d'esser vivo,
      ch'era Heurodis, la sua regina e sposa.

Intent he gazed, and so did she,
but no word spake; no word said he.
For hardship that she saw him bear,
who had been royal, and high, and fair,
then from her eyes the tears there fell.
The other ladies marked it well,
and away they made her swiftly ride;
330 no longer might she near him bide.
     'Alas!' said he, 'unhappy day!
Why will not now my death me slay?
Alas! unhappy man, ah why
may I not, seeing her, now die?
Alas! too long hath lasted life,
when I dare not with mine own wife
to speak a word, nor she with me.
Alas! my heart should break,' said he.
'And yet, fore Heaven, tide what betide,
340 and whithersoever these ladies ride,
that road I will follow they now fare;
for life or death no more I care.'

     His beggar's cloak he on him flung,
his harp upon his back he hung;
with right good will his feet he sped,
for stock nor stone he stayed his tread.
Right into a rock the ladies rode,
and in behind he fearless strode.
He went into that rocky hill
350 a good three miles or more, until
he came into a country fair
as bright as sun in summer air.
Level and smooth it was and green,
and hill nor valley there was seen.
A castle he saw amid the land
princely and proud and lofty stand;

Intento la fissò, e così fece lei,
ma restò muta, e muto fu anche lui.
E per gli stenti ch'ella su lui vide,
lui ch'era stato un re nobile e bello,
lacrime caddero dagli occhi suoi.
Ben se ne avvidero le altre dame
e ratte via la fecer cavalcare;
330 accanto a lui, oh, non poteva ella restare.
        "Ahimè," diss'egli, "che infelice giorno!
perché non or m'uccide la mia morte?
Ahimè, uomo infelice, perché mai
non posso io morir, vedendola ora?
Ahimè, a lungo troppo dura la mia vita,
se con la sposa mia parlar non oso,
né ella osa di parlar con me."
E disse: "Ahimè, che mi si spezza il cuore.
Eppure, per il Cielo, accada ciò che accada,
340 e ovunque or cavalchin quelle dame,
la via io seguirò che hanno ora imboccato,
ché uguali sono a me e vita e morte."
        Si gettò sulle spalle il manto da mendico,
e l'arpa alla schiena poi s'appese;
e s'avviò seguendo il voler proprio,
né gli fu inciampo pietra oppure ciocco.
Dentro una roccia cavalcaron quelle dame
ed egli impavido n'andò dietro di loro.
In montagna di roccia penetrò,
350 andando per tre miglia, e anche più,
sinché non giunse in una terra amena,
lucente come il sole quand'è estate.
Era piana e morbida e ben verde
e là non v'era valle oppur montagna.
Vide un castello in mezzo a quella terra,
eccelso, principesco, e inver superbo;

the outer wall around it laid
of shining crystal clear was made.
A hundred towers were raised about
360 with cunning wrought, embattled stout;
and from the moat each buttress bold
in arches sprang of rich red gold.
The vault was carven and adorned
with beasts and birds and figures horned;
within were halls and chambers wide
all made of jewels and gems of pride;
the poorest pillar to behold
was builded all of burnished gold.
And all that land was ever light,
370 for when it came to dusk of night
from precious stones there issued soon
a light as bright as sun at noon.
No man may tell nor think in thought
how rich the works that there were wrought;
indeed it seemed he gazed with eyes
on the proud court of Paradise.

    The ladies to that castle passed.
Behind them Orfeo followed fast.
There knocked he loud upon the gate;
380 the porter came, and did not wait,
but asked him what might be his will.
'In faith, I have a minstrel's skill
with mirth and music, if he please,
thy lord to cheer, and him to ease.'
The porter swift did then unpin
the castle gates, and let him in.

    Then he began to gaze about,
and saw within the walls a rout
of folk that were thither drawn below,
390 and mourned as dead, but were not so.

il muro esterno che lo circondava
di cristallo era fatto, scintillante.
Ben cento torri s'innalzavano d'intorno,
360 d'abile costruzione e molto ben difese,
e dal fossato ogni contrafforte
in archi si levava d'oro rosso.
Incisa era la volta e adornata
di bestie e uccelli e figure con le corna;
e dentro erano sale e ampie stanze
fatte di gemme e di preziose pietre;
la colonna più misera a vedersi
con oro era eretta ben brunito.
E v'era sempre luce in quella terra,
370 ché, quando si facea crepuscolo, e poi notte,
ogni pietra preziosa subito emanava
luce ch'è pari al sole del meriggio.
Nessun può dire o nel pensier pensare
quant'eran ricche le opre là create;
gli parve inver di contemplar con gli occhi
del Paradiso la stupenda corte.

   Andarono le dame in quel castello.
E dietro a loro Orfeo se n'andò ratto.
E là al portone egli bussò ben forte;
380 venne il portiere e non vi mise indugio
e subito gli chiese che volesse.
"Abile menestrello in fe' io sono,
e il tuo signor, se a lui sì piace,
posso allietar con musica e allegria."
Veloce il portiere allora spalancò
le porte del castello e lo fece entrare.

   Allora principiò a guardarsi intorno
e vide entro le mura una gran folla
di gente trascinata sino là,
390 non morta, eppure come morta pianta.

For some there stood who had no head,
and some no arms, nor feet; some bled
and through their bodies wounds were set,
and some were strangled as they ate,
and some lay raving, chained and bound,
and some in water had been drowned;
and some were withered in the fire,
and some on horse, in war's attire,
and wives there lay in their childbed,
400 and mad were some, and some were dead;
and passing many there lay beside
as though they slept at quiet noon-tide.
Thus in the world was each one caught
and thither by fairy magic brought.
There too he saw his own sweet wife,
Queen Heurodis, his joy and life,
asleep beneath a grafted tree:
by her attire he knew 'twas she.
    When he had marked these marvels all,
410 he went before the king in hall,
and there a joyous sight did see,
a shining throne and canopy.
Their king and lord there held his seat
beside their lady fair and sweet.
Their crowns and clothes so brightly shone
that scarce his eyes might look thereon.
    When he had marked this wondrous thing,
he knelt him down before the king:
'O lord,' said he, 'if it be thy will,
420 now shalt thou hear my minstrel's skill.'
The king replied: 'What man art thou
that hither darest venture now?
Not I nor any here with me
have ever sent to summon thee,

Alcuni non avevan più la testa,
altri non braccia o piedi; e ferite
dal corpo di qualcuno davan sangue;
altri si strozzarono mangiando,
alcuni, deliranti, eran legati,
altri nell'acqua erano affogati;
altri nel fuoco s'erano avvizziti,
alcuni erano in sella, tutti armati,
e v'eran donne stese a letto per il parto,
400 alcuni erano pazzi e alcuni erano morti;
e v'eran molti che giacevan là
quasi dormisser nella quiete del meriggio.
Così nel mondo ognun fu catturato
e là portato per magia e incanto.
E là egli vide la sua dolce sposa,
che a lui era vita e gioia, Heurodis regina,
addormentata sotto un albero da frutto:
dalle sue vesti ei la riconobbe.
 Quand'ebbe visto queste meraviglie
410 egli n'andò alla sala, innanzi al re,
e gioioso spettacolo là vide,
un trono e un baldacchino rilucenti.
Il re signore loro là sedeva,
accanto a una donna bella e dolce.
Corona e vesti scintillavan tanto
che a stento egli poteva riguardarli.
 Quand'ebbe contemplato quella meraviglia,
dinanzi al re chinò i ginocchi:
"Signore," disse, "se a te aggrada,
420 udrai l'abilità d'un menestrello."
Rispose il re: "Che uomo mai tu sei,
che osi avventurarti sino a qui?
Né io né alcuno che è qui con me
mandò mai uomo che ti convocasse,

and since here first my reign began
I have never found so rash a man
that he to us would dare to wend,
unless I first for him should send.'
'My lord,' said he, 'I thee assure,
430 I am but a wandering minstrel poor;
and, sir, this custom use we all
at the house of many a lord to call,
and little though our welcome be,
to offer there our minstrelsy.'

    Before the king upon the ground
he sat, and touched his harp to sound;
his harp he tuned as well he could,
glad notes began and music good,
and all who were in palace found
440 came unto him to hear the sound,
and lay before his very feet,
they thought his melody so sweet.
He played, and silent sat the king
for great delight in listening;
great joy this minstrelsy he deemed,
and joy to his noble queen it seemed.

    At last when he his harping stayed,
this speech the king to him then made:
'Minstrel, thy music pleaseth me.
450 Come, ask of me whate'er it be,
and rich reward I will thee pay.
Come, speak, and prove now what I say!'
'Good sir,' he said, 'I beg of thee
that this thing thou wouldst give to me,
that very lady fair to see
who sleeps beneath the grafted tree.'
'Nay,' said the king, 'that would not do!
A sorry pair ye'd make, ye two;

e da quando il mio regno ebbe principio,
mai io trovai qualcuno sì avventato
che il passo osasse volger verso noi
se prima io chiamato non lo avessi."
"Oh mio signore," disse, "ti assicuro
430 ch'io sono solo un menestrello errante,
e questo è l'uso che abbiamo noi:
ossia fermarci ove un nobile dimora,
e seppure non sempre siam graditi,
offriamo l'arte nostra, e il nostro canto."
   E innanzi al re per terra si sedette
e l'arpa pizzicò e un suon ne trasse,
e poi sonò con maestria:
e furon note liete e musica soave.
E quanti erano là, in quel palazzo,
440 furono a lui d'intorno a udir quel suono,
e tutti si disposero ai suoi piedi,
pensando: Quant'è dolce questa melodia!
Egli sonava e il re muto sedeva,
ché gran piacer traeva dall'udirlo;
trovava grande gioia in quell'armonia
com'era gioia per la nobile regina.
   Alfine, quando tacque il suon dell'arpa,
così a lui parlò il re allora:
"Io amo sì tua musica, o menestrello,
450 che a me puoi chiedere qualsiasi cosa:
e certo un ricco premio a te darò.
Su, parla, e rendi vero ciò ch'io dissi."
Disse: "Signore buono, allor ti prego
che una sola cosa a me tu dia,
ovvero quella dama tanto bella
che dorme là, sotto quell'albero da frutto."
"No," disse il re, "ciò essere non può.
Una ben strana coppia voi sareste,

for thou art black, and rough, and lean,
460 and she is faultless, fair and clean.
A monstrous thing then would it be
to see her in thy company.'
    'O sir,' he said, 'O gracious king,
but it would be a fouler thing
from mouth of thine to hear a lie.
Thy vow, sir, thou canst not deny,
Whate'er I asked, that should I gain,
and thou must needs thy word maintain.'
The king then said: 'Since that is so,
470 now take her hand in thine, and go;
I wish thee joy of her, my friend!'
    He thanked him well, on knees did bend;
his wife he took then by the hand,
and departed swiftly from that land,
and from that country went in haste;
the way he came he now retraced.
    Long was the road. The journey passed;
to Winchester he came at last,
his own beloved city free;
480 but no man knew that it was he.
Beyond the town's end yet to fare,
lest men them knew, he did not dare;
but in a beggar's narrow cot
a lowly lodging there he got
both for himself and for his wife,
as a minstrel poor of wandering life.
He asked for tidings in the land,
and who that kingdom held in hand;
the beggar poor him answered well
490 and told all things that there befell:
how fairies stole their queen away
ten years before, in time of May;

ché tu sei nero e rozzo e tanto magro,
460 ed ella è bella e linda e immacolata.
Sarebbe inver cosa mostruosa
vedere lei andare al tuo fianco."

"Signore," disse, "o re cortese,
ma cosa assai più grave inver sarebbe
udire una menzogna uscir dalla tua bocca.
Rinnegar non t'è lecito la tua promessa,
ossia di darmi ciò ch'io chiesto avessi,
e or t'è forza mantenere la parola."
Allora disse il re: "E così sia:
470 nella tua prendi la sua mano e va':
t'auguro tu ne abbia gioia, amico mio."

Egli lo ringraziò, piegato sui ginocchi;
poi prese la sua sposa per la mano
e rapido s'allontanò da quella terra,
e da quella regione in fretta se n'andò;
e ritrovò la strada donde era venuto.

Lunga la via ma il viaggio si concluse,
e alfine a Winchester egli arrivò,
la sua amata e libera città;
480 però nessun sapea che era lui.
Non andò oltre i margini della città
per il timore d'essere riconosciuto;
e nella capannuccia d'un mendico
un'umile dimora egli trovò
per sé e per la sposa sua,
qual menestrello povero ed errante.
Di quella terra poi chiese notizie,
di chi reggesse adesso quel reame;
il povero mendico gli rispose
490 e gli narrò le cose là accadute:
come rapissero le fate la regina
or erano dieci anni, e il tempo era di maggio;

and how in exile went their king
in unknown countries wandering,
while still the steward rule did hold;
and many things beside he told.

    Next day, when hour of noon was near,
he bade his wife await him here;
the beggar's rags he on him flung,
500 his harp upon his back he hung,
and went into the city's ways
for men to look and on him gaze.
Him earl and lord and baron bold,
lady and burgess, did behold.
'O look! O what a man!' they said,
'How long the hair hangs from his head!
His beard is dangling to his knee!
He is gnarled and knotted like a tree!'

    Then as he walked along the street
510 He chanced his steward there to meet,
and after him aloud cried he:
'Mercy, sir steward, have on me!
A harper I am from Heathenesse;
to thee I turn in my distress.'
The steward said: 'Come with me, come!
Of what I have thou shalt have some.
All harpers good I welcome make
For my dear lord Sir Orfeo's sake.'

    The steward in castle sat at meat,
520 and many a lord there had his seat;
trumpeters, tabourers there played
harpers and fiddlers music made.
Many a melody made they all,
but Orfeo silent sat in hall
and listened. And when they all were still
he took his harp and tuned it shrill.

e come in esilio se n'andasse il re,
in terre errando che nessun conosce,
mentre al comando si poneva il maggiordomo;
e molte altre cose egli ridisse.

Il giorno appresso, verso il mezzogiorno,
disse alla moglie d'aspettarlo là;
gli stracci da mendico addosso si buttò
500 e alla schiena ei appese l'arpa,
e per le vie della città s'incamminò,
perché su lui posasse gli occhi ogni persona.
Conti e signori e baroni arditi,
dame e borghesi, lo squadraron tutti,
dicendo: "Ma guardate! Chi è quell'uomo?
Lunghi i capei gli scendono dal capo!
Sino al ginocchio oscilla la sua barba!
Come albero è contorto, e pien di nocche!"

E mentre camminava per la via,
510 per caso incontrò il maggiordomo
e a voce alta lo chiamò:
"Di me pietà abbiate, maggiordomo,
sono un arpista delle terre pagane
e nell'ambascia mia a voi io mi rivolgo."
Rispose il maggiordomo: "Con me vieni!
Di ciò che io posseggo avrai tu parte.
Accolgo volentieri i buoni arpisti,
per amore d'Orfeo, il caro mio signore."

A pranzo il maggiordomo nel castello
520 sedette assieme a molti altri signori;
v'era là chi sonava trombe e tamburelli,
e musica facean arpisti e violinisti.
Variate melodie facevan essi,
mentre silente Orfeo sedeva nella sala
e ascoltava; e quando tutto fu silenzio,
ei prese l'arpa e l'accordò acutamente.

Then notes he harped more glad and clear
than ever a man hath heard with ear;
his music delighted all those men.
530   The steward looked and looked again;
the harp in hand at once he knew.
'Minstrel,' he said, 'come, tell me true,
whence came this harp to thee, and how?
I pray thee, tell me plainly now.'
'My lord,' said he, 'in lands unknown
I walked a wilderness alone,
and there I found in dale forlorn
a man by lions to pieces torn,
by wolves devoured with teeth so sharp;
540   by him I found this very harp,
and that is full ten years ago.'
'Ah!' said the steward, 'news of woe!
'Twas Orfeo, my master true.
Alas! poor wretch, what shall I do,
who must so dear a master mourn?
A! woe is me that I was born,
for him so hard a fate designed,
a death so vile that he should find!'
Then on the ground he fell in swoon;
550   his barons stooping raised him soon
and bade him think how all must end –
for death of man no man can mend.

   King Orfeo now had proved and knew
his steward was both loyal and true,
and loved him as he duly should.
'Lo!' then he cried, and up he stood,
'Steward, now to my words give ear!
If thy king, Orfeo, were here,
and had in wilderness full long
560   suffered great hardship sore and strong,

Note sonò assai più chiare e liete
di quanto uomo mai avesse udito,
e trasse ognun da quella musica piacere.
530   Il maggiordomo lo guardò, ancora e ancora,
e l'arpa in quella mano riconobbe.
"Or dimmi il vero," disse, "menestrello:
quest'arpa donde giunse a te, e come?
Io te ne prego: dillo con chiarezza."
"Signore mio," rispose, "in terre ignote,
da solo camminavo, in luoghi vuoti,
e là trovai, in valle desolata,
un uomo fatto a pezzi dai leoni,
dai lupi divorato, che hanno i denti aguzzi;
540 accanto a lui trovai proprio quest'arpa,
ormai sono passati dieci anni."
"Ahi, dura nuova!" disse il maggiordomo.
"Quegli era Orfeo, il vero mio signore.
Ahimè, che mai farò, io sventurato,
che pianger debbo un padron sì caro?
Maledetto sia il giorno in cui io nacqui!
Duro destino a lui fu designato:
ossia incontrar una sì vile morte!"
E cadde a terra, colto dal deliquio;
550 chinandosi, i baroni lo tiraron su
e gli disser: Pensate alla comune fine –
ché la morte d'un uomo nessun uomo cura.
    Ora, per prova, Sir Orfeo seppe
che fedele e leale era il maggiordomo,
e che l'amava come amar si deve.
"Udite!" urlò e in piedi si levò,
"e mie parole ascolta, maggiordomo!
Se Orfeo qui fosse, lui che è il tuo re,
e in luoghi desolati avesse, lungo tempo,
560 grandi stenti sofferto, amari e gravi,

had won his queen by his own hand
out of the deeps of fairy land,
and led at last his lady dear
right hither to the town's end near,
and lodged her in a beggar's cot;
if I were he, whom ye knew not,
thus come among you, poor and ill,
in secret to prove thy faith and will,
if then I thee had found so true,
570 thy loyalty never shouldst thou rue:
nay, certainly, tide what betide,
thou shouldst be king when Orfeo died.
Hadst thou rejoiced to hear my fate,
I would have thrust thee from the gate.'

    Then clearly knew they in the hall
that Orfeo stood before them all.
The steward understood at last;
in his haste the table down he cast
and flung himself before his feet,
580 and each lord likewise left his seat,
and this one cry they all let ring:
'Ye are our lord, sir, and our king!'
To know he lived so glad they were.
To his chamber soon they brought him there;
they bathed him and they shaved his beard,
and robed him, till royal he appeared;
and brought them in procession long
the queen to town with merry song,
with many a sound of minstrelsy.
590 A Lord! how great the melody!
For joy the tears were falling fast
of those who saw them safe at last.

    Now was King Orfeo crowned anew,
and Heurodis his lady too;

e avesse con sua mano la regina
tratto dal fondo del magico regno,
per poi condurre la sua cara dama
qui, proprio ai margini della città,
ponendola in capanna d'un mendico;
s'io fossi lui, che non riconoscete,
venuto in mezzo a voi, povero ed egro,
per provare in segreto tua mente e tua fede,
e s'io t'avessi poi trovato ben sincero,
570 d'esser stato leale mai rimpiangeresti,
ché invero, accada ciò che accada,
tu saresti re quando Orfeo morisse.
Se udendo del mio fato avessi tu gioito,
gettato io t'avrei già nel fossato."
Allora seppe ognuno nella sala
che innanzi a loro se ne stava Orfeo.
E tutto il maggiordomo alfin comprese;
la tavola con impeto rovescia
e innanzi ai piedi suoi si prostra
580 e ogni signore, come lui, lasciò il suo posto
e questo grido elevò ogni voce:
"Voi siete il signor nostro, e il nostro re!"
Ed era lieto ognun ch'ei fosse vivo.
Lo portarono subito nella sua stanza;
là gli fu fatto un bagno, e fu rasato,
poi fu vestito come a un re conviene;
e poi con gran corteo portarono essi
la regina in città, con lieti canti,
e l'armonia di molti menestrelli.
590 O Dio, qual grande melodia!
Cadevan molte lacrime di gioia
a quanti li vedevan sani e salvi.
E Re Orfeo di nuovo fu incoronato,
assieme alla sua dama Heurodis;

and long they lived, till they were dead,
and king was the steward in their stead.

    Harpers in Britain in aftertime
these marvels heard, and in their rhyme
a lay they made of fair delight,
600 and after the king it named aright,
'Orfeo' called it, as was meet:
good is the lay, the music sweet.

    Thus came Sir Orfeo out of care.
God grant that well we all may fare!

vissero essi a lungo, insino a morte,
e poi fu il maggiordomo il nuovo re.
    Gli arpisti di Britannia, poi, udita
tal meraviglia, nelle rime loro
fecero un lai ch'era delizia piena,

600 e giustamente al re lo intitolaron,
chiamandolo "Orfeo", com'era d'uopo;
dolce è la musica, e bello è il lai.

    Così si tolse Sir Orfeo dal suo assillo.
Conceda Dio a noi di viver bene!

GLOSSARIO

Questo glossario si limita a fornire i significati di alcune parole arcaiche e tecniche usate nella traduzione, e solo i significati che il traduttore intendeva in quel contesto (che in pochissimi casi possono essere dubbi). Nelle stanze che descrivono lo smembramento del cervo, ha impiegato alcuni dei termini tecnici dell'originale, il cui significato non sempre è chiaro; in tali casi (ad esempio, *Arber, Knot, Numbles*) ho dato quella che credo fosse la sua interpretazione finale. I riferimenti a *Sir Gawain* (G) e a *Perla* (P) indicano la stanza, mentre quelli a *Sir Orfeo* (O) il verso.

Arber	omaso, primo stomaco dei ruminanti G 53
Assay	saggiare, esaminare (il grasso di un cervo) G 53
Assoiled	assolse, assolto G 75
Baldric	budriere, cinghia (una fascia che regge la spada o il corno o con la quale sorreggere lo scudo) G 27, 100, 101
Barbican	barbacane (difesa esterna di un castello) G 34
Barrow	tumulo G 87
Beaver	celata (la parte mobile anteriore di un elmo) G 26
Blazon	scudo G 27, blasone G 35
Blear	opaco P 7
Brawn	carne G 64, 65
Buffet	colpo, botta G 94
Caitiff	villano G 71
Capadoce	cappa (il termine inglese è tratto dal testo originale, e pare indicasse una corta cappa che si poteva abbottonare all'altezza della gola) G 9, 25

Caparison	gualdrappa G 26
Carl	uomo G 84
Carols	carole (sia nel senso di canti che di danze accompagnate da canti) G 3, 42, 66, 75
Childermas	la festività dei Santi Innocenti, 28 dicembre, G 42
Chine	spina dorsale G 54
Churl	zotico G 84
Cincture	cintura G 98
Cithern	cetra P 8
Coat-armour	sopravveste indossata sopra l'armatura e ricamata con simboli araldici G 25, 81
Cognisance	segno (in origine, "segno distintivo" che permetteva di riconosce chi lo indossava, qui riferito al pentacolo) G 81
Coif	cuffia G 69
Corses	corpi P 72
Crenelles	merlatura G 34
Crupper	groppiera G 8, 26
Cuisses	cosciali G 25
Demeaned her	si comportò G 51
Dolour	dolore, duolo P 28
Doted	pazzi G 78
Ellwand	(asta che misurava 45 pollici) [reso con "oltre un metro"] G 10
Empery	imperio P 38
Eslot	sterno G 53, incavo alla base della gola G 63
Fain	lieto G 35
Featly	in modo superbo G 34; abilmente G 51
Feigned	foggiò P 63
Fells	pelli, pelliccia G 37, 69, 77
Finials	pinnacoli G 34
Flower-de-luce	giglio P 17, 63
Fore-numbles	(nell'originale si legge "avanters") si veda *Numbles* G 53
Frore	gelato P 90
Gittern	strumento a corde P 8
Glair	albume P 86
Glamoury	incantamento (o essere incantato) G 99
Gledes	carboni ardenti G 64

377

Pauncer	ventriera G 80
Pease	pisello G 95
Pisane	pettorale G 10
Pleasances	giardini di delizia P 12
Point-device	perfetto G 26
Poitrel	pettorale (di cavallo) G 8, 26
Polains	ginocchiere G 25
Popinjays	pappagalli G 26
Port	portamento G 39
Prise	(letteralmente) cattura G 64; il suono dei corni quando una preda è catturata G 54
Purfling	orlo ricamato P 18
Quadrate	quadrato P 87
Quarry	cumulo d'animali uccisi P 53
Quest	termine usato per indicare i cani sulle tracce di una preda G 57
Rewel	(un tipo di) avorio P 18
Rood	croce P 54, 59, 68
Ruth	rimorso G 100
Sabatons	calzari di ferro G 25
Sendal	(tipo di) seta G 4
Sheen	lucente P 4
Slade	valle P 12
Surnape	tovaglia, tovaglioli G 37
Tables	lastre P 83
Tabour	tamburello O 301
Tabourers	suonatori di tamburelli O 521
Tenoned	unito P 83
Tines	corna di cervo G 34
Tors	alti colli P 73
Tressure	rete (per trattenere i capelli) G 69
Vair	vaio (pelliccia d'uno scoiattolo) O 241
Weasand	esofago G 53
Weed	abito, veste G 95, P 64, O 146
Welkin	cielo, paradiso G 23, P 10
Wight	essere umano, uomo G 84
Wist	passato del verbo conoscere, sapere G 61
Worms	draghi ["serpenti"] G 31
Wrack	nube non ferma G 68

APPENDICE
La metrica di
Sir Gawain e il Cavaliere Verde
e *Perla*

I
SIR GAWAIN

La parola "allitterativa", applicata all'antica metrica dell'Inghilterra, è fuorviante; poiché l'allitterazione non aveva a che fare con le *lettere* o con l'*ortografia*, bensì con i *suoni*, e con il modo in cui l'orecchio li percepiva. I suoni importanti sono quelli che *iniziano* le parole e, più precisamente, quelli che iniziano le sillabe accentate delle parole. L'allitterazione, o "rima di testa", è, all'interno di un verso, l'accordo di sillabe accentate che iniziano con lo stesso suono consonantico (suono, non lettera), o che iniziano non con una consonante bensì con una vocale. Qualsiasi vocale allittera con qualsiasi altra vocale: lo schema allitterativo è soddisfatto se le parole in questione *non* iniziano con una consonante.

"Apt alliteration's artful aid" ["Abile aiuto di un'atta allitterazione"], disse uno scrittore del XVIII secolo. Per un poeta del XIV secolo, però, in questo sistema soltanto tre di quelle quattro parole erano allitteranti. Non lo era *allitterazione*; poiché la sua prima sillaba forte è *lit*, e quindi essa allittera con la consonante *l. Apt, artful,* e *aid* sono allitteranti non perché inizino con la stessa lettera, la *a*, ma perché sono concordanti al loro inizio, che non ha una consonante; e questa era già un'allitterazione. L'espressione "Old English art" ["l'arte dell'antico inglese"], dove le parole iniziano con tre lettere diverse, sarebbe già, a sua volta, un'allitterazione.

Ma un verso di questo tipo di poesia non era poesia semplicemente perché conteneva tali allitterazioni; *rum ram ruf* (così se ne prendeva gioco il parroco di Chaucer) non è un verso. Era necessaria anche una certa struttura.

Il poeta inizia il poemetto con un verso molto regolare, di una delle sue varietà preferite:

Siþen þe sege and þe assaut watz sesed at Troye
When the siege and the assault had ceased at Troy
[Quando a Troia furon cessati e l'assedio e l'assalto]

Questo tipo di verso si divide in due parti: "When the siege and the assault" e "had ceased at Troy". C'è, quasi sempre, una cesura tra loro, corrispondente a un certo grado di pausa nel senso. Ma il verso era saldato in un'unità metrica dall'allitterazione; una o più (di solito due) delle parole principali nella prima parte erano collegate per allitterazione con la prima parola importante nella seconda parte. Così, nella riga sopra, *siege*, assedio, *assault*, assalto; *ceased*, cessato. (Poiché è la sillaba accentata che conta, in *assault* conta la *s*, non la vocale).

Ognuna di queste parti doveva contenere due sillabe (spesso parole intere, come *siege*, assedio) che fossero, lì dov'erano disposte, sufficientemente accentate da sopportare una "battuta", ossia il peso della voce. Le altre sillabe dovrebbero essere più leggere e meno marcate. Il numero delle sillabe non era mai contato, né, in questa forma medievale, vi era un ordine rigoroso nella disposizione. Questa libertà ha un effetto marcato sul ritmo: potrebbe non esservi alcuna sillaba più leggera interposta tra gli accenti. Naturalmente, essendo normale nel linguaggio comune, in inglese questo è un effetto molto più facile da produrre che da evitare. Il verso che lo usa può accogliere facilmente molte enunciazioni naturali. I poeti medievali lo usavano soprattutto nella seconda parte del verso; esempi tratti dalla traduzione sono:

Tirius went to Tuscany   and tówns fóunded
[in Toscana andò Tirio e città vi fondò]
(stanza 1)

Indeed of the Table Round   all of those tríed bréthren (stanza 3)
[fratelli provati tutti, invero, della Tavola Rotonda,]
(stanza 3)

L'allitterazione può essere minima, interessando solo una parola in ciascuna parte del verso. Questo non è frequente nel testo originale (e quando appare in alcuni punti è lecito sospettare errori nel manoscritto); lo è un po' di più nella traduzione. Molto più spesso, l'allitterazione è accresciuta. Il mero eccesso, quando entrambi gli accenti nella seconda parte sono allitteranti, si trova di rado; due esempi si trovano in versi consecutivi nella stanza 83:

þay *bo*ȝen *bi bo*nkkez   þer *bo*ȝes are *b*are,
þay *c*lomben bi *c*lyffez   þer *c*lengez þe *c*olde

[They go by banks and by braes   where branches are bare,
they climb along cliffs   where clingeth the cold]

[Ed essi vanno per prode e per declivi ove spogli sono i rami, s'inerpicano per costoni di roccia dove il freddo s'aggrappa]

e sono conservati nella traduzione. Questo è un eccesso, un *rum-ram-ruf-ram*, che presto risulta stucchevole all'orecchio.

L'aumento dell'allitterazione è solitamente collegato all'aumento del peso e del contenuto del verso. In moltissimi versi la prima parte ha tre sillabe o battute pesanti (non necessariamente, né di solito, di uguale forza). È opportuno guardare questo tipo di ritmo in questo modo. Il linguaggio naturale non sempre si organizza secondo schemi semplici:

the siege and the assault   had ceased at Troy

Tiriu to Tuscany   and towns founded

Potrebbero esserci più "parole piene" in una frase. "The king and his kinsman / and courtly men served them" [il re e il suo congiunto, e uomini cortesi li servirono] (si veda la stanza 21, v. 16) va abbastanza bene ed è un verso ben fatto. Ma si potrebbe voler dire: "The king and his good kinsman / and quickly courtly men served them" ["Il re e il suo buon parente / e veloci uomini cortesi li servirono"]. Quanto alla seconda metà del verso, il desiderio era trattenuto e non si permetteva alla lingua di prendere il sopravvento; la seconda parte del verso era mantenuta semplice e chiara. Al massimo, ci si poteva avventurare in un "and courtiers at once served them" ["e subito i cortigiani li servirono"] – evitando la doppia allitterazione e mettendo l'avverbio là dove, nella narrazione naturale, poteva essere subordinato in forza e tono a *court-* e *served* – trattandoli come semplice battute. Ma nella prima parte del verso l'accumulo era molto in uso.

In "The king and his good kinsman", *good* non ha molta importanza e può essere ridotto di tono in modo da renderlo poco udibile, sì che non si ponga in competizione con *king* e *kinsman*. Ma se questo elemento è unito per allitterazione, è messo in evidenza e allora si ottiene un triplice tipo: "The king and his kind kinsman" ["Il re e il suo cortese parente"]. Questa varietà, in cui vi è un terzo tempo inserito prima del secondo tempo principale, al quale è subordinato in tono e rilevanza, ma col quale nondimeno è allitterante, è assai comune. Così è il secondo verso del poema:

And the *f*ortress *f*ell in *f*lame   to *f*irebrands and ashes
[e tra le fiamme la fortezza rovinò, sfacendosi in cenere e in tizzi,]

Ma il materiale aggiunto potrebbe arrivare all'inizio del verso. Invece di "In pomp and pride / he peopled first" ["con grande pompa e fierezza egli per primo la popolò"] (si vedano i vv. 8-9 del poema) si può dire: "In great pomp and pride" ["Con grande pompa e orgoglio"]. Ciò conduce facilmente a un'altra varietà in cui vi è una terza battuta prima del primo accento principale, cui è subordinata, ma con il quale è allitterante; è così nei versi settimo e ottavo del poema:

Fro *r*iche *R*omulus to *R*ome   *r*icchis hym swyþe
When *r*oyal *R*omulus to *R*ome his   his *r*oad had taken
[Quando il regale Romolo trovò la via per Roma]

Meno comunemente una parola piena ma subordinata può essere messa al posto di una sillaba debole alla fine della prima parte del verso; così è nella stanza 81:

Þe gordel di þe grene silke,   þat gay wel bisemed
That girdle of green silk,   and gallant it looked
[la cintura di seta verde; ed elegante essa appariva]

Se a ciò si aggiunge un'allitterazione, si ottiene il tipo:

And *f*ar over the *F*rench *f*lood   *F*elix *B*rutus
[e lontano oltre il mare francese, Felice Bruto]
(stanza 1)

In seguito si svilupperanno altre varietà; per esempio, quelle in cui la terza battuta non è realmente subordinata ma, o foneticamente o nel senso e nella vivacità, o in entrambi, si pone in competizione con le altre:

But *w*ild *w*eathers of the *w*orld   a*w*ake in the land
[il brutto tempo del mondo si ridesta in quella regione]

The *r*ings *r*id of the *r*ust   on his *r*ich byrnie
[gli anelli privi di ruggine sul ricco suo usbergo]
(entrambi dalla stanza 80)

A volte può accadere che la battuta aggiunta porti l'allitterazione e la parola foneticamente o logicamente più importante no. Nella traduzione, questo tipo è utilizzato per fornire un'allitterazione quando una parola principale che non può essere modificata si rifiuta di allitterare. Così, nel primo verso della stanza 2, la traduzione è:

And when *f*air Britain was *f*ounded   by this *f*amous lord
[E quando la bella Britannia fu fondata da quel famoso signore]

dove il testo originale suona:

Ande quen þis *B*retayn watz *b*igged   bi þis *b*urn rych(e) –

poiché "Britain" era inevitabile, ma né *bigged* (fondato) né *burn* (cavaliere, uomo) hanno controparti moderne da far allitterare con essa.

Com'è stato detto prima, l'allitterazione era avvertita dall'orecchio, non era basata sulle lettere; l'ortografia non contava.

Justed ful *j*olilé   þise *g*entyle kniȝtes
[v'erano giostre piene di gioia fra quei nobili signori]
(stanza 3, verso 6)

era un verso allitterante, nonostante l'ortografia avesse *g* e *j*. Tutt'altra cosa è la "licenza". Il poeta se ne concesse alcune dove né l'ortografia né il suono erano gli stessi, ma i suoni erano almeno *simili*. Occasionalmente, poteva ignorare la distinzione tra consonanti sonore e sorde, e quindi equiparare *s* con *z*, o *f* con *v*, e (spesso) tra parole che iniziano con *h* e parole che iniziano con una vocale. Nella traduzione mi sono preso le medesime licenze quando era necessario – un traduttore ha bisogno di più aiuto rispetto a un poeta che compone.

Così:

Quen Zeferus syflez hymself   on sedez and erbez
when Zephyr goes sighing   through seeds and herbs
[quando Zefiro sen va sospiroso per semi e per piante]
(stanza 23)

e

Though you yourself be desirous   to accept it in person
[sebbene voi siate ansioso d'accettarla di persona]
(stanza 16)

dove il secondo accento è "zire" di *desirous*, e il terzo è "sept" di *accept*.

I casi in cui l'allitterazione è sopportata non dal primo ma dal secondo elemento in una parola composta (come *eyelid*, "palpebra", o *daylight*, "luce diurna", nei versi che allitterano con la *l*) non sono realmente diversi, dal punto di vista metrico, da quelli in cui una parola separata ma subordinata usurpa l'allitterazione. Per esempio:

And unlouked his yȝe-lyddez,   and let as him wondered
He lifted his eylids   with a look as of wonder
[levò le palpebre con sguardo che finse sorpresa] (stanza 48)

Nella traduzione è usata di frequente una varietà che non si trova spesso in casi chiari nel testo originale; è l'"allitterazione incrociata". In essa, un verso contiene due suoni allitteranti, nella disposizione *abab* o *abba*. Questi schemi sono usati nella traduzione perché soddisfanno i requisiti della semplice allitterazione e, tuttavia, aggiungono più colore metrico per compensare i casi in cui l'allitterazione tripla o quadrupla del testo originale non possa essere riprodotta nell'inglese moderno. Quindi:

All of green were they *m*ade,   both *g*arments and *m*an
[Tutti di verde eran fatti, e gli abiti e l'uomo]
(stanza 8)

Towards the *f*airest at the *t*able   he *t*wisted the *f*ace
[verso i più nobili ch'erano a tavola rivolse la faccia]
(stanza 20)

Nel verso che segue lo schema è ʃ/s/ʒ/ʃ:

And since *f*olly thou hast sought,   thou deservest to *f*ind it
[e poiché una follia hai cercato, di trovarla tu meriti]
(stanza 15)

L'occorrenza frequente nella traduzione di "Wawain" per "Gawain" segue la pratica del testo originale. Entrambe le forme del nome erano usate; e, naturalmente, l'esistenza di una forma alternativa del nome di un personaggio principale, che inizia con un'altra consonante, era di grande aiuto per un poeta allitterativo.

Ma in *Sir Gawain* c'è anche la rima in fine di verso, negli ultimi versi di ogni stanza. L'autore ha avuto l'idea (si può affermare questo, perché niente di simile si trova altrove) di alleggerire la monotonia e il peso di circa 2000 versi lunghi allitterativi di seguito l'uno all'altro. Egli suddivise i versi in gruppi (non si possono definire "stanze" vere e proprie, poiché hanno una lunghezza molto variabile) e, alla fine di ciascuno di essi, mise un gruppetto di versi in rima, ossia quattro versi a rima alternata (oggi denominati *wheel*) e una coda di una battuta sola (denominata *bob*), la quale collega il *wheel* alla stanza precedente. Il *bob* rima con il secondo e il quarto verso del *wheel*. Non ci sono dubbi sulla riuscita metrica di questa creazione ma, siccome i versi in rima dovevano anche allitterare, e non c'è molto spazio per muoversi nei brevi versi del *wheel*, l'autore si è sottoposto a una severa prova tecnica, e il traduttore a una prova ancora peggiore. Nella traduzione, il tentativo di allitterare oltre che di rimare ha dovuto essere abbandonato un po' più spesso che nel testo originale. Come esempio del *bob* e del *wheel* sia nel testo originale che nella traduzione, riporto la fine della stanza 2:

If ze wyl lysten þis laye bot on littel quile
I schal telle hit astit, as I in toun herde,
    with tonge,
    As hit is stad and stoken
    In stori stif and stronge,
    With lei letteres loken,
    In londe so hatz ben longe.

If you will listen to this lay but a little while now,
I will tell it at once as in town I have heard
    it told,
    as it is fixed and fettered
    in story brave and bold,
    thus linked and truly lettered
    as was loved in this land of old.

II
PERLA

In *Perla*, l'autore adottò una stanza in rima di dodici versi, in cui è usata anche l'allitterazione. Il verso di *Perla* è un verso d'origine francese, modificato principalmente (a) dalla differenza tra inglese e francese in generale, e (b) dall'influenza di eredità di pratiche metriche e di gusto, soprattutto nelle zone dov'era ancora forte la tradizione allitterativa. Le caratteristiche essenziali dell'antica pratica allitterativa inglese sono del tutto diverse, in effetto e scopo, da quelle che si trovano in *Perla*. Nell'antico verso allitterativo, il "verso" non aveva un ritmo accentuato ripetuto o costante che gli conferisse un carattere metrico; le sue unità erano gli emistichi, ognuno dei quali era costruito in modo indipendente. Il verso era internamente collegato dall'allitterazione; ma questo collegamento era deliberatamente utilizzato *in contrasto con* la struttura retorica e sintattica. Le principali pause retoriche o logiche erano normalmente poste (tranne che alla fine di un periodo di più versi) nel mezzo del verso, tra le allitterazioni; e il secondo emistichio era più frequentemente connesso in senso e sintassi al verso seguente.

In totale contrasto a tutto ciò, in *Perla* vi è un ritmo accentuato di base fatto di sillabe alternate: forte/alta – debole/tenue; il poemetto è scritto secondo lo schema:

x / x / x / x / (x)
þay songen wyth a swete asent
[in armonia si univano le voci]
(verso 94 dell'originale).

I versi "modello" di questo tipo costituiscono circa un quarto dei versi del poemetto; ma se vi si includono anche quei versi in cui si ha la semplice variazione di lasciare che una delle "battute deboli" contenga due sillabe deboli, la proporzione sale a circa tre quinti, e a più ancora se sono ammesse due siffatte battute deboli di due sillabe. In tutti questi casi (poiché sono contati solo quelli in cui gli elementi metricamente non accentati sono genuinamente "deboli") lo schema metrico di alternanza di sillabe forte/alta e debole/tenue è chiaramente mantenuto. E nonostante le "variazioni" usate, e il dubbio circa la presenza o assenza della -*e* finale, questo schema resta invero così frequente e insistente da conferire all'effetto metrico dell'insieme una certa monotonia che, combinata con l'enfasi dell'allitterazione può (almeno per un ascoltatore moderno) diventare quasi soporifera. Ciò è accresciuto dal fatto che il poeta preferisce che l'ultima battuta, che è una sillaba in rima, partecipi all'allitterazione.

In *Perla, il verso nel suo insieme* è l'unità, e di solito è "conchiuso in sé"; nella stragrande maggioranza dei casi, i segni di punteggiatura principali devono essere posti all'estremità dei versi. Anche le "virgole", quando sono usate foneticamente (cioè quando non sono usate semplicemente per consuetudine, per delimitare frasi che non sono naturalmente contrassegnate neanche da lievi pause del discorso), sono poco frequenti all'interno del verso; mentre gli *enjambement* da un verso all'altro sono estremamente rari.

E, infine, l'allitterazione nella forma metrica di *Perla* non ha alcun ruolo strutturale nel verso. Questo può essere diviso tra i quattro accenti in qualsiasi ordine o quantità, da due a quattro, e dove vi è una sola coppia di accenti essi possono esser messi insieme o come AB o come CD, lasciando l'altra metà senza allitterazione. L'allitterazione, poi, può essere del tutto assente; dei 1212 versi del poemetto, oltre 300 ne sono del tutto privi. Inoltre, a meno che non si voglia rendere ancora maggiore il numero di versi che ne sono privi, le sillabe possono contribuire all'allitterazione anche se su esse non poggiano gli accenti metrici principali, oppure se, nella struttura del verso, esse sono relativamente deboli. In altre parole, l'allitterazione in *Perla* è un mero "ornamento", o decorazione del verso, poiché quest'ultimo è sufficientemente definito come tale, ed è già di per sé un "verso" senza di essa. E questa decorazione è fornita secondo l'abilità del poeta, o secondo l'opportunità linguistica, senza alcuna regola guida o qualche altra funzione.

Ogni stanza di *Perla* ha dodici versi, contenenti solo tre rime, sempre disposte secondo lo schema *ab* nei primi otto e nello schema *bcbc* negli ultimi quattro. L'intero poemetto conterrebbe 100 stanze suddivise in venti gruppi di cinque, se il quindicesimo gruppo (che inizia con la stanza 71) non ne contenesse sei.

È stato affermato che nel manoscritto sia stata inclusa una stanza che l'autore intendeva eliminare; contro quest'affermazione, però, vi è il fatto che la stanza in più in *Perla* dà al poemetto un totale di 101, e nel *Sir Gawain* ci sono 101 stanze.

I gruppi di cinque strofe (che nel manoscritto sono contrassegnati da un'iniziale ornamentale colorata all'inizio di ogni gruppo) sono costituiti in questo modo. L'ultima parola di ogni stanza riappare nel primo verso di quella successiva (così, la stanza 1 termina, nel testo originale: "Of þat pryuy perle wythouten *spot*", e la stanza 2 inizia: "Syþen in þat *spote* hit fro me sprange"). Questa parola di collegamento riappare nel primo verso della prima stanza del gruppo successivo (così, la stanza 6 inizia "Fro *spot* my spyryt þer sprang in space"), e la nuova parola di collegamento appare alla fine di quella stanza (quindi la stanza 6 termina "Of half so dere adubbemente", e la stanza 7 inizia "Dubbed wern alle þo downez sydez"). Come mostra quest'ultimo esempio, il collegamento non deve essere esattamente il medesimo, ma può essere costituito da parti diverse dello stesso verbo, da un sostantivo e un aggettivo con la stessa radice, e così via. Il collegamento manca nel testo originale all'inizio della stanza 61, e così accade nella traduzione.

Quindi, non solo le stanze sono collegate internamente come gruppi, ma i gruppi sono collegati tra loro; e l'ultimo verso del poemetto, "And precious perlez vnto his pay" (dove *pay* significa "piacere") riecheggia il primo, "Perle, plesaunte to prynces paye". Questo riecheggiare dell'inizio del poemetto nella sua conclusione si trova anche in *Sir Gawain* e in *Pazienza*.

Questa forma non era facile da comporre, ma è stata molto più difficile da tradurre; poiché le parole in rima usate dal poeta raramente si adattano ancora all'inglese moderno, e le parole allitteranti si adattano altrettanto di rado. Nella traduzione si è data la precedenza, ovviamente, allo schema delle rime, e l'allitterazione è meno ricca che nell'originale. Ma l'effetto della traduzione sull'orecchio moderno è, probabilmente, quello che il testo originale aveva su un orecchio del tempo, poiché per noi, di solito, l'allitterazione non è un ingrediente essenziale del verso, come lo era invece per le persone che vivevano un tempo nel Nord e nell'Ovest dell'Inghilterra.

GAWAIN'S LEAVE-TAKING

Now Lords and Ladies blithe and bold,
  To bless you here now am I bound:
I thank you all a thousand-fold,
  And pray God save you whole and sound;
  Wherever you go on grass or ground,
    May he you guide that nought you grieve,
  For friendship that I here have found
    Against my will I take my leave.

For friendship and for favours good,
  For meat and drink you heaped on me,
The Lord that raised was on the Rood
  Now keep you comely company.
  On sea or land where'er you be,
    May he you guide that nought you grieve.
  Such fair delight you laid on me
    Against my will I take my leave.

Against my will although I wend,
  I may not always tarry here;
For everything must have an end,
  And even friends must part, I fear;
  Be we beloved however dear

IL CONGEDO DI GAWAIN

Ora, signori e dame, audaci, felici,
    per benedirvi io sono qui,
per ringraziarvi mille e mille volte,
    e pregar Dio che vi mantenga sani;
    quando per terre e prati voi andrete,
        ogni dolore Ei tenga a voi lontano,
per l'amicizia che io qui trovai
        prendo congedo, pur se non vorrei.

Per l'amicizia e i favori buoni,
    per l'abbondar di cibi e di bevande,
Cristo, che fu levato sulla Croce,
    vi tenga ora buona compagnia.
    Che vi troviate in mare oppure in terra,
        ogni dolore Ei tenga a voi lontano.
Tanto è il piacer che su di me poneste
        che prendo io congedo, pur se non vorrei.

Seppur io vada contro il mio volere,
    a lungo più non posso qui indugiare,
ché ogni cosa giunge alla sua fine
    e pur gli amici debbon separarsi;
    per quanto amati siamo, e ad altrui cari,

Out of this world death will us reave,
And when we brought are to our bier
Against our will we take our leave.

Now good day to you, goodmen all,
And good day to you, young and old,
And good day to you, great and small,
And gramercy a thousand-fold!
If ought there were that dear ye hold,
Full fain I would the deed achieve –
Now Christ you keep from sorrows cold
For now at last I take my leave.

la morte ci trarrà da questo mondo,
e quando in una tomba siamo posti,
　　　prendiam congedo pur se non vogliamo.

Un buon giorno io auguro a voi tutti,
　　un buon giorno a voi, giovani e vecchi,
un buon giorno a voi, nobili e umili,
　　e mille volte e mille vi ringrazio!
　　Se avete cosa che a voi è cara,
　　　　per voi io lieto compirei l'impresa –
　　protegga Cristo voi da ogni dolore
　　　　ché ora io da voi prendo congedo.

INDICE

MISTO
Carta da fonti gestite
in maniera responsabile
FSC® C005461

Finito di stampare nel mese di agosto 2023 presso
Rotolito S.p.A. - Seggiano di Pioltello (MI)

Printed in Italy